ro
ro
ro

Ali liebt ihren Mann und ihre Kinder und arbeitet als Assistentin bei einer mäßig erfolgreichen Designerin. Ihr Mann Ed dreht Werbefilme für Baumärkte, nachdem er den Höhepunkt seiner Karriere längst überschritten hat: Einmal mit Harrison Ford gedreht zu haben! Die beiden führen ein glückliches Familienleben, bis Ali im Covent Garden in London den Porträtmaler Christian kennen lernt – einen jungen Mann, der ihr Sohn sein könnte.

Carole Matthews, geboren in Merseyside, arbeitete als Sekretärin, Fernsehmoderatorin und Journalistin. Nun ist sie hauptberuflich als Romanschriftstellerin und Drehbuchautorin tätig. Carole Matthews lebt in Milton Keynes. Im Rowohlt Taschenbuch Verlag bereits erschienen: «In guten wie in schlechten Tagen» (rororo 23300).

Carole Matthews

Ein Cappuccino mit Folgen

Roman

Deutsch von
Teja Schwaner

Rowohlt Taschenbuch Verlag

Die Originalausgabe erschien 2001 unter dem Titel
«A Minor Indiscretion» im Verlag
Headline Book Publishing, London

Deutsche Erstausgabe
Veröffentlicht im Rowohlt Taschenbuch Verlag,
Reinbek bei Hamburg, Dezember 2003

Redaktion Christian Liedtke
Umschlaggestaltung any.way, Cathrin Günther
(Foto: The Image Bank)
Satz Sabon PostScript bei
Pinkuin Satz und Datentechnik, Berlin
Druck und Bindung C. H. Beck, Nördlingen
Printed in Germany
ISBN 3 499 23415 7

Die Schreibweise entspricht den Regeln
der neuen Rechtschreibung.

— Kapitel 1 —

Ich, Alicia Isabelle Kingston, fühle mich miserabel. Absolut mies. Nicht einfach nur montagmorgenmies, sondern mies bis in die Knochen, vor den Kopf gehauen mies, mies zum Fäusteballen und Zehenkrümmen. Die Art mies, die dich deine tadellos artigen Kinder böse anstarren und deinen Ehemann wütend anblaffen lässt, obwohl er es dies eine Mal ganz und gar nicht verdient. Und das Allerschlimmste ist, ich hab keine Ahnung, warum ich mich so mies fühle. Ehrlich nicht.

Ich sitze draußen vor dem durchaus passend benannten Covent Garden Café auf der großen Piazza von Covent Garden – wenn man denn das Wort Piazza in London anwenden darf, ohne ein schwuler Frisör zu sein. Es ist angeblich Frühling, aber ich bin steif gefroren. Ich habe meinen Mantelkragen hochgeklappt und mich niedergelassen, doch die Rippen auf der Sitzfläche dieses supermodernen, aber auch superharten Aluminiumstuhls graben sich immer tiefer in meinen Hintern. Der Himmel ist so blitzblau wie Paul Newmans Augen, und der aufdringlich hellgelben Sonne, grell wie eine Wasserstoff-Blondine, fehlt jede Wärme. Ich starre einige der Passanten wütend an, damit sie meinen Verdruss auch bemerken, aber sie beachten mich gar nicht, und dieses Gefühl will einfach nicht verschwinden. Wachen Sie auch manchmal mit diesem Gefühl auf? Ich tu's. Nicht immer, aber immer öfter.

In der *Marie Claire* steht, es läge an meinem Alter. Meine Kinder sagen mir, es läge an meinem Alter. Mein Gatte sagt mir, es läge an meinem Alter. Meine Schwester sagt mir, ich sei eben eine launische Kuh und schon immer eine gewesen, aber meine Schwester sollte lieber ganz still sein!

«Nicht bewegen!», fordert mich eine Stimme auf.

Ich drehe mich um und schnauze so giftig, wie ich kann: «Was?» Ein Junge sitzt da vor seiner Staffelei und ist derart intensiv damit beschäftigt, mich zu porträtieren, dass sich tiefe Falten in seine jugendlich unbeschwerte Stirn gegraben haben.

«Ich zeichne Sie.»

«Ich will aber nicht gezeichnet werden.» Ich erwähnte ja bereits, dass ich übel gelaunt war.

«Ich bin schon fast fertig.»

«Ich gebe Ihnen aber keinen Penny dafür.»

«Ich will ja gar nicht bezahlt werden.»

«Und warum zeichnen Sie mich dann?»

Er sieht auf, und für einen Moment zeigt er der trüben Sonne durch sein Lächeln, was eigentlich ihre Aufgabe wäre. «Sie haben so schönes Haar.»

«Ich habe kein schönes Haar.» Um es klar zu sagen: Mein Haar würde selbst bei einem Filmstar als auffällig gelten. Eben die Art Haar, mit dem vielleicht Nicole Kidman davonkommen könnte. Kein Problem für sie. Aber mich nervt es ganz furchtbar. Haar, das während meiner gesamten Schulzeit der reine Albtraum war. Es ist rot wie ein Ingwerkeks und ringelt sich zu Korkenzieherlocken, kaum dass es das Wort Luftfeuchtigkeit hört. Ich zähle zu den Menschen, die Tränen der Erleichterung vergossen, als John Frieda sein Styling-Gel «Frizz-Ease» erfand.

«Schütteln Sie es ein wenig!»

«Kommt überhaupt nicht infrage.»

Er grinst reichlich unverschämt und lässt seinen Kohlestift wie ein Profi übers Blatt schwirren. Ich wende mich ab, und mein Blick schweift über die Piazza. Ich hoffe, dass er sich davonmacht, um ein weniger widerspenstiges Modell zu suchen.

Eigentlich müsste ich bei der Arbeit sein. Ich bin Assistentin einer drittklassigen Innenarchitektin mit einem «Studio» gleich um die Ecke neben einer mexikanisch gestylten Bar in der Maiden Lane. Meine Chefin hat immer mal wieder einen Gastauftritt in «Changing Rooms» oder «Richard and Judy». Sie springt ein, wenn die Fernsehleute Probleme haben, weil sie weder Laurence Llewelyn-Bowen noch sonst einen der Typen kriegen, die angesagt sind, weil sie alles beige streichen. Sie steht jedoch nicht ausreichend auf Monochromie oder Orange oder poliertes Stahlrohr, um regelmäßig auserwählt zu werden, zumal sie auch noch eine ungesunde Vorliebe für Chintz hegt, was für eine Innenarchitektin, die hip und auf dem Weg nach oben sein will, ganz und gar nicht das Richtige ist. Außerdem sieht sie irgendwie normal aus und hat einen langweiligen Namen, wofür sie ja nicht das Geringste kann, wenngleich ich jederzeit bezeugen könnte, dass sie verrückt ist wie ein Hund in der Pfanne und dass in ihrem Vokabular das Wort Arbeitsorganisation nicht existiert. Sie ist so überkandidelt und kunstbeflissen, wie frau nur sein kann, obwohl sie immer wie eine von diesen Ladys wirkt, die auf dem Weg zu einem Töpferkurs im Frauen-Bildungszentrum sind und sich bereits leicht verspätet haben.

Es war erst halb zwölf Uhr mittags, aber ich fing schon an, durchaus nette Kundinnen anzuranzen, obwohl sie doch nichts Schlimmeres im Sinn hatten, als ihre Wohnzimmer umzugestalten oder ihre Küchen zu verkitschen. Also beschloss ich, dass es Zeit für einen frühen Lunch war, obwohl ich nicht den geringsten Hunger verspürte.

Covent Garden ist auch nicht mehr, was er mal war. Heute Morgen ist kaum jemand unterwegs, obwohl es hier normalerweise von Touristen, Straßenmusikanten und Taschendieben wimmelt. Hier befand sich einst der alte Blumenmarkt – bis die Stadtplaner kamen und die Gegend aufpeppen wollten –, aber ich denke, das hat sich ja inzwischen rumgesprochen. Ist doch eigentlich kaum zu fassen, oder? Weit und breit keine Blume in Sicht. Alles schaut grau und schmutzig aus, aber vielleicht verfalle ich ja auch nur wieder in meine miese Laune. So viel Papier wird von der leichten Brise über die Pflastersteine gepustet, dass es hier aussieht, als würde sich niemand um den Platz kümmern. Vielleicht fühle ich mich ja deshalb so. Vielleicht habe ich auch das Gefühl, dass sich niemand um mich kümmert.

«Fertig.»

Ich blicke auf, und mein Künstler lächelt mir wieder zu. Ich lächle zurück, denn es ist wirklich schwierig, nicht zurückzulächeln, wenn jemand den geballten Charme seiner blitzweißen Zähne auf dich loslässt, oder?

Er geht um die Büsche und den Plastikzaun mit Kettenoptik herum, die mehr schlecht als recht das Areal des Covent Garden Cafés abgrenzen, und kommt auf mich zu. Sein Haar ist auch nicht gerade unauffällig. Es ist dunkelblond, verwuschelt und macht auch den Eindruck, als habe es ein Eigenleben. Er hat die ganz große Gel-Offensive gestartet, um es igelmäßig zu bändigen, aber einige Strähnen fallen ihm weiterhin gewollt lässig in die Stirn, ganz wie es sich für einen Bohemien gehört. Mit gespreizten Fingern streicht er sie immer wieder zurück, was eigentlich unklug ist, denn die Finger sind sehr schmutzig.

«Hier.» Er will mir die Zeichnung reichen.

«Ich bezahle keinen Penny dafür.» Ich habe mich wieder aufs Mürrischsein verlegt und weigere mich, seinem Straßenhändler-Charme zu erliegen.

«Wenn sie Ihnen gefällt, dürfen Sie mich zu einer Tasse Kaffee einladen», sagt er.

«Und wenn sie mir nicht gefällt?»

«Lade ich Sie ein.»

Ich nehme die Zeichnung, und Sie können mir glauben: Ich kriege den Mund nicht wieder zu. Sie ist absolut phantastisch. Und das Porträt sieht mir ganz und gar nicht ähnlich, sondern ist das einer atemberaubend schönen Person mit wild wallender Mähne und feurigem Blick. Obwohl die Nase eigentlich meiner ein wenig gleicht ... Wirklich. Und die Schmolllippe, das bin wahrhaftig ich, zumindest im Moment.

«Gefällt sie Ihnen?»

«Wer soll das sein?»

Er grinst. «So sehe ich Sie.»

«Hat aber nicht die geringste Ähnlichkeit mit mir.»

«Gut, dann gebe ich den Kaffee aus.» Und bevor ich protestieren kann, ruft er schon den Kellner – ein Wunder für sich – und bestellt zwei weitere Cappuccino. Er zieht einen Stuhl heran und lässt sich mit Karacho darauf fallen. Ich muss mich losreißen vom Anblick dieser wundervollen Zeichnung, die eine entfernte Ähnlichkeit damit aufweist, wie ich an einem guten Tag aussehe. An einem sehr guten Tag. «Sie haben nicht nur wunderschönes Haar, sondern auch sensationelle Wangenknochen. Klassisch.»

Gleich wird er eine Rechnung über fünfzig Pfund präsentieren, und ich bin reingelegt worden. Ich weiß es ganz genau. Der Kellner bringt den Kaffee, und der Künstler macht es sich auf seinem Stuhl bequem. Er scheint sich erheblich wohler zu fühlen als ich. Ich weiß zwar nicht warum, aber ich sehe mir seinen Knochenbau näher an – als verstünde ich das Geringste davon! Seine Wangenknochen sind hoch und ausgeprägt, seine Kinnladen eckig, seine weichen, blassen Lippen voll, als hätte ihn eine Biene gestochen. Seine Haut sieht jugendlich frisch aus, von Bartstoppeln kaum eine Spur. Seine Augen sind rund und braun wie Haselnüsse. Ich werde schon albern, wie Sie wohl merken. Normalerweise analysiere ich die Gesichter fremder junger Männer nicht so. Das hier ist definitiv das allererste Mal.

«Ich bin Christian», sagt er, und es treibt mir die Röte ins Gesicht, als mir bewusst wird, dass ich ihn mit erwartungsfroh offenem Mund anstarre. «Christian Winter.» Er hat einen piekfeinen Oberklasseakzent, den er wahrscheinlich mit allerlei Flüchen und angesagtem Slang pfeffert, damit er nicht ganz so gebildet wirkt. Warum machen die jungen Leute das nur?

«Alicia», sage ich. Obwohl mich niemand Alicia nennt, es sei denn, er möchte mich maßregeln. «Ali. Ali Kingston.»

«Also, Alicia, Ali Kingston», sagt Christian. «Es war mir ein Vergnügen, Sie zeichnen zu dürfen.»

Und in diesem Moment werde ich schüchtern und hilflos wie ein Schulmädchen, was natürlich lächerlich ist, denn ich bin ungefähr eine Trillion Jahre älter als er und sollte es besser wissen. «Verdienen Sie mit dem hier Ihren Lebensunterhalt?», frage ich, und es klingt so, als hätte ich etwas dagegen, wenn es so wäre.

«Von Lebensunterhalt kann nicht die Rede sein. Ich bin gerade mit dem Kunststudium fertig. Und den Sommer über schlage ich mich so durch, bis sich etwas anderes ergibt.»

«Sie sind sehr gut.»

Christian lacht.

«Nein, wirklich. Es stimmt. Sie haben mich nur leider an einem schlechten Tag erwischt. Ich muss wohl mit dem falschen Bein zuerst aufgestanden sein oder so.»

«Vielleicht sind Sie ja auch nur aus dem falschen Bett aufgestanden?»

«Ich bin verheiratet. Ich stehe jeden Tag aus demselben Bett auf.» Ich frag mich nur, warum ich verlegen werde bei dem Gedanken, wie sich diese Worte für den selbstsicheren und attraktiven fremden Jüngling wohl anhören mögen.

«Verheiratet?»

«Und wie!»

«Kinder?»

«Drei.»

«Hui. Sie sehen ...»

«Entsprechend verhärmt aus?»

«Nicht alt genug aus.» Und du siehst nicht alt genug aus, um mit mir zu flirten. Ich lächle in mich hinein und merke, dass ich den «In-mich-hinein»-Teil vergessen habe und er zurücklächelt.

Ich suche und taste nach meiner Handtasche, nur um etwas zu tun zu haben. «Ich muss jetzt gehen. Ich hab mir nur eine kurze Arbeitspause gegönnt, um vielleicht bessere Laune zu bekommen.»

«Konnte ich meinen Teil dazu beitragen?» Sein Blick rührt mich wie der eines jungen Hundes, der flehentlich um Liebe bettelt.

Ich lache, und plötzlich möchte mein Herz bluten oder zu schlagen aufhören. Höchste Gefahr droht, dass mir die Tasche aus der Hand fällt und ihren Inhalt über die Pflastersteine ergießt. «Ja, das konnten Sie.» Und in seinen Welpenaugen glitzert etwas von der herausfordernden Wildheit eines Wolfs. Ich schaue auf meine Armbanduhr, um mich von seinem Blick zu lösen, der schon viel zu lange auf mich gerichtet ist. «Ich muss wirklich gehen.»

«Wo arbeiten Sie?»

«In einem Designstudio gleich um die Ecke.» Ich werde ihm nicht gleich auf die Nase binden, dass ich nur Anrufe entgegennehme und, wenn nötig, auch mal das Maßband halte. Mir wird klar, dass ich zu viel Aufhebens um meinen Aufbruch mache, und ich höre damit auf.

«Vergessen Sie das hier nicht», sagt Christian und streckt mir die Zeichnung entgegen.

Ich nehme sie und bedaure gleichzeitig, dass unsere Fingerspitzen sich nicht berühren, obwohl seine erst einmal mit einem Scheuerschwamm abgeschrubbt werden müssten. Ich gehe davon, über die sich immer weiter ausdehnende Fläche der Piazza, und gebe mir alle Mühe, stur geradeaus zu schreiten, aber doch sexy zu wirken und nicht über irgendwelchen Unrat zu stolpern, der im Weg liegt. Ich schaue nicht zurück, und deswegen weiß ich auch nicht, ob er merkt, wie sehr ich mich anstrengen muss, von ihm fortzugehen. «Vergessen Sie das hier nicht.» Einfach lachhaft. Wenn ich heute Abend erst drei Portionen Chicken Nuggets mit Fritten auf den Tisch geknallt habe und zwei Lasagne aus der Tiefkühltruhe sowie zwei Gläser lauen Chianti als Weichmacher, werde ich mich an seinen Namen schon nicht mehr erinnern können.

— Kapitel 2 —

«Ich werde noch im Grab liegen, bevor wir das hier zu Ende gebracht haben.» Ed schlug die Hände vors Gesicht. «Warum, warum nur tue ich mir so was an?»

«Weil du eine Ehefrau zu ernähren hast und ein paar mehr Kinder, als für einen Mann allein gut ist.»

Die beiden Männer standen in der Ecke eines riesigen Lagerhauses auf dem Gelände der Firma Performing Power Tools, die man zeitweilig in eine Filmkulisse umgewandelt hatte. Sie versuchten, eine Blondine in einem winzigen weißen Häkelbikini zu filmen, die wiederum versuchte, mit einem Mehrzweck-Schlagbohrer ein Loch in ein zwei Zoll starkes Brett zu bohren.

«Und – Action!», rief Ed aufmunternd. Er gab die Hoffnung nie auf, dass es ihm in seiner Rolle als Ausführender Produzent dieses Promotion-Videos vergönnt sein würde, irgendwann tatsächlich einmal etwas zu produzieren.

Nichts. Das Performing Power Tool wollte einfach nicht performen. Ebenso wenig die Blondine. Einzig das Holzbrett hatte einen starken Auftritt.

«Okay. Machen wir eine Pause», rief Ed.

Die Blondine trippelte zu ihrem Frotteemantel und verkroch sich darin.

Trevor ließ die Kamera behutsam von der Schulter gleiten. «Zigarettenpause?»

«Warum nicht?» Ohne jemanden direkt anzusprechen, sagte Ed: «Während ich Trevor bei seinen Bemühungen zur Förderung des Lungenkrebses behilflich bin, könnte jemand bitte einen Bohrer besorgen, der tatsächlich bohrt?»

Er folgte dem Kameramann hinaus in die relativ frische Luft des Industriegebietes Brent Park, und sie lehnten sich an die Kühlerhaube seines Allrad-Geländewagens, der seine sportlichen Qualitäten nur auf dem Parkplatz von Sainsbury's beweisen konnte und nicht in freier Wildbahn, wie Gott und Mitsubishi es vorgesehen hatten.

Ed schloss die Augen und stellte sich vor, ganz woanders zu sein. Irgendwo in den Tropen, wo es warm war, wo sich die Palmen im Wind wiegten und die Brandung rauschte, irgendwo ohne den Geruch von Motoröl und Essensresten in Imbisskartons. «Ich war nur so ein kleines Stück davon entfernt, ein Star zu werden, Trev.» Er deutete den metaphorischen Zentimeter mit Daumen und Zeigefinger an. «Nur so weit.»

«Komm mir nicht wieder mit der Harrison-Ford-Leier, Edward. Die spulst du doch normalerweise nur im Suff ab.»

«Vor *Jäger des verlorenen Schatzes* war er doch ein Niemand. Erst dieser Film hat ihn zu dem gemacht, was er heute ist. Das hätte mir genauso gehen können.»

«Du bist aber nur ein langweiliger alter Sack geworden. Ich weiß gar nicht, was du noch willst», nörgelte Trevor. «Du leitest eine erfolgreiche Produktionsfirma für Industriefilme. Du hast tolle Mitarbeiter. Eine tolle Frau. Tolle Kinder, falls dir das etwas bedeuten sollte.»

«Ich habe gerade zwei Tage in einem Lagerhaus verbracht und versucht, eine Frau, die Löcher in ein Stück Holz bohren will, aus möglichst aufregenden Perspektiven zu filmen.» Ed seufzte. Tief. «Ich – der Mann, der am Ende von ‹Jäger› das Flugzeug in die Luft jagt. Hab ich dir eigentlich schon mal erzählt, wie ich und Harrison in Marokko in einer Bar saßen und er sagte …»

«Ja. Hast du. Tausendmal, ja. Ich weiß auch von der

Situation, als ihm ein Kamel fast in den Arsch gebissen hat. Ich weiß, welche Wirkung es auf ihn hatte, ständig mit Sand in den Unterhosen umherzulaufen. Ich weiß auch, was für ein klasse Kerl er war, weil er sich immer an Alis Namen erinnert hat. Fünf Jahre arbeite ich schon mit dir zusammen. Lange genug, um alle deine Harrison-Geschichten diverse Male gehört zu haben. Und die sind auch toll. Wirklich. Aber heute nicht, Ed. Nicht heute. Ich möchte meinen Sargnagel zu Ende paffen, und dann lassen wir Fräulein Mehrzweckbohrer den Heimwerkerkunden von Block & Quayle zeigen, wie sie ihren Bohrer am effektivsten einsetzen können.»

«Ich hab das alles für Ali aufgegeben, das weißt du.»

«Hast du nicht. Du hast es aufgegeben, weil du wie der Rest von uns die ständige Unsicherheit satt hattest. Die Furcht, nur so gut zu sein wie die letzte Explosion, die man arrangiert hat, die Reiserei um den halben Erdball, um für wenige Monate Arbeit zu finden, und schließlich doch ganz am Ende eines Abspanns vergessen worden zu sein, die vielen Nächte an den Tresen mieser Bars in ominösen Ländern der Dritten Welt zusammen mit Leuten wie Harrison Ford, die ständige Imodium-Schluckerei, obwohl man doch viel lieber zu Hause auf der Couch liegen und Wiederholungen von *Dallas* sehen würde … mit einer schönen Tasse Tee dazu.»

Ed schnaubte abfällig.

«Es gibt da draußen eine Riesenmenge äußerst talentierter Leute, Edward, die allesamt auf eine winzige Anzahl von Jobs scharf sind. Sei doch froh und dankbar, dass du mal ganz oben warst und jetzt mit einem fetten Angestelltengehalt gemütlich im Grünen wohnen kannst. Das Leben könnte schlimmer sein.» Trevor zog ein letztes Mal an seiner Zigarette.

«Hab ich gesagt, das Leben könnte schlimmer sein?»

«Ja.»

«Verdammt, ich kann hellsehen», seufzte er. «Hier kommt das Scheusal.»

Ed sah auf. Orla O'Brien war aus ihrem BMW ausgestiegen und auf dem Weg zu ihnen. Sie sah jetzt schon angefressen aus, obwohl sie doch gar nicht wusste, wie nahe sie daran waren, das Demonstrationsvideo für die nicht-performenden Performing Power Tools zu vermasseln. Und da sie mit einem ultrafeministischen Herzen gesegnet war, würde sie wahrscheinlich völlig ausrasten, wenn sie die Blondine im Bikini sah.

Orla war vom Firmeninhaber als Managementberaterin eingesetzt worden. Ihre Aufgabe bestand darin, zu reduzieren, optimieren, modernisieren, rationalisieren, digitalisieren und sonst noch alle möglichen Arten von «-ieren», weswegen sie natürlich von der Belegschaft mit Argwohn betrachtet wurde und sogar Hassgefühle weckte. Sie war seit einem Monat bei ihnen und wurde von allen verabscheut, mit Ausnahme von Ed, der ebenso ritterliche wie unverständliche Gründe hatte, sie als verkannt anzusehen. Trotz ihres Aufgabenbereichs trug Orla enge Röcke und hauchdünne Blusen. Ihr Haar hatte sie hoch getürmt wie eine Komparsin in *Stolz und Vorurteil.* Pechschwarze Ringellocken lösten sich, wenn sie den Kopf schüttelte, und das tat sie häufig. Ed vermutete, dass sie mit Hilfe dieses Kopfschüttelns streng und unnahbar wirken wollte, aber das gelang ihr nicht. Stattdessen wirkte sie sinnlich.

Und sie war Amerikanerin, was sie keineswegs sympathischer machte. Sie war energisch und effizient, aber sie verstand die meisten ihrer Witze nicht, und wenn sie es doch tat, warf sie ihnen vor, dass sie sexistisch seien, was ja auch ausnahmslos stimmte. Orlas Lebenselixiere waren Pünktlichkeit, Terminpläne und Prognosen, und Wavelength Films hatte im Gegensatz dazu allein aufgrund seiner großartigen Mischung aus Chaos, Kameraderie und purem Goodwill mehrere Jahre lang fröhlich prosperiert. Sie hatten ein loyales, wenn auch desorganisiertes Team von Mitarbeitern, und es galt als ungeschriebenes Gesetz, dass alle zusammenstanden und keiner Deckung nahm, wenn es mal hart auf hart zu gehen drohte. Das funktionierte durchaus. Manchmal gut, manchmal weniger gut, aber in Orlas Konzept passte es ganz und gar nicht. Und das betonte sie auch – hammerhart, häufig und mit einem sexy Akzent.

«Die ist unheimlicher als Cruella DeVil», flüsterte Trevor.

«Sie ist völlig okay», sagte Ed und verschränkte, ohne es bewusst wahrzunehmen, die Arme schützend vor der Brust.

Orla blieb direkt vor ihnen stehen.

«Wie läuft's?», fragte sie ohne Vorrede.

«Klasse», entgegnete Ed mit einem unbekümmerten Lächeln.

«Ich dachte, ich komme mal für die letzte Stunde dazu – wenn es Ihnen recht ist. Es gibt da ein paar Dinge, die ich mit Ihnen durchsprechen will.» Ed registrierte fast schon resigniert ihre ausgebuchtete Aktentasche. «Vielleicht gehen wir zusammen was trinken, sobald Sie hier fertig sind?» Sie sah von Ed zu Trevor und wieder zurück.

«Rechnen Sie nicht mit mir», sagte Trevor. «Ich fahr nach Hause und seh mir *101 Dalmatiner* an.» So frohgemut und eilfertig wie ein Mann, der beim Jüngsten Gericht vor seinen Schöpfer zu treten hat, schlenderte er ins Lagerhaus zurück.

Orla rümpfte verärgert die Nase. «Ist das auch einer von diesen Witzen, die ich nicht kapiere?»

«Mich dürfen Sie nicht fragen», sagte Ed und konnte gerade noch ein Grinsen unterdrücken.

«Und was ist mit Ihnen?»

«Ich darf mich nicht verspäten, denn ich gehe heute Abend aus.»

«Mit Ihrer Frau?»

«Mit meinem Bruder.»

«Oh.»

«Wie wär's denn mit morgen nach den Dreharbeiten?»

Orlas Kinn reckte sich nach oben. «Für morgen Abend bin ich schon verabredet.»

«Oh.»

«Aber ich kann das hier auch ohne Ihre Hilfe erledigen», sagte sie achselzuckend und wirkte dabei so gleichgültig, dass es Ed Kingston ganz unerwartet einen Stich ins Herz versetzte. Es war mal so gewesen, dass er den Eindruck hatte, wahrhaft gebraucht zu werden. Jetzt brauchte Ali ihn nicht mehr, die Kinder brauchten ihn nicht, und nicht einmal Managementberaterinnen brauchten ihn.

— Kapitel 3 —

«Heute einen guten Tag gehabt, Liebling?» Auf meine Frage hin blickt Ed von seinem *Broadcast*-Magazin auf und lächelt gequält. Er sieht müde und erledigt aus. Ich bin mir ziemlich sicher, dass meine Fertiglasagne ihm nicht die nötige neue Energie bringt.

«Ja. Okay. Und du?»

«Auch.»

«Hurra! Chicken Nuggets! Chicken Nuggets! Chicken Nuggets!» Manchmal zweifle ich an meinen Kindern. Das gerade war mein Jüngster. Elliott. Der mit der Sucht nach Chicken Nuggets. Noch bevor der Teller auf dem Tisch steht, ist er von Tomatensoße überschwemmt. Es war einmal mein Traum gewesen, das Koch-College von Pru Leith zu besuchen, um mich bei ihr zu einer Trend-Köchin ausbilden zu lassen. Aber wie schnell vergessen wir unsere Ambitionen, sobald wir uns den unerbittlichen Anforderungen des Alltagslebens stellen müssen. Ich hatte einen kleinen Zweig Koriander an Elliotts Tellerrand gelegt, um mein kulinarisches Gewissen zu beruhigen. Aber das funktioniert nicht. Weder für mich noch für Elliott, der das Zweiglein aus Furcht, es könne ihn vergiften, lieber blitzschnell herunterfegt und den frei gewordenen Platz auf dem Teller umgehend mit noch mehr Ketchup füllt.

Mein anderer Sohn, Thomas, ist zwölf und der Traum aller Eltern. Er hat noch keine Akne, seine Turnschuhe müffeln nicht, und er liest gern. Harry Potter, was sonst? Thomas hasst wahrscheinlich Chicken Nuggets, würde sie aber aus lauter Höflichkeit trotzdem essen. Er gilt als intelligent, unterhaltsam und umgänglich, und ich kann nur hoffen, dass sich daran mit zunehmendem Alter nichts ändert. Mein drittes und ältestes Kind ist Tanya. Sie war einmal intelligent, unterhaltsam und umgänglich, aber jetzt ist sie ein Teenager. Ein fünfzehnjähriges Wesen, kein kleines Mädchen mehr, aber auch noch keine Frau, was wir alle unentwegt zu spüren bekommen. Im Augenblick warten wir zum Beispiel, dass sie uns endlich mit ihrer Anwesenheit bei Tisch beehrt, während unsere Fertiggerichte kalt und kälter werden. Sie steht auf «Trance»-Musik. Fragen Sie mich jetzt bloß nicht, was das ist – ich hab einmal nachgefragt und handelte mit nur ein mitleidiges «Tsk-tsk» ein. Ich vermute, diese Art Musik heißt so, weil sie monoton ist und sich ständig wiederholt, sodass man in Trance verfällt. Mich persönlich bringt sie nur dazu, nach Ohropax zu greifen. Meine Tochter trägt vorzugsweise Röcke, die auch nicht annähernd lang genug sind, und Schuhe, die für verkrüppelte Füße sorgen werden, aber ich hab das Klagen aufgegeben.

Tanya beehrt uns mit ihrer Anwesenheit, und ich verkneife es mir, sie zu fragen, ob sie sich die Hände gewaschen hat. Schließlich müsste sie mit fünfzehn alt genug sein, selbst zu entscheiden, ob sie mit schmutzigen Fingern essen möchte.

«Doch nicht schon *wieder* Chicken Nuggets.» Ich hab's mit Lasagne bei ihr versucht, aber auch daran nörgelt sie herum.

Wie die Geier fallen sie über ihr Essen her, und dafür sollte ich eigentlich dankbar sein. Bin ich aber nicht. Auch wenn mich die Zubereitung der Mahlzeit keine wirklich erwähnenswerte Mühe gekostet hat, sollte sich doch der eine oder andere das eine oder andere Mal ein Dankeschön abringen. Ed greift stattdessen lieber zum Glas Wein.

«Ich spiel heute Abend mit Neil Squash», raunt er und macht sich über die Pasta her. Bei seinem Mangel an Begeisterung bezweifle ich, dass wirklich Squash gespielt wird. Neil ist Eds jüngerer Bruder. Auf seine jungenhafte Weise ist er sehr attraktiv, sozusagen ein knackiger Leckerbissen für die denkende Frau. Neil ist sanfter und froh gelaunter als Ed, aber er hat ja auch keine drei Kinder und keine Frau, die an seinen Nerven zerren. Obwohl er zum Anbeißen ist, muss er doch irgendwie auch ein Gefühlskrüppel sein, denn trotz seiner vielen Kohle bleibt keine Freundin über einen längeren Zeitraum bei ihm. Ed und Neil verabreden sich einmal die Woche zum Squash. Aber nur alle drei Wochen *spielen* sie dann auch tatsächlich. Die anderen Male hocken sie sich in den Pub und lamentieren darüber, wie schlaff und alt und vom Schicksal gebeutelt sie sich fühlen, weil sie es inzwischen nicht einmal mehr schaffen, regelmäßig Squash zu spielen.

«Jemma kommt nachher vorbei», sage ich, aber das scheint niemanden auch nur im Geringsten zu interessieren. Jemma ist meine kleine Schwester, und sie lieben sie, auch wenn sie es nicht überschwenglich zeigen. Sie lieben sie.

«Wie nett», kriegt Ed über die Lippen.

Wir werden uns mit einer Flasche billigem Chardonnay betrinken und uns wie so oft über die unzureichende genitale Ausstattung der jeweils drei letzten Männer unterhalten, mit denen sie unterwegs war. Sie ist immer noch auf der Suche nach einem, der mindestens so viel zu bieten hat wie ein Araberhengst. Anschließend kann es durchaus passieren, dass wir uns über eine Episode von *Friends* schlapp lachen. Manchmal kommt es mir so vor, als würde mein Liebesleben hauptsächlich von Jemma erledigt. Die im Augenblick in einer Dürreperiode steckt. Ähnlich wie ich.

Ed und ich finden nie Zeit zum Bumsen. Und wenn Sie meinen Berg Bügelwäsche sehen könnten, müssten Sie gar nicht erst fragen, woran das liegt. Wenn wir abends ins Bett fallen, können wir uns nur noch beglückwünschen, dass wir einen weiteren Tag überlebt haben. Nicht gerade das beste Liebeselixier, oder? Ich kann kaum glauben, dass wir dieselben Menschen sind, die sich stundenlang liebten und dann ineinander verschlungen im Bett lagen, aus dem Fenster schauten und die Wolkengebilde bestaunten, die am Himmel vorüberzogen. Selbstverständlich war das im V.-P.-Lebensabschnitt: Vor Pampers.

«Hattet ihr alle einen guten Schultag?», frage ich diejenigen, auf deren Konto der Ruin meines Liebeslebens geht.

«Nein», antwortet Tanya.

«Es war angenehm», sagt Thomas. «Danke.»

«Echt toll.» Elliott hat noch nicht gelernt, dass Begeisterung uncool ist. Er besucht eine Kindergartenvorschule in unserer Straße. Das kostet uns zwar jeden Monat ein kleines Vermögen, aber die Investition lohnt sich, denn er wird zu einem ausgeglichenen, selbstbewussten und unabhängigen Mitglied der Gesellschaft heranwachsen. Zumindest reden wir uns das ein, wenn wir angesichts der Rechnung beinahe in Ohnmacht fallen. «Wir mussten Bäume sein.» Zweifel verdunkelt seine Miene. «Oder vielleicht Elefanten?»

Dann klappern Gabeln wie synchronisiert, und ich spüre förmlich, wie die Geschirrspülmaschine sich rüstet. Ich habe meine Lasagne gegessen, ohne etwas zu schmecken, und dafür sollte ich wahrscheinlich auch in alle Ewigkeit dankbar sein.

«Was habt ihr heute Abend vor?», frage ich dann.

«Nichts», antworten sie im Chor.

Der Moskauer Staatszirkus, das gesamte Ensemble von *Stepps* und die halbe Fußballmannschaft von Arsenal könnten jeden Abend durch unsere Straße ziehen, und was würden meine Kinder auf die Frage antworten, was passiert sei? «Nichts.»

«Na schön. Dann geht und tut es. Aber bitte leise», sage ich.

Sie stehen wortlos auf und verschwinden. Das Ergebnis meiner Erziehung habe ich mir eigentlich ganz anders vorgestellt. Das dürfen Sie mir glauben.

Ich drücke Eds Hand. «Du siehst müde aus.»

«Ich bin völlig geschafft. Glaub auch, dass ich keine Lust zum Squash hab. Vielleicht wär's besser, wenn wir nur einen trinken gehen. Ich hör mal, wie Neils Stimmung ist.»

Neils Stimmung ist immer gut. Er könnte R.E.M. zu dem Song über «shiny, happy people» inspiriert haben. Meine Schwester sollte ihn vom Fleck weg heiraten, bevor er ihr weggeschnappt wird. Aber sie will nicht. Sie sagt, das wäre wie Inzest. Eigentlich ist es das nicht, aber ich kann nachvollziehen, was sie meint. Den eigenen Schwager zu heiraten hieße vielleicht doch, die Familienbande zu eng zu schnüren, wenngleich es wohl nicht bedeuten würde, genetisch gefährdete Sprösslinge zu riskieren. Außerdem scheint meine Schwester ohnehin Männer zu bevorzugen, die bereits verheiratet sind.

Drei Straßen entfernt schwillt ein dumpfes Grollen an, und nachdem ich die obligatorischen zwanzig Sekunden runtergezählt habe, taucht Neil auf seinem Motorrad auf, fährt meine restlichen Osterglocken platt und lässt Kiesfontänen in alle vier Himmelsrichtungen sprühen. Dieses Transportmittel für große Jungs passt gut zu ihm, und er besteht darauf, dass es nicht nur ein Spielzeug ist. Er sagt, es sei das Gegenmittel zu der Fahrerei in dem alten und ziemlich klapprigen Citroën-Kombi, mit dem er von Berufs wegen durch London kutschieren muss. Neil ist Fotograf. Einer, der den größeren Teil seiner Zeit damit zubringen muss, widerspenstige Vorschüler zu fotografieren und nicht die Models, die er so viel lieber vor der Linse hätte. Aber das kriegt er prima hin. Er hat nämlich von Natur aus einen Draht zu Kids. Sagt er jedenfalls.

«Yo! Bro!», tönt Neil wie ein Rapper, als er durch die Hintertür hereinkommt. Ich bin nur froh, dass er sie nicht eintritt. Er macht immer auf *Terminator*, wenn er mit seiner dämlichen Maschine unterwegs ist. Es ist eine Honda soundso zigtausend – so ein aufgemotztes Chromteil, bei dessen Anblick erwachsene Männer zu sabbern anfangen und dann still der Zeit nachweinen, als sie noch jung waren und weder mit Hypotheken noch mit Rentenfonds zu tun hatten. Gewöhnlich ist Neil ein sehr vernünftiger und verantwortungsbewusster Mann, aber sobald er auf seinem Stahlross sitzt, setzt sein Gehirn aus.

«Hi, Neil!»

Er küsst mich und versetzt Ed einen spielerischen Fausthieb. «Squash oder Pub?», fragt er. Vielleicht spürt er, dass Ed gestresst ist.

«Nicht in der richtigen Stimmung für Squash?», erkundigt sich Ed.

«Nö! Vernichten wir lieber ein paar Fässer Gerstensaft.»

«Lass das Bike hier», sage ich und deute auf sein Bike. «Warum bleibst du nicht über Nacht? Ich leg die Jungs zusammen, und du kannst Elliotts Zimmer haben.»

«Hört sich gut an!» Er klatscht Ed ab, und ich bin erleichtert, weil ich meinen Mann lachen sehe.

Ed steht auf und reckt sich. Er ist noch immer ein sehr attraktiver Mann, und das trotz eines leichten Überhangs im Bauchbereich, der wohl darauf zurückzuführen ist, dass er zu lange am Schreibtisch sitzt. Aber ich sollte dazu eigentlich lieber schweigen. Die Schwerkraft und wiederholte Geburten sind auch meinen Bauchmuskeln nicht gerade gut bekommen. Trotz seiner begrenzten

Freizeit hält er sich bemerkenswert gut in Form. Ed ist ein robuster Typ, wirkt sehr männlich und sieht aus, als wäre er zum Rugbyspielen geboren, aber das hat er nie versucht. Komischerweise haben wir uns aber auf der Fete eines Rugbyclubs kennen gelernt. Der Himmel weiß, was wir dort eigentlich zu suchen hatten, und unglücklicherweise hat der Lauf der Zeit die Erinnerung ausradiert. Warum geschieht das nur? Sachen, von denen man meint, dass sie niemals in Vergessenheit geraten, sind urplötzlich weg, haben sich in Luft aufgelöst, und es besteht nur geringe Hoffnung, dass sie jemals wieder im Gedächtnis auftauchen.

Ed hat dunkelbraunes Haar, das er ständig kämmt und auf drei Zentimeter Länge stutzt. Doch es wuchert wie Unkraut, sodass er außer in der Woche, in der er beim Frisör war, immer so aussieht, als müsse er mal wieder zum Haarschneiden. Seine Brummbärstimme ist sexy, und er würde einen tollen Sportreporter im Fernsehen abgeben. Seine Augen haben die Farbe nagelneuer Blue Jeans, er hat volle rote Lippen und Augenbrauen, die ein wenig zu dicht und schwer sind. Wenn er die Stirn runzelt, sehen sie sogar noch schlimmer aus. Und eben das tut er jetzt. «Worauf warten wir denn noch?»

Jemmas Kopf erscheint an der Tür. «Nicht auf mich, nehme ich an.»

«Hallo, Jems.» Ed küsst und drückt sie.

«Jemma.» Neil berührt mit spitzen Lippen ihre Wange.

«Wohin wollt ihr beide denn so eilig?», fragt sie die beiden und küsst mich dabei eher beiläufig.

«Sie wollen sich über Squash unterhalten, damit sie sich bloß nicht auf dem Spielfeld abhetzen müssen und etwa noch ins Schwitzen kommen.»

«Wir müssen uns über Taktik beraten. Und da trifft es sich ganz zufällig, dass wir es im Queen's Head tun.»

«Vielleicht stoße ich später dazu», droht Jemma an.

«Ist aber ein reines Männergespräch.» Ed grinst. Er streift meine Wange mit seinen Lippen. Sie fühlen sich rau und trocken an. «Bis später dann.» Und verschwunden sind sie.

Jemma sitzt auf einem Küchenhocker, während ich langsam Klarschiff mache. «Mein Gott», sagt sie und zappelt, bis sie bequem sitzt, «seit wann sieht Neil bloß so toll aus?»

«Das liegt am engen schwarzen Leder», informiere ich sie. «Das bringt's immer.»

«Oh.»

Ich finde den Korkenzieher und gehe Weingläser holen. «Mach mal was Anständiges auf», sagt Jemma. «Sieh doch mal nach, ob du in Eds Geheimvorrat was findest, das von vor 2000 ist. Ich hab einen höllischen Tag hinter mir. Das Zeug, das wir immer trinken, kann man höchstens in Spaghettisoße kippen. Ich möchte mich an einem Qualitätstropfen betrinken, nicht mit Plörre. Ich kann mir morgen früh keine Kopfschmerzen leisten. Ich hab schließlich meinen Laden.»

Meine Schwester hat etliche Jahre das Highlife einer Purserin bei British Airways genießen können und sich von diversen verheirateten Piloten aushalten lassen, um in der Zeit ihr schwer verdientes Geld auf die hohe Kante zu legen, weil sie einen Shop für historische Kleider eröffnen wollte. Jetzt verkauft sie Kleider aus den 20er Jahren an Fernsehschauspielerinnen, die sie bei Preisverleihungen und dergleichen tragen, und ist eine unerschöpfliche Quelle von Promitratsch. Ich glaube zwar, dass sie das meiste aus dem Magazin *Hello!* hat, aber das bestreitet sie.

Ich lächle und öffne was Anständiges. Nicht dass etwa eine von uns nach mehreren Gläsern noch den Unterschied herausschmecken würde. Ich mache mich daran, die Geschirrspülmaschine einzuräumen, und frage mich dabei, ob das nicht mühevoller ist, als das Geschirr gleich von Hand abzuwaschen.

Jemma nippt an ihrem Wein und seufzt stillvergnügt. «Was ist denn das hier?»

Sie hat das lose zusammengerollte Stück Zeichenpapier aus meiner Arbeitstasche hervorgeholt und schwenkt mein Porträt vor meiner Nase. «Eine Zeichnung», erwidere ich hilfsbereit.

«Das sehe ich. Aber wer soll das sein?»

«Blöde Kuh.»

«Du siehst absolut, wirklich absolut, großartig aus. Wann hast du dich porträtieren lassen?»

«Heute. Heute Morgen.»

«Meine Güte, ist das gut. Oder?» Ich drehe ihr den Rücken zu und konzentriere mich ganz aufs Einräumen.

«Also?»

«Also was?»

«Also – es ist doch nicht deine Art, für so was Geld locker zu machen. Das ist doch wohl eher meine Art. Du gibst dein Geld für Waschpulver aus, für einen privaten Kindergarten und sämtliche mikrowellentaugliche Nahrungsmittel dieser Welt.»

«Der Typ hat mir das Bild geschenkt.»

«Das glaub ich nicht!» Meine Schwester studiert die Zeichnung aus allen Blickwinkeln. Ich würde sie ihr am liebsten aus der Hand reißen und irgendwo verstecken. «Und wieso?»

«Keine Ahnung. Ich hab einen Kaffee getrunken, und er hat mich gezeichnet. Ich glaub, aus reiner Langeweile», füge ich hastig hinzu, als ich ihre skeptische Miene sehe.

«Er wählt dich aus einer Menschenmenge aus, um dich zu zeichnen, nur weil er sich langweilt?»

«Es gab gar keine Menschenmenge. Ich war die einzige Person weit und breit.»

«Du lieber Himmel, es wird ja immer romantischer!»

«Das wird es nicht. Er war doch noch ein Junge.»

«Tatsächlich?» Jemma verzieht das Gesicht. «Was für eine Enttäuschung.» Sie legt die Zeichnung wieder so hin, dass sie uns ansieht. «Na ja, jedenfalls muss er sich ja wohl in dich verknallt haben. Sonst hätte er dich niemals so zeichnen können. Mein Gott, Ali, du siehst aus wie vierzehn Filmstars in einer Person ...» Jemma fängt meinen Blick auf, und ich stelle den Teller mit den Kartoffelspalten aus der Mikrowelle ab. «Du wirst ja rot», sagt sie erschrocken.

«Werde ich nicht.»

Ich nehme den Teller mit den Kartoffelspalten wieder in die Hand und gebe mir große Mühe, meine ungebändigte Mähne so nach vorn zu schütteln, dass sie mein Gesicht verbirgt. Jemma und ich sehen einander sehr ähnlich. Abgesehen davon, dass sie schlanker und geschmeidiger ist, eine tolle Nase hat und sich an gehorsamem Haar erfreuen kann. Ihr Haar glänzt kastanienbraun und hat nicht die Farbe alter Karotten. Außerdem ist es eher lang als breit, modisch kraus und lockig, sodass ihr Kopf nicht aussieht wie ein geplatzter Polstersessel.

«Du wirst ja verlegen wie ein Backfisch.» Sie ist ganz wie meine Mutter, die ebenfalls mit Vorliebe in jeder Wunde stocherte. «Wie hieß er denn, dieser gut aussehende junge Mann?»

«Wer hat gesagt, dass er gut aussah?»

«Ich wette, das tat er.»

«Er hieß ... Christian», platze ich heraus. Mir werden die Knie weich. «Und du hast Recht – er sah *toll* aus.»

«Du alte Schnepfe!» Meine Schwester brüllt vor Lachen, und ich setze mich zu ihr. Mein Weinglas leere ich in einem Zug.

— Kapitel 4 —

«Diese Jemma ist eine höllisch scharfe Braut», sagte Neil anerkennend, als er sein Bierglas hob.

«Ein Männer mordendes Biest und absolut nicht bindungsfähig», sagte Ed und inspizierte einen Zwiebel-Käse-Chip, bevor er ihn verspeiste. Es gab massenhaft angesagte Bars in Richmond, aber Stammkneipe der Brüder war das Queen's Head. Es war ein Pub für richtige Männer, in dem es Ale vom Fass gab – was den beiden eigentlich egal war, da sie es sowieso nicht tranken – und die Musik keine Million Dezibel hatte, sodass man sich tatsächlich noch unterhalten konnte. «Jem ist doch ständig am Jammern, dass sie keinen Mann abkriegt, obwohl die Typen vor ihrer Tür Schlange stehen. Und dann schafft sie es jedes Mal, einen auszusuchen, der absolut nicht zu ihr passt.»

«So sind die Frauen», stimmte Neil zu.

«Dir wär sie viel zu anstrengend.»

«Quatsch.»

«Sieht sie wie eine Frau aus, die dir erlauben würde, deine Socken zu waschen, indem du sie die Toilette runterspülst?»

Neil tat beleidigt. «Das tue ich doch gar nicht mehr! Nie! Na ja, so gut wie nie.»

«Du könntest auch nicht mehr die Pizzakartons so lange in der Küche stapeln, bis sie sich vor lauter Ekel von selbst in den Mülleimer stürzen. Du bist keiner von denen, die 'ne anspruchsvolle Tussi bei der Stange halten können. Du bist einer von den Oberlässigen auf dieser Welt. Genieß das bloß. Und finde eine Frau, die so schlampig ist wie du und dich gerade deswegen liebt.»

Über den Rand des Bierglases warf Neil seinem Bruder einen bösen Blick zu.

«Erinnerst du dich noch daran, wie es mit Penny war?»

Neil schüttelte sich.

«Die drei Jahre mit ihr waren die reine Hölle. Sie hat dich gezwungen, mit dem Fußballspielen aufzuhören und auch damit, dir die Spiele anzusehen. Sie hat dich gezwungen, mit dem Rauchen aufzuhören. Sie hat dich gezwungen, auf Partys nüchtern zu bleiben. Sie hat dich gezwungen, deinen Alfa Romeo zu verkaufen und dir stattdessen den Citroën anzuschaffen. Und sie hat ständig genervt, du hättest keinen anständigen Job.»

«Ich dachte, so wäre das eben zwischen Menschen, die sich lieben.»

«Und dann, nach alledem, hat sie dich in den Wind geschossen für einen Physiotherapeuten mit Glatze, der rauchte und Fußball spielte.»

«Ich wette, das tut er inzwischen nicht mehr.» Neil grinste.

«Ich liebe Jemma ... wie eine Schwester», behauptete Ed. «Aber sie würde auch garantiert versuchen, dich zu ändern.»

«Sie könnte doch stattdessen versuchen, sich zu ändern. Und ihre Ansprüche zu senken.»

«Niemals. Frauen ändern sich erst nach der Hochzeit.»

«Neulich hab ich Penny wieder getroffen. Im Supermarkt. Zwei Gören hatte sie dabei, eins noch in der Sportkarre. Und dick ist sie auch geworden.» Neil schmunzelte und naschte von Eds Pommes. «Aber bei ihr ist wenigstens was passiert. Und bei mir? Drei Jahre später noch immer derselbe Job, dieselbe Wohnung, dasselbe Leben.»

«Wie läuft's denn eigentlich in der von Drogen verseuchten Glitzerwelt der Vorschülerfotografie?»

«Immer dasselbe. Ich verbringe meine Tage damit, Horden aufmüpfiger Fünfjähriger irgendwie zur Räson zu bringen. Wie würdest du es finden, wenn du deine Arbeitszeit damit zubringen müsstest, ‹Guck mal, hier kommt der Kuckuck!› zu rufen, um so ein hyperaktives und zahnloses Balg zum Lächeln zu kriegen?»

«Ich habe meine Zeit heute mit dem Versuch verbracht, eine Blondine im Bikini dazu zu bekommen, mit einem kaputten Bohrer ein Loch zu bohren. Und zweifellos werde ich morgen einen ebenso vergeblichen Versuch unternehmen, sie mit einer kaputten Säge einen Balken durchsägen zu lassen. Übrigens, schaff dir niemals eins von diesen Performing Power Tools an.»

«Du hattest wenigstens 'ne Biene im Bikini vor der Linse.» Neil lehnte sich zurück. «Ach, wann ruft bloß endlich die *Vogue* an und besteht darauf, dass ich in den nächsten Flieger nach Ecuador springe, um dort Elle oder Helena oder Liz für die Titelseite zu fotografieren?»

«Vielleicht, wenn du endlich mal deinen stinkfaulen Arsch bewegst und eine vernünftige Mappe zusammenstellst.»

«Für diese Bemerkung habe ich nichts als die Verachtung übrig, die sie verdient. Aber bald geht ja die Heiratssaison los», sagte Neil mit gewisser Vorfreude. «Den Bräuten nachzutrauern lohnt sich nicht, aber charmant und schlagfertig, wie ich bin, werd ich bestimmt wieder bei der einen oder anderen Brautjungfer landen.»

«Sei dankbar, dass du keine anderen Sorgen hast, Bruderherz.»

Neil zögerte, bevor er das Bierglas ansetzte. «Doch wohl kein Ärger zu Hause?»

«Nein. Nein. Zu Hause ist alles bestens. Kein Problem – wir müssen nur drei Kinder bei einem Wanderzirkus unterbringen und im Lotto gewinnen.»

«Im Job?»

«Immer dasselbe. Du bist nicht der Einzige, der sich zu Höherem berufen fühlt.»

«Ach du liebe Güte, nicht wieder die Harrison-Ford-Nummer, Brüderchen.»

«Davon hab ich doch schon ewig nicht mehr erzählt.»

«Weihnachten. Nur ein Glas Port zu viel.»

«Das ist doch Monate her.»

«Wäre ich nicht überzeugt, dass unsere Mutter zu keinem Fehltritt fähig war, würde ich schwören, dass er unser dritter Bruder ist.»

«Vor drei Wochen hab ich zehn Tage lang einen Mann gefilmt, der als Thunfischbüchse verkleidet war. Das war ein wichtiger Auftrag für Wavelength. Kannst du dir nicht vorstellen, dass ich mich nach den guten Zeiten sehne?»

«Ist doch alles relativ, Ed. Was meinst du denn, wie sich der Mann in der Thunfischbüchse gefühlt hat?» Neil nickte bedeutsam.

«Stimmt.»

«Im Nachhinein sehen wir alles in rosarotem Licht, mein Alter. Das weißt du doch. Es war doch nicht alles Sonne, Sand, Salzwasser und Sex. Hast du doch selbst gesagt. Hast du etwa je die Nacht in Sharon Stones Wohnwagen verbracht?»

«Nein.»

«Was ist denn wirklich an alledem dran gewesen? Ein paar Bier mit Harrison Ford sind doch wohl kaum der Rede wert. Der tolle Job, den du jetzt draus machst, kann es doch gar nicht gewesen sein.»

«Vielleicht hast du ja Recht.»

«Irgendwas muss doch für deine düstere Stimmung verantwortlich sein. Gibt's da immer noch diese verklemmte irische Amitussi? Vielleicht zieht die dich ja so runter.»

«Orla ist in Ordnung. Sie mag ja verklemmt und irisch und 'ne Amitussi sein, aber sie macht nur ihren Job. Wenn sie es nicht täte, wär da jemand anders. Und der könnte kleinwüchsig und fett sein. Und Körpergeruch haben. Zumindest sieht Orla, wenn sie ihre Nase in mein Leben steckt, dabei verdammt klasse aus.»

«Tatsächlich?» Neil merkte auf. «Ich dachte, du hast nur Augen für Ali.»

«Jeder hat das Recht, ab und zu mal den Blick schweifen zu lassen», sagte Ed und leerte sein Glas in einem Zug. Den letzten Zwiebel-Käse-Chip ließ er folgen und fragte sich, warum er das Gefühl hatte, seine Wangen und Ohren würden glühen.

— Kapitel 5 —

Ich kann einfach nicht glauben, dass ich tatsächlich hergekommen bin. Echt nicht. Ich hab früh Mittagspause gemacht, und jetzt sitze ich im Covent Garden Café und mampfe ein Baguettebrötchen. Ich hab eine ganze Woche durchgehalten, bis ich heute dann doch herkommen musste. Das war zweifellos eine starke Leistung, wenn man die Umstände bedenkt. Und auf dem Weg hierher hab ich's fast fertig gekriegt, mir einzureden, dass ich mir nur einen kalten Kaffee und einen Pappsandwich in einer Gartengaststätte gönnen wollte und nicht im Geringsten daran interessiert war, herauszufinden, ob sich Christian noch immer an diesem Ort aufhielt und wie viele ältere Frauen mit dubiosem Haupthaar er wohl aus lauter Menschenfreundlichkeit noch zeichnen mochte.

Im Kath Brown Designstudio war es heute Morgen ruhig zugegangen. Ich hab Ihnen doch gesagt, dass sie einen langweiligen Namen trägt. An sich ist ja an dem Namen Kath Brown nichts auszusetzen. Er ist nur als Designername nicht besonders sexy, oder? Wenn sie ihn in Kathy oder Katy Brown ändern würde oder sogar Kat Brown, hätte er vielleicht etwas mehr Pep. Na ja, was soll's? Es ist nichts los, und ich werde mir eine ganze Stunde Mittagspause gönnen. Also könnte ich dies Baguette schnell verspeisen und dann rüberflitzen zu Neal's Yard, um vielleicht was Abgefahrenes oder richtig Esoterisches zu kaufen, das ich absolut nicht brauche. Das aber als Erklärung dafür dienen kann, warum ich mich hier aufgehalten habe.

Ich zahle und schlendere dann auf den Markt. Ich hätte auch direkt die James Street hinaufgehen können und an der U-Bahn-Station vorbei, aber man weiß ja nie: Vielleicht finde ich etwas auf dem Markt, ohne das ein Weiterleben unmöglich wäre. Aber je länger ich durch die Gänge streife, vorbei an Hinterglasmalereien und seidenen T-Shirts, desto weniger sieht es danach aus. Doch als ich hinter der Oper ankomme, steht er da.

Er hat mir den Rücken zugekehrt und zeichnet eine Frau mittleren Alters, die lacht und mit ihm flirtet. Ich weiß nicht, warum, aber mir wird übel. Vielleicht kommt es von dem dämlichen Baguette. Ich schleiche mich näher heran und sehe, dass die Zeichnung gut ist. Sogar ausgezeichnet. Wenn auch nicht so gut wie die von mir. Jetzt lacht die Frau wieder und schüttelt das Haar. Christian legt die Zeichenkohle beiseite, und sie kramt in ihrer Handtasche, um ihn zu bezahlen. Tatsächlich – sie bezahlt ihn!

Einen Moment lang stehe ich hinter ihm und weiß nicht, ob ich bleiben soll oder auf der Stelle davonlaufen, um mein gewohntes Leben weiterzuführen. Sie kennen bestimmt auch das Gefühl, wenn man aus dem Bauch heraus etwas tun will, aber einem ein anderer Teil der Anatomie, das Gehirn oder das Herz oder vielleicht auch die Füße, eindringlich davon abrät. Bevor ich mich jedoch entscheiden kann, meinem Instinkt zu folgen und zu verschwinden, hat er sich auch schon umgedreht.

Seine Augen leuchten auf. Ungelogen. Ich hab bis jetzt noch nie gesehen, dass irgendjemandes Augen meinetwegen aufleuchteten. Da bin ich sicher – nicht mal Eds Augen. Mein Gott, was für ein berauschendes Gefühl! «Ali», sagt er. «Was machen Sie denn hier?»

«Sehe einem Meister bei der Arbeit zu», antworte ich lachend. Wie kann ich ihm gestehen, was ich wirklich tue, wenn ich mir dessen selbst nicht sicher bin? Es folgt ein Moment Verlegenheit, in dem wir beide nervös herumzappeln und eigentlich gleichzeitig hätten losreden müssen, aber es nicht tun. Ich rede als Erste. «Ich bin nur gekommen, um mich für die Zeichnung zu bedanken. Ich hatte Montag eine fürchterliche Laune und wollte mich jetzt nochmal bedanken, dass Sie mich davon erlöst haben.»

«Sie haben mich ebenfalls erlöst», sagt er, und auch wenn es nur ein Spruch ist, hat er doch Erfolg damit.

«Also nochmals danke.»

«Es war ein Geschenk.»

«Ich muss jetzt los.»

Er steht hastig auf und wirft dabei fast die Staffelei um. «Haben Sie schon zu Mittag gegessen? Ich könnte jetzt gut eine Pause machen. Es wartet niemand.»

Wie Recht er hat. Wir beide sind ganz allein in dieser Menschenmenge.

«Ich hab schon gegessen.»

«Kaffee», sagt er. «Hätten Sie vielleicht Zeit für einen Kaffee?»

Ich sehe auf die Uhr, als müsse ich überlegen.

«Es gibt ein nettes kleines Café hier in der Nähe.» Diesem Blick ist so schwer zu widerstehen. «Die haben prima Kuchen.»

«Ich bin auf Diät.» Bin ich gar nicht, sollte ich aber wahrscheinlich sein.

«Ich esse ein Stück für Sie mit.»

Ich lache. Er möchte so gern zufrieden stellen. Mich zufrieden stellen, mich, die gewohnt ist, alle anderen zufrieden zu stellen außer sich selbst.

«Oder wir könnten einen kleinen Spaziergang machen. Der hat keine Kalorien.»

Könnte aber trotzdem gefährlich werden ..., sage ich mir. «Die Sonne scheint.»

«Gehen wir also spazieren.» Christian lächelt, schließt seine kleine Schachtel mit den Reststücken seiner Zeichenkohle und verstaut sie in seinem Nike-Rucksack, den er sich über die Schulter hängt. Er trägt ein riesiges weißes T-Shirt voller schwarzer Flecken, die von seiner Arbeit künden, und beige Armeehosen, die um einen Körper schlottern, der noch lange nicht sein Soll an Muskeln ausgebildet hat. Die Art Kleidung, die Tanyas Freunde tragen. Befangen lächeln wir einander an und machen uns auf den Weg in Richtung Neal's Yard, ohne einander zu berühren. Doch weit entfernt sind wir davon nicht. All das hier kommt mir ungehörig vor, sehr ungehörig.

«Hatten Sie heute Morgen viel zu tun?», frage ich in dem Tonfall, in dem ich auch mit meinen Kindern spreche.

«Es lief», antwortet Christian achselzuckend. «Ich habe gehofft, dass Sie wiederkommen. Die ganze Woche lang.»

«Warum?»

«Warum?» Er lacht. «Glauben Sie an Fügung des Schicksals, Ali?»

«Eigentlich nicht», sage ich. Ich glaube nur daran, dass man seine Kreditkartenrechnung pünktlich bezahlen sollte, dass Erdbeeren gewaschen sein müssen, bevor man sie isst, und dass man tunlichst immer saubere Unterwäsche tragen sollte für den Fall, dass man in einen Unfall verwickelt wird, der zur Folge hat, dass man ins Krankenhaus kommt und dort einem jungen attraktiven Arzt das Höschen zeigen muss. «Und Sie?»

«Aber natürlich.»

Am liebsten möchte ich sagen: «Das liegt eben daran, dass Sie noch ein Kind sind und noch nicht die Tretmühle des Alltagslebens erfahren mussten, sondern sich leisten können, den Kopf voller Ideen und Hoffnungen und Phantastereien zu haben.» Aber ich tu's nicht, denn hinter der jungenhaften Fassade steckt ein heranreifender

Mann, und ich möchte ihm ganz bestimmt nicht seinen ungestümen Elan rauben. Nicht an einem freundlichen Sonnentag wie heute. Ich lächle ihn an. «Gönnen wir uns also doch ein Stück Kuchen», schlage ich vor. Er grinst, und wir streben dem nächstgelegenen Café zu, das ein bisschen schmuddelig aussieht, aber dafür Tische draußen vor der Tür bietet.

Ich bin sicher, dass Christian keineswegs versucht, mich zu beeindrucken, denn er macht sich ohne Umschweife über seinen Kuchen her, bricht Stücke mit den Fingern ab, worauf ich bei Elliott mit einem Nervenzusammenbruch reagiert hätte, und hat jetzt auch noch Sahne auf der Nasenspitze, was ihn nicht im Geringsten zu stören scheint, obwohl er es bestimmt weiß. Er isst mit Inbrunst und findet so viel Genuss an einem einfachen Stück Kuchen, dass ich den Blick nicht von ihm wenden kann. Ich muss schmunzeln. Und dies Schmunzeln nimmt seinen Ausgang ganz tief in meinem Bauch.

«Wo wohnen Sie?», fragt Christian und wischt sich dabei den Mund ab.

«In Richmond.»

«Wie nett. Großes Haus?»

Ich zucke mit den Achseln. «Ja. Wir haben gekauft, als man Häuser dort noch für zwei Eier und ein Butterbrot mit Wurst bekam.» Ich bekomme einen Riesenschreck. Ich hör mich an, als spräche ich mit meinem Bankmanager, und kann es nicht ändern. «Es war eine Ruine, als wir es gekauft haben. Wir mussten eine Menge dran machen.»

«Sie und Ihr Mann?»

«Ja.»

«Und Sie pendeln täglich zu Ihrem Designstudio?»

«Das Studio gehört mir nicht. Ich arbeite nur dort.

Doch, ja, ich fahre jeden Tag hin.» Und das Komische ist, Ed arbeitet ganz in der Nähe. Na ja, in Soho. Sein Büro ist nur einen Steinwurf vom Groucho Club entfernt. Sehr angesagte Adresse für jemanden in der Medienbranche. Aber wissen Sie was? Wir fahren nie zusammen. Niemals. Nun, vielleicht alle Jubeljahre mal, aber das ist es auch. Ed ist oft unterwegs zu Außendrehs, und er arbeitet auch länger als ich. Aber uns ist nicht einmal der Gedanke gekommen, mal mittags zusammen zu essen. Ich rase schnurstracks nach Hause, sobald ich Elliott aus der Schule abgeholt habe, und daher ist es völlig undenkbar, dass wir zu zweit nach der Arbeit gemütlich etwas trinken gehen. Ist doch schade. Vielleicht schlag ich es ihm mal vor. Ich stelle fest, dass meine Gedanken abschweifen, und wende mich wieder Christian zu. «Und Sie?»

«Notting Hill», sagt er. «Mit bester Aussicht auf die jährlichen Karnevalsumzüge.»

«Teuer?»

«Ja. Wo ist es heutzutage nicht teuer?» Er wird ein wenig rot. «Meine Eltern unterstützen mich. Natürlich nur, bis ich einen festen Job hab.»

«Natürlich.»

«Ich schreibe Ihnen die Adresse auf», sagt er und stöbert in seinem Rucksack nach einem Schreiber. Und ich frage mich, warum in aller Welt ich jemals seine Adresse benötigen sollte. Er nimmt eine Karte aus dem Ständer auf dem Tisch, streicht die Adresse durch und kritzelt die eigene auf die Rückseite. Er schreibt gemächlich und schwungvoll, und auch wenn man nichts von ihm wüsste, würde man seine Handschrift für die eines Künstlers halten. «Könnte ja sein, dass Sie mal in der Gegend sind und reinschauen möchten.»

Ich nehme die Karte und studiere sie höflich. «Meine Schwester hat ganz in der Nähe einen Laden, in dem sie historische Frauenkleider verkauft.»

«Cool.»

«Cool», wiederhole ich lachend, und plötzlich wirkt Christian eingeschüchtert. Er kann nicht älter sein als zweiundzwanzig oder dreiundzwanzig, und da bin ich, achtunddreißig, gehe mit großen Schritten auf die Vierzig zu. Was tun wir beide hier zusammen?

«Ich hab hier auch meine Handynummer aufgeschrieben», informiert er mich. Sogar arme Kunststudenten sind heutzutage mit modernster Technologie ausgestattet, nicht anders als fünfzehnjährige Töchter.

«Danke», sage ich, hab aber keine Ahnung, warum. Ich brauche jetzt meine Handtasche und meine Vernunft. «Ich muss zurück. Wieder was tun.» Tja, ein bisschen tippen und Ablage machen und aus dem Fenster starren.

«Darf ich Sie wieder sehen?»

«Ich weiß nicht ...» Ich knabbere unschlüssig an meiner Lippe, und irgendwie schmeckt sie noch nach Erdbeeren.

«Wir können doch einfach befreundet sein», beharrt er. «Daran ist doch nichts auszusetzen.»

«Nein.» Ich knabbere weiter an meiner Lippe.

Er nimmt meine Hand, und ich muss Ihnen gestehen, niemand hat mir je durch die Berührung seiner Finger einen so heftigen elektrischen Schlag versetzt.

— Kapitel 6 —

«Ich hab mich verliebt.» Christian löffelte das Currygericht aus dem Karton auf einen angeschlagenen Wedgwoodteller, den er dann in die Mikrowelle stellte.

Robbie sah von dem Exemplar des *Metro* auf, das er am Morgen zuvor in der U-Bahn-Haltestelle mitgenommen hatte. «Das hast du bereits letzte Woche gesagt.»

«Hab ich nicht.»

Rebecca hatte einen Fuß auf den Tisch gelegt und verpasste ihren Zehennägeln einen Anstrich mit limonengrünem Lack. Dazu hatte sie eine betont konzentrierte und angespannte Miene aufgesetzt. «Hast du doch.»

«Hörst du?» Robbie wandte sich wieder seiner Zeitschrift zu.

«Habe ich nicht.»

«Hast du doch», beharrte Rebecca. «Es ging um diese käsige Tussi aus dem Feinkostladen, der noch spät abends offen hat. Wochenlang hast du von ihr geredet. Sie hätte Augen wie Michelle Pfeiffer.» Rebecca sah auf. «Ich fand eher, dass sie schielt.»

«Ist doch völlig egal, wenn die Augen sowieso in Ekstase geschlossen sind», konterte Christian vergnügt, während er so kunstvoll wie möglich Pilawreis auf drei Wedgwoodteller häufelte. «Außerdem handelte es sich nicht um Liebe. Ich war höchstens kurzzeitig verschossen.»

«Sie hat dich abblitzen lassen, als du sie zu einem Drink einladen wolltest», rief Robbie ihm ins Gedächtnis.

«Ihre eigene Dummheit», schnaubte Christian. «Aber vielen Dank auch für eure Anteilnahme.» Die Mikrowelle piepte, und Christian nahm die Schüssel heraus.

Die Küche war riesig, mit Kiefernholz getäfelt, das schon bessere Zeiten gesehen hatte und dringend mal wieder aufgemöbelt werden musste. Die echten Terrakottafliesen auf dem Boden sorgten eher für ein Echo als für Gemütlichkeit. Der große Speisesaaltisch stand auf einer Seite, und von ihm aus blickte man durch die Verandatüren auf einen Garten, der verwildert war, weil die gegenwärtigen Bewohner weder über grüne Daumen noch über die notwendige Freude an der Gartenarbeit verfügten. Ein baufälliger Schuppen mit zerbrochenen Fensterscheiben schmiegte sich in die Senke und verbarg vor allen arbeitsscheuen Augen die Myriade von spinnwebenüberzogenen Werkzeugen, die schon seit geraumer Zeit unbenutzt dalagen. Ein sympathisches Chaos wie dies hätte wahrscheinlich bei der Chelsea Flower Show einen Preis gewonnen. Die drei Freunde wohnten inzwischen schon fast sechs Monate hier, aber wie ihr Zuhause sah es absolut noch nicht aus.

Rebecca schraubte ihr Nagellackfläschchen zu und schob es in die Handtasche. Dabei bewunderte sie ihr Werk. «Ist dein Geld schon gekommen, Christian?»

«Müsste eigentlich heute auf dem Konto sein, wenn Pater und Mater mich nicht wegen irgendeines imaginären Vergehens enterbt haben.»

«Könntest du mir was vorschießen? Ich bin ziemlich knapp bei Kasse.»

«Klar.» Christian brachte die Teller zum Tisch. «Ich muss den Alten dringend mehr Knete aus der Tasche ziehen. Von diesem Almosen können wir einfach nicht so stilvoll leben, wie wir es gewohnt sind. Ich nehm ja auf dem Markt nicht mal genug ein, um mir meine Bierration zu leisten.»

«Wo du gerade von Bier sprichst ...» Robbie öffnete

drei Flaschen Tiger Beer und teilte sie aus. Christian trank genüsslich.

«Die Touristensaison fängt doch langsam an», sagte Robbie. «Noch ein, zwei Wochen, und deine Einkünfte gehen steil nach oben.»

«Aber nicht ganz auf das Niveau, das sich mein Vater von dem Job in der City versprach, den er für mich klargemacht hatte.»

«Den hättest du vielleicht auch annehmen sollen, Chris.»

«Ich bin Künstler, verdammt nochmal. Seht ihr mich etwa im Armani-Anzug am Computer sitzen und mit Zahlen jonglieren? Nein danke, mein Alter. Unter der Last einer solchen Verantwortung würde ich in kürzester Zeit zusammenbrechen.»

«Du meinst, weil du deinen faulen Arsch bewegen und tatsächlich mal richtig malochen müsstest.»

«Du hörst dich schon so an wie mein Vater.» Christian fläzte sich hin. «Wie ist es denn so hinterm Verkaufstresen im ‹His Masters Voice›-Laden?»

«Du bist ein mieser Sack», sagte Robbie lachend, und Christian musste mitlachen. Sie stießen mit ihren Bierflaschen an.

«Auf dass wir unser Leben lang müßige Bettler bleiben!», prostete Christian überschwänglich.

«Sind eigentlich noch mehr Briefe gekommen?», fragte Robbie und machte sich über sein Essen her.

«Einer von den Stromfritzen. Die drohen, uns den Saft abzustellen.» Rebecca zog die Augenbrauen in die Höhe und stocherte in dem Reisberg auf ihrem Teller.

«Mist!»

«Da müssen wir dringend was machen, Christian», sagte Robbie.

«Ich weiß. Ich weiß. Fragt sich bloß, was?»

«Können wir nicht einfach die Rechnung bezahlen?»

«Und wie soll das gehen?», fragte Robbie. «Wir müssten aber doch jemanden kennen, der das regeln könnte.»

«Pater und Mater», äffte Rebecca nach.

«Die haben *dich* mehr als einmal gerettet», gab Christian ihr zu bedenken. «Diese Elektroheinis spucken doch nur große Töne. Heutzutage stellen sie niemandem mehr den Saft ab. Sonst würden sie nämlich ganz schnell wegen Beeinträchtigung der elementaren Menschenrechte verklagt werden oder so was. Wir müssten dich einfach anbumsen, Becs. Schwangere mit Partner kriegen doch sofort ein Haus von der Wohlfahrt.»

Rebecca sah ihn streng an. «Ha, ha, sehr witzig.»

«Keine Angst», beruhigte Christian. «Wir haben bestimmt noch massenhaft Zeit, bis die was machen.»

«Hoffentlich irrst du dich nicht», sagte Rebecca und aß doch noch etwas Curry.

Sie aßen schweigend, während sich die letzten Sonnenstrahlen über den Garten tasteten und die Küche mit warmem goldenen Licht füllten, in dem sie wohnlicher wirkte als sonst.

«Und, wer ist es denn diesmal?», fragte Robbie.

«Was?»

«Wer ist die glückliche Dame?»

«Oh», sagte Christian, froh, alle Gedanken an unbezahlte Stromrechnungen beiseite schieben zu können. «Sie heißt Alicia. Ali.»

«Obergeil?»

«Mehr als obergeil, du Banause. Vom Schicksal bestimmt, die Liebe meine Lebens zu sein. Ich rede von Seelenverwandtschaft, mein Junge. Seelenverwandtschaft.»

«Soso», sagte Robbie. «Das ist ja 'ne ganz neue Variante.»

«Ich bin ja auch ein neuer Mensch», verkündete Christian.

«Das hab ich schon öfter gehört.»

«Diesmal ist es anders.» Christian lehnte sich auf seinem Stuhl zurück und verschränkte selbstzufrieden die Arme über der Brust. Sein Blick verklärte sich, und seine Lippen verzogen sich zu einem selbstgefälligen Lächeln. «Sie ist wunderschön. Atemberaubend. Überwältigend. Wunderschön.»

«Du hast zweimal ‹wunderschön› gesagt», merkte Robbie an.

«Wunderschön, wunderschön, wunderschön», schwärmte Christian hingerissen. «Ich kann es gar nicht oft genug wiederholen.»

«Und wo bist du dieser Frau begegnet, die du gar nicht oft genug wunderschön nennen kannst?»

Christian legte die Hände hinter den Kopf. «Ali? Auf dem Markt. Ich hab sie gezeichnet. Gratis, einfach weil sie da saß und so wunderschön aussah.»

Robbie hätte sich beinahe an seinem Bier verschluckt. «Du hast es gratis getan? Dann muss es wirklich Liebe sein!»

Christian lächelte verzückt. «Ist es ja auch.»

«Mensch, bin ich gespannt, die kennen zu lernen», sagte Robbie.

«Alles zu seiner Zeit, Robert. Alles zu seiner Zeit.»

«Und ist die jetzt wenigstens über sechzehn?», fragte Rebecca.

Christian ließ die Hände auf den Tisch fallen, und aus seinem Lächeln wurde eine nachdenkliche Miene. «Ich denke, das kann man getrost behaupten.»

— Kapitel 7 —

«Hier dauert es immer ewig, bis man bedient wird.» Ed schüttelte resigniert den Kopf. «Die Kellner schwirren geschäftig durch die Gegend und sind vom Nichtstun extrem überfordert.» Er saß mit Orla im Groucho Club, und wie um ihn zum Lügner zu stempeln, eilte ein charmanter und umsichtiger Kellner herbei, um ihre Bestellung aufzunehmen. «Hab ich es Ihnen nicht gesagt?»

Orla lachte: betörend und umso verblüffender, da es so selten vorkam.

Der Groucho Club war vorwiegend in Schwarz gehalten und leicht heruntergekommen. Die Atmosphäre wirkte fast übertrieben entspannt. Der Teppich hätte besser in einen Nachtclub gepasst und war von der Sorte «tagsüber eher unansehnlich». Junge und angesagte Komiker aus der Alternativszene verschanzten sich in den Ecken, weil sie hofften, weder erkannt noch belauscht zu werden, und dann gab es noch die Horden protziger, laut schwadronierender und Champagner trinkender Nobodys, die sich das Gegenteil erhofften. Es war ein Ort, den jeder, der «jemand» war, aufsuchte, um unbeachtet zu bleiben. Der Himmel mochte wissen, warum Wavelength hier eine Mitgliedschaft unterhielt, aber vom Büro aus lag der Club gleich um die Ecke, und der Firmenbesitzer konnte dadurch nach seinen seltenen Besuchen in der City relativ billig und bequem in einer schicken Umgebung übernachten. Zudem wurden einem mit den Drinks zu Medienszenepreisen auch noch Schälchen mit Erdnüssen gratis kredenzt. Was konnte ein exklusiver Club mehr bieten?

«Sind Sie mit dem Auftrag für die Performing Power Tools termingerecht fertig geworden?»

«Ja», sagte Ed, reckte sich und vergaß, ein «gerade noch» anzuhängen. Orla schlug die Beine übereinander, blieb aber dennoch kerzengerade auf dem abgewetzten Ledersofa sitzen, das sich alle Mühe gab, sie in seinen Tiefen verschwinden zu lassen. Lockerheit strengte sie an. Belangloses Geplänkel schien nicht zu ihrem Kommunikationsrepertoire zu zählen, weil es ihr sinnlos erschien. «Das Video wird morgen geschnitten. Ich bin sicher, man wird mit dem Ergebnis zufrieden sein.»

«Gut. Gut.»

Ihre Drinks wurden gebracht, und Ed ließ sie sich auf die Rechnung setzen. Er hob sein Bierglas. «Zum Wohl», sagte er.

«Zum Wohl.» Orla nippte an ihrem Wein. Ed wünschte, sie würde die Kostümjacke aufknöpfen oder die Nummer «verkannte Bibliothekarin» abziehen, ihr Haar lösen und sich in einen sexy Vamp verwandeln. Zumindest aber irgendwie andeuten, dass sie nicht mehr im Dienst war. Doch Orla schien sich so gut wie immer im Arbeitsmodus zu befinden. Er seufzte.

«Stimmt etwas nicht?», fragte sie.

«Alles in Ordnung.» Er legte den Kopf an die Rückenlehne des Sofas. «Ich fühl mich nur irgendwie ausgelaugt.» Er hätte sich am liebsten zusammengerollt und wäre eingeschlafen. Oder wäre gern mit aromatischen Ölen massiert worden, bis sich seine Muskeln aus der permanenten Verkrampfung lösten und jeden Widerstand aufgaben.

«Sie sehen aus, als könnten Sie eine Rückenmassage brauchen», sagte Orla, und Ed merkte verblüfft auf. Er fragte sich, ob diese scharfsinnige und einfühlsame Frau tatsächlich auch noch Gedanken lesen konnte.

«Ich muss morgen früh zu irgendeiner unchristlichen

Zeit in Slough sein», klagte Ed, «weil ich dort ein Verkaufstraining von Digital Computers filmen soll. Und ich hab dazu wahrhaftig nicht die geringste Lust. Schon beim Gedanken daran krieg ich Pickel.»

«Wer wird moderieren?»

«Jeremy Clarkson. Guter Mann. Profi. Mit ihm haben wir den Spot schnell im Kasten.» Es sei denn, der Geschäftsführer wünscht einen Kurzauftritt, wie es so oft geschah. Ed gab Victor «Der-Rasierer-gefiel-mir-so-gut,-dass-ich-gleich-die-ganze-Company-gekauft-hab» Kiam die Schuld an vielen geschmacklosen, amateurhaften Spots. Es konnte die Dreharbeiten um einen ganzen Tag verlängern, wenn jemand darauf bestand, sein Debüt vor der Kamera zu geben. Aber der Kunde hatte immer Recht. Und auch wenn er nicht Recht hatte – er bezahlte schließlich die Rechnung.

Orla lehnte sich zurück und knöpfte jetzt aufreizend die Jacke auf, weswegen Ed beinahe sein Bier zurück ins Glas geprustet hätte. «Trevor hat mir erzählt, dass Sie vom Spielfilm kommen.»

«Ja.» Jetzt ganz lässig, Edward. Die Namen Ford und Harrison dürfen dir nicht über die Lippen kommen, es sei denn, du möchtest bei den Kollegen von der Nachproduktion unbedingt zum Gespött werden.

«Und haben Sie die Filmarbeit je vermisst?»

Ed sah sich um. Würde Trevor womöglich hinter einem Sofa hervorspringen und wie bei *Verstehen Sie Spaß* schadenfroh den Streich enthüllen? Er wandte sich wieder Orla zu. «Wie bitte?»

«Die Welt des Industriefilms ist doch wohl ein bisschen was anderes als Hollywood.»

«Ja, ein bisschen schon.»

Orla nahm einen Schluck Wein und fixierte Ed mit einem durchdringenden Blick, wie es ihre Eigenart war. «Ich werde nicht mehr viel länger hier sein», sagte sie.

Ed konnte sich ein Lachen kaum verbeißen. «Hört sich ja fast an, als müssten Sie sterben.»

«Das werde ich auch», antwortete sie gefasst. «In gewisser Beziehung. Und wenn auch nicht physisch, so doch mental. Das alles hier bringt mein Blut nicht in Wallung. Ich spüre förmlich, wie es in meinen Adern zum Stillstand kommt. Diese Management-Kiste ist der Tod jeder Kreativität. Und absolut nicht mein Ding. Ich verstehe gar nicht, wie Sie es geschafft haben, nicht zu verkümmern.»

«Äh ...», erwiderte Ed, dem klar war, dass Orla keine Vorstellung von den immensen Hypotheken haben konnte, die der Hauptgrund für einen großen Teil seiner Lebensführung waren.

«Können Sie das nicht nachempfinden?»

«Äh ...» Es stimmte schon, dass sich Eds Blut in letzter Zeit nicht gerade dadurch ausgezeichnet hatte, aufregend zu pulsieren. Aber warum kümmerte das Orla? Hatte sie urplötzlich den Anschaltknopf für Smalltalk gefunden, oder wurde dies alles für eine ruinöse Beurteilung vermerkt, die sein Schicksal bei Wavelength besiegeln sollte? Er sah das Profil geradezu vor sich – «Edward Kingston, Managing Director. Schöpferische Impulse vollständig versiegt und nicht wieder aktivierbar. Schlage irgendeine Art von ‹-ierung› vor, kombiniert mit einem goldenen Handschlag zur Verabschiedung.» Doch diese Abfindung würde zweifellos nicht ausreichen, um sich im Luxus auf einer Karibikinsel zur Ruhe zu setzen. Alles sprach dafür, dass der gute alte Ed sich wieder an die Lektüre der Stellenanzeigen in *Broadcast* machen müsste.

«Sie sind ein Guter, Ed», sagte sie kategorisch. «Sie sind gut, aber Sie könnten besser sein. Sie haben immer wieder großartige Ideen, die jedoch *niemals* das Licht der Welt erblicken werden, wenn Sie weiterhin bei Wavelength bleiben.»

Er wusste nicht so recht, was er davon halten sollte, dass sie das Wort *niemals* derart betonte. «Äh ...»

«Darf ich Ihnen frei heraus meine Meinung sagen?»

Wenn Orla etwas frei heraus sagte, erwies es sich gewöhnlich als bitter. «Äh ...»

Verschwörerisch lehnte sie sich ihm über den niedrigen Tisch entgegen. «Daheim in den Staaten werde ich die Leitung einer kleinen unabhängigen Filmproduktion übernehmen.»

«Hört sich gut an», sagte er, weil ihm kein passenderer Kommentar einfiel.

«Ist aber streng vertraulich.» Orla stellte ihr Glas auf den Tisch und legte ihre Karten offen. «Die Mitarbeiter sind pfiffige junge Leute mit viel Elan, die es noch weit bringen werden. Und uns liegen mehrere britische Drehbücher vor, deren Finanzierung bereits gesichert ist.»

Ed nickte. «Gut.»

«Ich möchte, dass Sie mit mir kommen.»

«Ich?» Er lachte.

«Ja, und ich meine es ernst.»

Er spähte nochmals, ob Trevor nicht hinter dem Sofa lauerte und gleich hervorgesprungen käme: «Ätsch, reingelegt!» Ed runzelte die Stirn. «Daran zweifle ich ja nicht. Aber warum gerade ich?»

«Sie kennen sich in der Branche gut aus. Ich glaube, dass ich davon profitieren könnte. Britische Regisseure und Produzenten sind im Augenblick in den Staaten höchst gefragt. Denken Sie an Sam Mendes. Und Sie leiten da einen sehr ausgesuchten, aber auch leistungsstarken kleinen Produktionsapparat, der mit höchst geringem Betriebsvermögen und wenig Unterstützung durch das Management auskommt. Sie verstehen sich ausgezeichnet darauf, Menschen zu motivieren.»

Leider nicht mich selbst, sondern nur andere, fügte er in Gedanken hinzu.

Ganz kurz sah er sich in einem schnittigen Kabrio oberster Preisklasse auf dem Rodeo Drive. Sonnenschein und die Beach Boys im Autoradio. «Ali würde das niemals mitmachen.» Er schüttelte den Kopf. «Sie ist kein großer Amerika-Fan. Sie ist der einzige Mensch, den ich kenne, der die *Frasier*-Serie nicht mag.»

«Sind Sie schon lange verheiratet?»

«Schon sehr lange.»

«Dann hat Alis Meinung großes Gewicht.»

«Richtig.» Ed seufzte tief und wünschte sich, Scotch bestellt zu haben. «Glauben Sie mir, ich habe nichts gegen Ihre Landsleute. Ich liebe Amerika. Ich würde lieber heute als morgen rübergehen. Aber Ali sieht in Ronald McDonald den Antichrist.»

Orla lachte. «Denken Sie jedenfalls drüber nach, Ed. Ich brauche Ihre Antwort auch nicht sofort.»

Eds Nackenhaare sträubten sich. Er leerte sein Bierglas und sagte dann bedauernd: «Die U-Bahn ruft.»

Orla erhob sich und strich eine widerspenstige Locke aus der Stirn.

Denken Sie drüber nach! Dieser Gedanke würde ihm in jeder wachen Minute durch den Kopf gehen und ihn höchstwahrscheinlich auch im Schlaf verfolgen. Da war sie, die Chance, nach der er sich gesehnt hatte, von der er geträumt hatte. Die Möglichkeit, wieder einen Fuß in die Tür zu bekommen, die ins wirkliche Filmgeschäft führte.

Seine Karriere, die auf einem Nebengleis fast zum Stillstand gekommen war, wieder aufs Hauptgleis und in Schwung zu bringen. Bei seiner gegenwärtigen Arbeitssituation würde niemand sonst einen zweiten Blick auf seinen Lebenslauf verschwenden, das wusste er nur zu gut. Um festzustellen, dass er noch immer das Zeug zu Größerem hatte, bedurfte es eben eines Insiders, einer Person, die eng mit ihm zusammenarbeitete.

Orla nahm ihre stets zum Platzen gefüllte Aktenmappe zur Hand. «Aber ich werde auch nicht ewig auf Sie warten», warnte sie.

«Natürlich nicht», stimmte Ed zu. Er spürte, dass seine Zunge trocken geworden war und er dringend einen weiteren Drink brauchte.

«Wir können uns ja demnächst weiter darüber unterhalten.» Orla strebte dem Ausgang zu, und er folgte in ihrem Kielwasser.

Ach, den ganzen Abend könnte er hier sitzen und sich darüber unterhalten! Er könnte sich sogar hinreißen lassen, seine Harrison-Ford-Geschichten zum Besten zu geben, wenn der richtige Moment kommen sollte. Aber in allererster Linie musste er jetzt mit Ali darüber sprechen.

«Vielleicht demnächst bei einem Essen?», schlug Orla leichthin vor.

«Ja. Ja. Großartige Idee», stimmte Ed auf der Stelle zu. «Beim Essen.»

Würde Ali tatsächlich bereit sein, alle Sachen zu packen und um die halbe Welt zu reisen, damit er seine Ambitionen verwirklichen konnte? Würde ihr klar sein, wie lange er gewartet hatte, eben das zu hören, was Orla ihm soeben vorgeschlagen hatte? Würde Ali, deren einziger Ehrgeiz darin bestand, jede Woche sieben essbare Mahlzeiten auf den Tisch zu bringen, verstehen, wie sehr, wie lange und wie leidvoll er diese seine Sehnsucht hatte unterdrücken müssen? Bis ihm zu Ohren gekommen war, dass es vielleicht einen Ausweg gab, hatte er es ja nicht einmal selbst verstanden.

Ed warf einen Blick auf seine Armbanduhr. Es war bereits spät, und er hätte längst schon zu Hause sein sollen. Ali würde sich sorgen. Sein Abendessen war bestimmt eingetrocknet oder in der Mikrowelle oder im Hund, wenn sie denn einen hätten. Vielleicht hätte er Orla bereits für diesen Abend das gemeinsame Essen vorschlagen und Ali anrufen sollen, dass ihm unerwartet ein Geschäftstermin dazwischengekommen sei. Aber er musste sowieso zuerst ein grundlegendes Gespräch mit seiner Frau führen. Sie müssten sich bei einem guten Glas Wein zusammensetzen und reden. Er konnte sich ja auf dem Nachhauseweg in der U-Bahn die Argumente zurechtlegen, um sicherzugehen, dass er nichts Falsches sagte.

Orla und er stießen die Tür nach draußen auf und standen auf dem Gehsteig. Bevor er noch die Chance bekam, sich wie ein Gentleman zu verhalten, hatte Orla bereits ein Taxi herangewinkt. Es hielt direkt neben ihr. «Gute Nacht, Ed.»

Ed öffnete ihr die Tür. «Gute Nacht, Orla.» Er kam sich geradezu lächerlich dankbar vor. Am liebsten hätte er sie in die Arme genommen und geküsst und vor lauter Begeisterung Jubelschreie ausgestoßen, um ihr zu vermitteln, was es ihm bedeutete, dass sie seiner untergehenden Filmkarriere sozusagen einen Rettungsring zugeworfen hatte. Stattdessen stand er da wie zur Salzsäule erstarrt, wusste nicht, was er mit den Händen tun sollte, bekam keinen Ton heraus. Typisch unbeholfen britisch eben. Schließlich stammelte er doch noch: «Und vielen Dank auch.»

Sie lächelte durchs offene Fenster und winkte zum Abschied. Das Taxi fuhr davon, ließ ihn allein auf der Dean Street zurück. Die Abendluft war kühl und gemahnte eher an Herbst als an Frühling, weckte eher Assoziationen an Abschluss und Ende als an einen Neubeginn. Ed zitterte vor Kälte und wünschte sich, einen dickeren Mantel angezogen zu haben. Gleichzeitig fragte er sich, welche Temperaturen wohl in Los Angeles herrschen mochten.

Ja, er und Ali mussten reden. Noch heute Abend. Aber er war sich absolut nicht sicher, ob sie ihm noch würde zuhören wollen, sobald sie herausfand, was er ihr zu sagen hatte.

— Kapitel 8 —

«Ach, Daddy! Wie konntest du nur?» Tanya ist in Tränen aufgelöst und bekommt wohl demnächst ihre Periode, was in ihrem Alter ein Furcht erregender Zustand ist und sie hormonell zur Psychopathin macht. Ich bin sicher, dass ich mit fünfzehn nicht so war. Ich war immer ganz brav.

Ed ist gerade zur Tür hereingekommen. Er hat sich furchtbar verspätet und schaut extrem verwirrt aus. «Was?»

Er sieht mich an, als erwarte er Unterstützung von mir, aber ich habe die Hände in die Hüften gestemmt und bin ganz und gar nicht in der Stimmung, jemanden zu beschwichtigen, zumal ich mir gerade drei Stunden lang habe anhören müssen, dass Tanya während des Unterrichts (anscheinend in sämtlichen Fächern) völlig unkonzentriert ist und zweifellos als Kassiererin im Supermarkt enden wird, wenn sie nicht aufhört, mit ihren Freundinnen zu schwatzen und den Jungs schöne Augen zu machen, sondern sich stattdessen schleunigst am Riemen reißt und schwer was für die Schule tut. Das war zwar nicht der genaue Wortlaut dessen, was ihre Lehrerin auszusetzen hatte, aber meine Umschreibung trifft durchaus den Inhalt.

Ed sieht Tanya an. «Und ... worum geht es?»

«Du warst nicht bei meinem Elternabend», jammert sie und poltert die Treppe hinauf, wobei sie es um der größtmöglichen Wirkung willen schafft, sämtliche Gustav-Klimt-Drucke in Schieflage zu bringen. «Du machst dir eben nichts aus mir», schreit sie über das Treppengeländer hinweg.

Ed sieht mich an, als habe man ihm etwas angetan. «Ich hab es völlig vergessen», sagt er.

«Also, Ed! Wie konntest du nur!?», tadle ich und verfalle in eben das Klagelied, das meine Tochter angestimmt hat.

«Ich bin durch eine Besprechung aufgehalten worden.»

«Ja, das riech ich an deiner Fahne.»

«Ich hab nur eins getrunken», beharrt er. «Im Groucho. Ein schnelles Bier.»

Ich sehe nur auf die Uhr, demonstrativ.

Er legt seine Aktentasche beiseite und schlüpft aus seinem Mantel, und zwar betont ermattet. Aber das weckt in mir kein Mitgefühl, sondern regt mich nur noch mehr auf. Mit hängenden Schultern folgt er mir in die Küche.

«Ich hab's vergessen», wiederholt er, bevor ich auf ihn losgehen kann.

«Als du heute Morgen aus dem Haus gegangen bist, waren es deine letzten Worte.»

«Seitdem hatte ich eine Million Dinge zu tun, Ali. Und dabei ist es mir völlig entfallen. Ich habe es doch nicht absichtlich vergessen.»

«Manchmal frage ich mich wirklich, ob du überhaupt noch Anteil nimmst. Schließlich sind es doch auch deine Kinder. Nächstes Jahr macht Tanya ihre Mittlere Reife, und das ist ihr wichtig.»

«Mir ist es auch wichtig ...»

«Tatsächlich?»

«Das weißt du doch.»

«Stundenlang hab ich versucht, dich anzurufen, aber dein Telefon war abgeschaltet.»

«Die Batterie war fast leer, und ich wollte sie schonen.»

«Wunderbarer Trost für mich.»

«Tut mir Leid.»

Ich weiß sehr wohl, dass man im Groucho keine Handys benutzen kann, wenn man nicht Gefahr laufen will, wegen eines eklatanten Verstoßes gegen die Vorschriften vor die Tür gesetzt zu werden. Eben das macht mich ja zornig, denn diese Regel ist Ed anscheinend wichtiger als die Zukunft seiner Tochter. Doch ich bin zu erschöpft, um noch länger wütend zu bleiben. Ich möchte nichts lieber, als dass Ed mit mir kuschelt und mich davon überzeugt, dass meine Tochter weder zur straffälligen Jugendlichen noch zur allein erziehenden Mutter wird. Bin ich ihr denn ein so schlechtes Vorbild? Was habe ich nur falsch gemacht, dass sie weder Genetikerin noch Firmenanwältin oder Shakespeare-Schauspielerin werden will? Warum ist ihr einziger Ehrgeiz darauf gerichtet, möglichst viele Piercings in ein Ohr stechen zu lassen?

Ich gebe vor, dass mir einzig und allein ihr Wohlergehn wichtig ist. Aber das ist eben nur ein Lippenbekenntnis. In Wirklichkeit will ich, dass sie hart arbeitet, eine Menge Geld verdient und in die Lage kommt, ihre Zukunft nach eigenem Gutdünken zu bestimmen. Ich will, dass sie einen tollen Job hat, mit dem ich gegenüber anderen Müttern mit weniger erfolgreichen Töchtern angeben kann. Ich will nicht, dass sie mit sechzehn schwanger wird und dann die Last hat, sich um ihr Baby zu kümmern, während sie gleichzeitig einen Teil der eigenen Kindheit nachzuholen versucht. Ich will, dass sie um die Welt reist und diverse Herzen bricht, ohne ihrem eigenen Schaden zuzufügen. Dann möchte ich, dass sie mit neunundzwanzig einen wunderbaren, finanziell abgesicherten und emotional stabilen Mann kennen lernt und ans Kinderkriegen denkt. Ist das zu viel verlangt? Finde ich gar nicht. Und ich wünschte, ich könnte diese Vorstellungen teilen – mit Tanya, mit Ed, mit irgendeinem Menschen. Aber ich finde keinen. Niemand versteht mich. Ed lacht nur und sagt, dass ich alle Maßstäbe verliere, nur weil eine verklemmte Lesbe von Lehrerin, die ihren Lebtag noch nie richtig gearbeitet hat, der Meinung ist, es sei ungewöhnlich, wenn eine fünfzehnjährige Schülerin nur die Aufmerksamkeitsspanne eines Flohs hat. Er findet es so in Ordnung. Er war ein hoffnungslos schlechter Schüler, bestand all seine Examen nur mit Ach und Krach, hat aber aus eigener Kraft in einem Job, den er liebt, mit Zielstrebigkeit die Karriere gemacht, die ihm vorschwebte. Ich habe ebenfalls sehr hart gearbeitet, es aber zu nichts gebracht, es sei denn, man zählt die Reliefkarte der Anden mit, die die Schwangerschaftsstreifen auf meinen Bauch gezeichnet haben.

Mit viel Getöse setze ich den Kessel auf. «Dein Abendessen ist völlig eingetrocknet.» Ich rümpfe die Nase. «Sieht ja widerlich aus.» Es sah schon widerlich aus, bevor es eingetrocknet war, und es schmeckte auch nicht besonders, aber das werde ich Ed nicht verraten. Das muss er schon allein herausfinden. Er wird es essen, ohne zu murren, denn er hat zwar ein Gedächtnis wie ein besonders großlöchriges Sieb, aber er ist kein schlechter Kerl.

Ich beobachte, wie er seine Abendmahlzeit aus den Tiefen des Backofens hervorholt und sich der Horror auf seinem Gesicht breit macht. Er stellt das Essen behutsam auf den Tisch. «Wie nennt sich das?», fragt er.

«Hab ich vergessen.» Ich stelle ihm eine Tasse Tee vor die Nase. «Irgendwas von Marks & Spencer. Mexikanisch, glaub ich. Vor drei Stunden sah es völlig okay aus.»

«Sieht jetzt auch noch prima aus», sagt er, und ich grausames und wütendes Wesen schmelze dahin. «Danke.»

Ich setze mich ihm gegenüber an den Tisch. «Du musst jetzt unbedingt mit Tanya sprechen. Sie ist ganz schlecht in der Schule. Ich hab keine Ahnung, was mit ihr los ist.»

«Kannst du nicht mir ihr reden?»

«Nein, kann ich nicht.»

«Du bist darin doch so viel besser als ich.» Ed hat sich aufs Jammern verlegt, und ich gebe keinen Zentimeter nach.

«Du hast sie doch so enttäuscht.»

«Ich gehe gleich hoch zu ihr», verspricht er. Ich höre den Stoßseufzer, der sich in seiner Stimme verbirgt. «Ich geh dann auch zu Elliott. Und wo ist Thomas?»

«Mit Harry Potter im Bett, wo sonst?»

Ed lächelt müde. «Zwei Tragödinnen und ein Perverser. Großartige Leistung von uns.»

«Niemand hat versprochen, dass es leicht würde.»

Manchmal würde ich zu gerne vergessen, dass ich ein Elternteil bin, und einfach zur Tür hinausgehen, ohne auch nur einen Gedanken an einen anderen Menschen zu verschwenden. Zum letzten Mal hab ich das getan, als ich um die zwanzig war. Ich wüsste gern, ob es Ed manchmal ähnlich geht.

«Worum ging es denn bei eurer Besprechung?»

Ed bleibt über seinen Teller gebeugt und braucht sehr lange, bis er antwortet.

«Es war ein Gespräch mit Orla. Sie gründet eine neue Firma.»

Vage erinnere ich mich daran, wer Orla ist, und gebe durch ein «Mmm» mein Interesse kund.

«Ali.» Ed hebt den Blick und sieht mich aus so weiter Ferne an, dass ich seine Augen nicht ergründen kann. «Würdest du eventuell in Erwägung ziehen, in die Staaten zu ziehen?»

Ich bin wie vor den Kopf geschlagen. «Nach Amerika?»

«Ja.»

«Nein.»

Er legt die Gabel ab und schiebt den Teller weg. «Das hab ich mir gedacht.» Er steht vom Tisch auf. «Ich rede mit Tanya.»

— Kapitel 9 —

Kath Brown kommt ins Büro. Ich sage Büro, aber es handelt sich eher um einen zum Büro hochgelobten Geschirrschrank, randvoll mit überquellenden Akten und

Stoffproben und farbenfrohen innenarchitektonischen Plänen, um den Kunden einen ersten Eindruck zu vermitteln, wie ihr Haus aussehen wird, wenn sie so verwegen sind, ihre magnolienfarbenen Wände in die auf Blütenmuster versessenen Klauen von Kath zu geben.

Ich tippe Rechnungen. Ich befinde mich gerade in einer hypereffektiven Arbeitsphase, und meine Finger jagen über die Tastatur. Dies Schrankbüro mag aufs ungeübte Auge wirken, als sei das absolute Chaos ausgebrochen, aber wenn ich etwas Bestimmtes brauche, habe ich es in Sekundenbruchteilen zur Hand. Kath hingegen ist dazu nicht fähig. Ich lächle ihr wohlwollend zu. Sie braucht mich mehr, als ich sie brauche.

Leicht besorgt lässt sie die Brille bis auf die Nasenspitze gleiten und späht dann über deren Rand hinweg zu mir herüber. «Da ist ein Junge im Laden», sagt sie zögernd. Mit einer lässigen Handbewegung gebiete ich ihrer Aufregung Einhalt. «Ein junger Bursche. Er sagt, er kennt dich. Er möchte dich sprechen.»

Ich kann mir nichts vormachen. Ich weiß sehr genau, wer es ist. Sie wissen es auch. Einzig Kath Brown tappt im Dunkeln. Ich lege die Stirn in Falten, als wolle ich «Wie faszinierend!» sagen, während ich krampfhaft überlege, was ich ihr antworten soll. Mit zitternden Knien stehe ich auf und frage mich, ob ich wohl so leichenblass aussehe, wie ich mich fühle.

«Besser, du gehst hin», sagt Kath, als sie merkt, dass ich keine Erklärung abzugeben gedenke. Was könnte ich ihr auch schon sagen? «Er wartet.»

«Bin gleich wieder da», verspreche ich ihr, und während der drei Schritte, die ich brauche, das Büro zu durchqueren, überprüfe ich in Gedanken, wie ich aussehe. Ich trage meinen schwarzen Hosenanzug, was ich nur begrüßen kann, denn er ist sehr modisch, und ich komme mir darin ein paar Jahre jünger vor. Zudem haben sich heute Morgen beim Frühstück alle höchst zivilisiert verhalten, und der Stoff weist keine Flecken auf, weder von Erbrochenem noch von Marmelade oder Tee, was auf jeden Fall ein Pluspunkt ist, wenn man gut aussehen möchte.

Man merkt gleich, dass Christian sich im Laden leicht unwohl fühlt. Es muss ihn allerhand Überwindung gekostet haben, hier zu erscheinen. Ich bleibe in der Tür stehen, um ihn zu betrachten. Er betastet einige der Stoffe – die 180 Pfund pro Meter kosten –, und wenn er Elliott wäre, würde ich es ihm auf der Stelle untersagen. Ich hoffe nur, dass er keine Zeichenkohle an den Händen hat.

«Hi», sage ich, und Christian wirbelt herum. Sein Lächeln allein reicht, um mir ganz, ganz anders werden zu lassen. Das ist doch lachhaft! Ich bin alt. Ich bin Mutter. Ich bin Ehefrau. Ich bin eine rational denkende und handelnde Frau, wohne vor der Stadt im Grünen. Wie kann er nur eine solche Wirkung auf mich haben?

«Tut mir Leid», flüstert er. «Ich wusste nicht, was ich sonst hätte tun sollen.»

«Sie sollten nicht hier sein», flüstere ich zurück, obwohl er mir doch gerade bedeutet hat, dass ihm das klar ist. Ich frage mich, ob Kath Brown wohl an der Wand lauscht. Ich hätte es an ihrer Stelle getan.

«Sie haben mir gefehlt», sagt er, als müsste das zur Erklärung reichen.

«Wie haben Sie herausbekommen, wo Sie mich finden können?»

«Ich bin in alle Designer-Läden gegangen, bis ich auf eine Frau getroffen bin, die mich nicht ansah, als sei ich übergeschnappt.»

«Ich sollte Ihnen böse sein.»

«Sind Sie aber nicht.» Seine Lippen formen ein Lächeln. Das ist die selbstsichere Naivität der Jugend.

«Bin ich doch.»

«Ich wollte Sie sehen. Und Sie waren ja nie mehr auf der Piazza.»

«Ich wollte Ihnen aus dem Weg gehen.»

«Wieso das denn?» Ich fasse es nicht, wie verletzt er aussieht. «Mögen Sie mich denn nicht?»

Ich überzeuge mich davon, dass Kath Brown nicht direkt hinter mir steht und gleich vom Schlag getroffen wird. «So einfach ist es nicht.»

«Also mögen Sie mich?»

«Natürlich mag ich dich.»

«Und warum möchten Sie mir dann aus dem Weg gehen?»

«Weil ich glaube, dass es besser ist.»

«Für wen?»

Wir unterhalten uns noch immer im Bühnenflüstern. Und ich blicke verstohlen über die Schulter wie ein drittklassiger Spion. «Für uns beide. Ich bin gebunden und habe Verpflichtungen, Christian.»

Er reagiert beleidigt. «Die hab ich auch.»

«Haben Sie nicht.»

Christian setzt wieder das wundervolle Lächeln ein, das mein Inneres zum Schmelzen bringt. «Hab ich nicht, oder?»

«Sie wissen noch nicht einmal, was das Wort bedeutet.» Jetzt ziehe ich ihn auf, und wir müssen beide lachen. Leise.

«Sie fehlen mir», sagt er offen heraus. «Ich hab Sie schon seit Tagen nicht mehr gesehen. Ich möchte mich doch nur mit Ihnen unterhalten.»

«Hier können wir nicht reden», lasse ich ihn wissen.

«Ihr Besuch hier bringt mich in eine schwierige Situation.»

«Das wollte ich bestimmt nicht.»

«Christian …» Ich versuche, rational und bestimmt zu klingen, aber höre mich stattdessen recht verzweifelt an. «Ich muss an meine Familie denken.»

«Erlaubt die Ihnen nicht, Freunde zu haben?»

«Doch, aber …»

«Dann sagen Sie einfach, dass Sie mich treffen.» Er grinst, weil er zu glauben scheint, dass er gewinnen wird.

«Nein. Das kann ich nicht.»

«Verbringen Sie den Tag mit mir.»

«Wie soll das gehen?»

«Nur einen Tag. Nicht einmal einen ganzen Tag. Nur ein bisschen vom Tag. Sagen Sie ja.»

«Nein. Nein. Definitiv nein.»

Die Türglocke läutet, und zwei Kunden kommen betont gemächlich herein. Sie sehen wohlbetucht aus, tragen lauter Designerklamotten und haben es wahrscheinlich auf eher unauffällige Brokatstoffe für ihr kleines *Pied-a-Terre* in der Stadt abgesehen. Sie sehen definitiv nach 180 Pfund pro Meter aus. Er ist viel älter als sie. Mir fällt derlei inzwischen auf. Christian, der in schwarzen Jeans und Turnschuhen nicht recht ins Bild passt, geht langsam rückwärts zur Tür und klammert sich dabei an seinen Skizzenblock. Jeden Moment wird Kath angeschwirrt kommen, um ihre Kunden willkommen zu heißen. Christian senkt die Stimme, und ich muss mich ihm entgegenbeugen. «Versprechen Sie, mich zu treffen, oder ich bring Sie in Verlegenheit.»

«Christian!», zische ich so bedrohlich, wie es geht, ohne dass jemand es hört.

Er grinst. «Freitag. Treffen wir uns Freitag.»

«Ich muss arbeiten.»

«Nehmen Sie sich einfach einen freien Tag.»

Weiß er denn nicht, dass alle meine freien Tage für die Schulferien eingeplant sind? Wenn man nicht mindestens ein Jahr im Voraus bucht, hat man nicht die geringste Chance, ein vernünftiges Quartier an einem akzeptablen Ort zu bekommen. Und ich muss wochenlang katzbuckeln, wenn ich beim Schulsportfest von Thomas dabei sein möchte. Gott sei Dank hat Tanyas Schule die Sportplätze während der Regierungszeit der Tories an ein Wohnungsbauprojekt verkauft und findet sich damit ab, dass ihre Zöglinge zu Couch Potatoes mutieren.

«Kew Gardens. Ich warte um zehn Uhr am Haupteingang.»

«Nein.»

«Seien Sie pünktlich», mahnt er. Er überzeugt sich, dass das wohlbetuchte Paar in die andere Richtung sieht, und wirft mir eine Kusshand zu. Bevor ich eine weitere Ermahnung zischen kann, hat Christian bereits mit triumphierender Miene rückwärts den Laden verlassen.

Leicht betreten lächle ich dem Paar zu, als Kath Brown erscheint. Sie bedenkt mich mit einem argwöhnischen Blick und wendet dann ihre Aufmerksamkeit den zahlenden Kunden zu, denen sie mit ausgestreckter Hand entgegentritt, um sie überschwänglich willkommen zu heißen. Dankbar für die Chance, wieder hinter meinen Schreibtisch zu gelangen, verziehe ich mich ins Büro. Dabei überlege ich, was ich Kath Brown sagen soll, wenn sie sich nach meinem Besucher erkundigt.

Der Nachmittag wird zur kompletten Zeitverschwendung. Meine Raucherfinger verdienen sich eine Gefahrenzulage, und ich schiebe planlos irgendwelche Papiere hin und her, bis Kath Brown schließlich den Neugierstress nicht mehr aushält.

«Ist alles in Ordnung?», fragt sie auf eine Weise, die mir deutlich macht, dass sie nur dann eine Antwort will, wenn die nicht zu verstörend ist.

«Ich glaub schon.»

«Tanya steckt doch nicht in Schwierigkeiten, oder?» Mein Gott, sie denkt, Christian hätte meine Tochter geschwängert! Wenn sie nur ahnte, dass ich es bin, die in Schwierigkeiten steckt.

«Wenn du für irgendwas frei brauchst, was immer es sein möge, brauchst du es nur zu sagen.»

«Danke.» Das muss ich am allerwenigsten hören. Ich möchte nur, dass sie mir eröffnet, eine Lawine von Arbeit käme auf uns zu, denn das wohlbetuchte Paar besäße siebzehn Häuser, die allesamt aufgemotzt werden müssten, und sie könne daher nicht einmal auf eine einzige Minute meiner Mitarbeit verzichten, sondern müsse mich sogar noch um ein paar Überstunden bitten. Etwas, das nicht vorgekommen ist, seit ich hier meinen Dienst angetreten hatte. Doch Hoffnung bleibt mein Lebenselixier.

«Du kannst früher nach Hause gehen, wenn es dir nützt», sagt sie freundlich, und in dem Moment wird mir bewusst, dass sie wahrscheinlich wahrgenommen hat, dass ich seit zwei Stunden auf dieselbe Rechnung starre.

«Ich denke, das tue ich auch, wenn es dir recht ist.» Ich gebe mir alle Mühe, bedauernswert und sorgenvoll auszusehen, was mir nicht sonderlich schwer fällt.

«Sicher doch.» Kath Brown kann sehr lieb sein. «Keine Bange. Bis morgen dann, Ali.»

«Ja.» Langsam fühle ich mich wirklich beschissen.

Ich verstaue hastig all meinen Papierkram, um ihren unerträglich mitfühlenden Blicken zu entkommen, und stürze nach draußen.

Vor der Tür verharre ich kurz. Die Luft ist drückend und riecht nach Regen. Froh, dem Schrankbüro entronnen zu sein, atme ich tief durch. Ich trete auf den Bürgersteig und bleibe wie angewurzelt stehen. Ungeachtet der vorbeisausenden Taxis stehe ich am Bordstein und starre in sprachlosem Staunen auf die Nachricht, die mit hellroter Kreide auf das Pflaster gekritzelt ist und nur mir gelten kann.

KOMMEN SIE JA NICHT ZU SPÄT,
ALI KINGSTON!!

Christian hat ein Smiley-Gesicht darunter gesetzt. Und dazu zwei Kreuze für zwei Küsse. Ich überzeuge mich in aller Eile davon, dass Kath Brown sicher in ihrem Laden aufgehoben ist, und gebe mir alle Mühe, die Botschaft mit meiner Schuhsohle wegzuwischen. Bei den Küssen fange ich an, aber es ist unmöglich, rote Kreide vom Pflaster zu entfernen. Ich hoffe nur, dass der Regen bald kommt und diese Blamage wegwischt. Möglichst bevor Kath Brown rauskommt. Ich hab keinen Schimmer, was für einen Reim sie sich auf diese Sache machen würde.

Ich gehe die Straße entlang, und bei dem Gedanken an Christian und dessen dreiste Unverschämtheit muss ich trotz aller Wut schmunzeln. Kommen Sie ja nicht zu spät! Nein, ich werde mich nicht verspäten, Christian Winter, denn ich werde dort gar nicht erst auftauchen!

— Kapitel 10 —

Neil rang nach Atem. Er hörte zu laufen auf, stemmte die Hände in die Hüften und beugte sich tief nach vorn, um seine Seitenstiche zu bekämpfen. «Edward, was hat dir der kleine Ball bloß getan, dass du so auf ihn einprügeln musst?»

Ed blieb ebenfalls stehen. Aus seiner Miene sprach Entschlossenheit. «Was?»

«Du hast mich doch schon platt gemacht. Können wir nicht mal einen Gang runterschalten und wie ganz normale Menschen spielen? Ich lass dich gewinnen *und* geb obendrein auch das Bier aus, wenn das helfen sollte.»

Ed wischte sich mit dem T-Shirt den Schweiß von der Stirn. «Ich weiß gar nicht, was du redest.»

«Ich hab den Eindruck, du willst den unschuldigen kleinen Squashball mit aller Gewalt in den Weltraum dreschen. Und wenn du so drauf bist, macht es keinen Spaß, mit dir zu spielen. Was ist los?»

«Nichts.» Ed wippte ein wenig auf den Zehen und ließ die Schultern sacken, um sie zu lockern. «Machen wir weiter, komm!»

Neil hob abwehrend die Hände. «Ich geb auf. Schluss. Ich hab überall Krämpfe. Alles tut mir weh. Ich kann keinen Schritt mehr tun. Hätte ich eine weiße Fahne, würde ich auf die Knie fallen und sie schwenken.»

Ed reagierte nervös. Aber so hatte er schon den ganzen Tag gewirkt. «Schlag einfach den Ball, Neil.»

«Hat die Biene im Bikini sich etwa ein Bein abgesägt?»

Ed hielt inne und starrte seinen Bruder verständnislos an. «Was?»

«In dem Werbespot für die Werkzeuge?»

«Nein, hat sie nicht.»

Neil schnaubte. «Nun ja, es muss doch eine mittlere Katastrophe gegeben haben.»

«Es war nichts, und es ist nichts. Okay? Und jetzt schlag den Ball.»

Neil schüttelte den Kopf. «Mir reicht es. Schlag du ihn doch.» Er warf seinem Bruder den Ball zu. Ed erwischte ihn im Flug und feuerte ihn mit aller Kraft gegen die Rückwand. Dabei ächzte er vor Anstrengung. Der Ball, der es wohl leid war, malträtiert zu werden, kam zurückgeschossen wie eine Pistolenkugel und traf Ed direkt aufs Auge.

Sehr viel später kam Neil in die Bar geschlendert. Er strich mit den Fingern durch sein feuchtes Haar. Ed presste einen Beutel mit Sizzling Steak Ranch-Pommes aufs angeschlagene Auge. «Ich glaub nicht, dass diese Ranch-Fritten dieselbe Wirkung haben», gab Neil zu bedenken, als er sich neben seinen Bruder auf einen Hocker gesetzt hatte. «Gegen die Schwellung hilft nur rohes Fleisch.»

«Du bist doch nur ein blöder Fotograf», grollte Ed. «Was verstehst du schon von erster Hilfe.»

«Mehr als du, wie es scheint.»

«Es gab nichts anderes, und außerdem hab ich einen Eiswürfel unter den Pommes, Schlauberger.»

«Bist du jetzt bereit, darüber zu sprechen, was mit dir los ist, oder muss ich dir erst noch eins aufs andere Auge geben?»

Ed zog eine wütende Grimasse, die bedrohlich gewirkt hätte, wenn sein Gesicht nicht zur Hälfte von einem Beutel Pommes verdeckt gewesen wäre. Neil saß abwartend und stumm da. Schließlich seufzte Ed und sagte: «Orla hat mir einen Job angeboten. Einen sehr guten Job. Wieder beim Film.»

Neil zuckte die Achseln. «Toll.»

«In den Staaten.»

«Weniger toll.»

«Ali würde es nicht einmal in Erwägung ziehen.»

«Hast du mit ihr darüber gesprochen?»

Wieder zog Ed eine bitterböse Grimasse, aber sein Gesicht tat ihm zu weh. «Nein, ich habe es ihr telepathisch übermittelt, als sie schlief.» Missmutig widmete er sich seinem Bier.

«Und?»

«Ich sollte es vergessen. Aber das kann ich nicht.» Ed schob seine Pommespackung zurecht. «Es kommt mir so vor, als würde jemand eine dicke fette Karotte vor meiner Nase baumeln lassen. Und zwar so dicht, dass ich sie riechen kann. Aber trotzdem ist sie noch ein ganz klein wenig außer Reichweite, und ich kann den Gedanken nicht ertragen, dass sie das vielleicht auch immer bleibt.»

«Ist es Orla, die eine Karotte vor deiner Nase baumeln lässt?»

«Ich denke schon.»

«Und das ist Teil des Problems?»

«Glaub ich nicht.»

«Ali weiß also gar nichts von Orla?»

«Da gibt es auch nichts zu wissen.» Er hatte den ganzen Tag darauf gewartet, mit ihr reden so können, aber sie war zu beschäftigt gewesen. Beschäftigt, dieses zu analysieren und jenes zu kontrollieren. Er hatte versucht, zur Mittagsstunde in der kleinen Küche, wo sie sich alle ihren Kaffee machten, auf sie zu treffen, aber es waren zu viele Kollegen in der Nähe. Sie hatte ihm unauffällig zugelächelt, wie Leute es tun, die ein geheimes Wissen teilen, und das war ihm so auf den Magen geschlagen, dass er seinen Kaffee nicht trinken konnte. Ed wollte unbedingt mit ihr über den Job sprechen, wollte alles darüber hören, obwohl er genau wusste, welche Qualen es ihm bereiten würde, denn irgendwann würde er ihr eröffnen müssen, dass er den Job nicht annehmen könne. Alle Träume mit einem einzigen kleinen Satz zum Platzen gebracht.

Ed nahm die kühlenden Pommes vom Auge und tastete die gesamte Gesichtshälfte behutsam ab, bevor er den Beutel wieder auflegte. «Ich habe mein Leben lang etwas nachgetrauert, ohne dass es mir bewusst geworden ist. Und jetzt bietet sich mir die Chance, es wieder gutzumachen. Was würdest du tun, wenn da nur eine einzige Sache wäre, die dich an deinem großen Durchbruch und der Realisierung all deiner Ambitionen hindert?»

«Die Sache gibt es.»

Ed sah seinen Bruder an. «Welche?»

Neil wischte sich mit dem Ärmel über den Mund. «Mangel an Talent.»

«Wohl eher Mangel an Motivation», fuhr Ed ihn an. «Du bist eben ein fauler Hund.»

«Und vielleicht bist du zu getrieben», sagte Neil. «Halte einfach mal inne und betrachte, was du hast. Zähle, womit du gesegnet bist. Du bist gesund, wohlhabend und manchmal – leider viel zu selten – auch weise. Man kann ewig das Ende des Regenbogens suchen und dennoch nie den Goldschatz finden. Glaub mir, meistens wartet am Ende des Regenbogens nichts als ein Riesenhaufen Scheiße.»

Ed lachte. «Gleich singst du noch ‹Always Look On The Bright Side›, stimmt's?»

«Könnte passieren.»

Ed nahm den Beutel mit den Sizzling Steak Ranch-Fritten vom Auge und ließ den Rest des fast geschmolzenen Eiswürfels in den Aschenbecher auf dem Tresen fallen.

«Komm, fahren wir nach Hause. Meinst du, es wär besser, auf dem Rückweg das Auge mal kurz auf der Unfallstation untersuchen zu lassen?»

«Nein.» Ed schüttelte den Kopf. «Das wird schon. Ich seh ganz klar.»

Neil griff sich seine Autoschlüssel und sah Ed durchdringend an. «Das hoffe ich, Bruderherz. Ehrlich.»

Kapitel 11

«Auuuah.» Ed legt sich aufs Bett, eine Hand über dem Auge.

«Lass mich mal sehen», sage ich und versuche, seine Finger zu spreizen.

«Ist schon okay, Ali. Nur eine Prellung. Ich möchte nicht, dass du daran rumfummelst.»

«Ich hol dir nur etwas Arnika.»

«Was ist das denn?»

«Das ist gegen Prellungen.»

«Ich will nichts davon. Hab schon Eis draufgetan. Ist in Ordnung. Neil hat es sich auch angesehen.»

«Was weiß Neil schon von irgendwas?»

«Er weiß ziemlich viel darüber, von einem Squashball getroffen zu werden.»

«Morgen früh hast du ein blaues Auge.»

«Wirklich?» Ed sitzt aufrecht im Bett und sieht verschreckt aus.

«Lass mich mal sehen.»

Ed beugt sich vor. «Aber nicht dran fummeln.»

«Tu ich ja nicht.» Ich untersuche Ed und setze dabei mein ernstes Gesicht auf. Außerdem versuche ich, nicht zu fummeln, wie mir aufgetragen wurde. Ich habe sehr viel von meiner Mutter geerbt, und dazu gehört die Unfähigkeit, rücksichtsvoll mit jemandem umzugehen, der Schmerzen leidet. Ich greife gern zu der Therapiemethode «gesund mit Gewalt». Das hat mir als Kind immer geholfen, und ich habe auch keine bleibenden Schäden durch Mangel an Milde davongetragen.

Eds Auge ist leicht blutunterlaufen und angeschwollen, aber er hat keine Platzwunde, und ich finde, er kann von Glück sagen, dass er bei der Wucht des Balls, wie Neil sie beschrieben hat, mit einer leichten Prellung davongekommen ist.

Ich streiche sanft mit dem Finger über Eds Augenbraue. «Auuah», wiederholt er. «Das tut weh.»

«Soll ich die Stelle küssen, damit es nicht mehr wehtut?»

«Hmm», murmelt Ed und streckt mir sein Gesicht entgegen.

Ich streiche seine Ponyfransen zur Seite, die genau wie unser Rasen mal wieder zurechtgestutzt werden könnten, und berühre seine Augenbraue behutsam mit den Lippen.

«Ouah.» In Eds Stöhnen mischen sich Schmerz und Wonne.

Ich küsse ganz sanft an seiner Braue entlang und über sein Augenlid hinweg, ohne ihn eigentlich zu berühren, und liebkose seine Haut mit meinem Atem. «Tut es sonst noch irgendwo weh?»

Ed schürzt die Lippen und deutet mit dem Finger darauf. «Hier», sagt er. Zärtlich küsse ich seine Lippen. Ed deutet auf seine Kehle. «Hier tut es auch weh.» Und gehorsam küsse ich seinen Hals.

«Und hier?», frage ich und lasse die Lippen an seinem Körper hinuntergleiten. Die Haare auf seiner Brust sind dunkel und lockig. Außerdem weich und warm, sodass sie eine ideale Kissenfüllung abgeben würden. Ich liebe es, an kalten Winterabenden an ihn gekuschelt dazuliegen und die Wärme seiner Haut sowie den daunenweichen Flaum an meinem Rücken zu spüren.

«Mmm.» Ed rekelt sich in den Kissen. «Sind die Nervensägen im Bett?»

«Ja», murmele ich und lasse nicht von meinem Schmuseangriff ab. «Schon ewig.» Ich schmiege mein Gesicht an seine weiche Haut. Ich mag seinen Geruch. Auch noch nach all den Jahren. Er riecht nach Moschus und Vanille und nach Mann. Ich könnte eintauchen in diesen Duft, mit dem weder der von eben gemähtem Gras, von Kreosot oder frischem Brot aus dem Backofen mithalten kann.

Ed streichelt mein Haar, und ich bedecke mit meinen Küssen seinen heißen Bauch, in dem ein tröstliches Feuer glimmt. Ich hebe den Kopf und sehe Ed an. «Tut das jetzt weh?»

«Und wie», sagt er und schließt die Augen.

Es ist bereits eine unchristliche Stunde, und ich will weder auf die Uhr sehen noch mir übers Aufstehen Gedanken machen, denn ich bin zufrieden. In seliger Ermattung liegen wir eng umschlungen da. «Mein Gott, Ed», seufze ich. «So viel Leidenschaft mitten in der Woche? Wie lange ist das her?»

«Wann war die letzte Mondlandung?»

Ich knuffe ihn in die Rippen. «So lange ist es auch nicht her.»

«Ganz schön lange.»

«Zu lange», stimme ich zu, und Ed nimmt mich in die Arme. Wir genießen den höchst angenehmen Zustand zwischen Wachen und Schlafen. «Ed?»

«Mmm.» Ed hört sich an, als sei er bereits in Morpheus' Arme abgedriftet.

«Ed. Hat Neil letzte Woche was von Jemma gesagt?»

«Nein.»

«Was – überhaupt nichts?»

«Ali.» Sein Tonfall hat etwas Warnendes.

«Findest du nicht, dass wir die beiden demnächst mal zum Abendessen einladen sollten?»

«Nein.»

«Und warum nicht?»

«Weil du versuchst, sie zu verkuppeln, sie aber nicht zueinander passen.»

«Ich finde, sie würden ein wunderbares Paar abgeben.»

«Das findest du nur, weil du deine Schwester auf Teufel komm raus unter die Haube bringen willst.»

«Will ich gar nicht.» Ich stütze mich auf einen Ellbogen, und Ed öffnet sein heiles Auge. «Ich finde, sie haben einander sehr viel zu bieten.»

«Zum Beispiel was?» Es sieht aus, als zwinkere er mir zu. «Deine Schwester hat mehr Kilometer auf dem Tacho als ein schrottreifer Volvo, und mein Bruder hat eine ganz tolle Sammlung von Pizzakartons. Und das ist das andere. Sie ist deine Schwester und er mein Bruder. Wie könnten wir ihnen das antun? Lass sie doch ihre eigenen Fehler machen. Ich möchte nicht dafür verantwortlich sein, dass mein Bruder glücklich wird.»

«Vielleicht machen sie einander glücklich.»

«Jemma weiß, was sie will, und steuert darauf los. Neil lehnt sich lieber zurück, und zwar so weit, dass er in der Horizontalen landet.»

«Vielleicht könnte Jemma ihn dazu anregen, ein bisschen mehr aus seinem Leben zu machen. Er redet doch ständig davon, dass er gerne interessantere Fotojobs hätte. Könnte doch sein, dass sie ihm zu der nötigen Motivation verhilft. Vielleicht bringt sie ihn aus seinem phlegmatischen Trott.»

Ed wendet sich mir zu. «Glaubst du, eine Frau sollte ihren Partner dazu ermutigen, seine Träume zu verwirklichen?»

«Aber natürlich.» Schläfrig lächle ich ihm zu. «Hab ich dich nicht immer unterstützt?»

«Ali ...»

«Ich glaube, ich lade sie zum Essen ein. Das wird bestimmt lustig.»

«Ali ...»

Ich recke mein Kinn in die Höhe und unterdrücke ein Gähnen. «Ich bin müde.» Ich drücke Ed einen Kuss auf die Nase. «Bist du nicht auch müde?»

«Ja, aber ...»

«Sollen wir das Licht ausmachen und schlafen?»

«Ja.»

Ich lege mich ins Kissen zurück und zieh mir die Decke bis unters Kinn. Mein Körper wird schwer, und ich sinke in tiefen Schlaf. Kurz vorher registriere ich noch als Letztes, dass Ed beide Augen geöffnet hat und an die Decke starrt, aber der Schlaf hat mich schon überwältigt, und ich kann nicht mehr fragen, warum.

Kapitel 12

Ich versuche, das Frühstücksgeschirr abzuräumen und gleichzeitig meinen Toast zu essen. Ich glaube, meinen Tee hab ich getrunken, und wenn nicht, kann ich ihn zumindest in dem Chaos jetzt nicht mehr finden. «Hast du deine Turnsachen gepackt, Thomas?»

«Ja.» Thomas sitzt noch immer am Tisch und spielt mit zwei Plastikfiguren, die in der Packung Rice Crispies waren. Seine Turnsachen sind nirgendwo zu sehen. Ich kann mir durchaus vorstellen, dass sie noch im Korb mit der Bügelwäsche liegen.

«Hast du deine Hausarbeiten gemacht?»

«Ja.» In Tanyas Antwort schwingt kaum verhohlener Groll mit. Das rührt daher, dass ich die pünktliche Erledigung ihrer Hausaufgaben so fanatisch kontrolliere, als sei ich bei der Gestapo.

«Auch die für Deutsch?»

«Ja.» Sie sieht mich an wie einen lästigen Bettler, der sich an ihren Ärmel klammert. Ich höre ständig von Müttern und Töchtern, die ein wunderbares Verhältnis haben. Frauen, die über alles miteinander reden können, die beste Freundinnen sind und einander ihre Gefühle offenbaren, was sich für beide Seiten als äußerst positiv erweist. Manchmal tragen sie sogar Partnerlook. Ich würde ums Verrecken nicht die Sachen tragen, die Tanya schick findet, und das gilt auch umgekehrt. Ich hab ständig etwas an meiner Tochter auszusetzen, und sie wirft mir unentwegt finstere Blicke zu. Vielleicht hab ich auch das von meiner Mutter geerbt. Wir waren nämlich genauso. Während meiner gesamten Teenagerzeit waren wir wie Hund und Katz, als sei ich eine Ausgeburt der

Hölle, obgleich ich in Wirklichkeit ein kleiner Engel war, dem höchstens ab und zu mal ein Flügel kaputtging. Erst als ich weit über zwanzig war, lernte ich zu schätzen, was für eine wundervolle Frau meine Mutter war. Ich kann nur hoffen, dass Tanya einmal eine ähnliche Erleuchtung hat. Und das am besten schon Anfang nächster Woche.

«Elliott, hast du dein Lunchpaket?» Ich weiß, dass er es hat, denn ich hab gesehen, dass er sich die Schokoschnitte daraus in den Mund gestopft hat, kaum dass er mit seinen Coco Pops fertig war. Natürlich hat er es unterm Tisch getan, damit ich es nicht mitkriege. Wenn er zwanzig ist, werden seine sämtlichen Blutgefäße an den Innenwänden mit Schokolade ausgepolstert sein.

«Ja», sagt er.

«Du hast doch hoffentlich die Schokoschnitte noch nicht gegessen, oder?»

«Hab nur ein bisschen probiert», gesteht er. «Ich dachte, mittags bin ich vielleicht nicht hungrig genug, um die Schnitte zu essen», fügt er mit einer Logik hinzu, die sich jeder weiteren Erklärung entzieht.

«Wie geht's dem Auge?», frage ich Ed, der stumm inmitten des Tohuwabohus sitzt, die Kaffeetasse vor den Lippen balanciert und wie jeden Morgen selig in die Ferne starrt.

«Bestens», sagt er und hebt einen Finger, um die Prellung abzutasten. Die Haut ist nur leicht gerötet, und er hat nicht das von mir prophezeite blaue Auge. Obwohl es mir nicht gelungen ist, ihn mit Arnika voll zu pumpen, scheint er ohne schlimmere Nebenwirkungen davongekommen zu sein. Höchstens ein wenig kleinlaut kommt er mir vor. Das könnte vom Schock herrühren.

«Du wirst dich verspäten», warne ich und sehe zum millionsten Mal auf die Uhr.

Er greift nach der Morgenzeitung und schlägt sie auf. «Ich hab's heute nicht eilig.»

«Wieso?»

Ed zuckt die Achseln. «Kein besonderer Grund. Wir könnten gemeinsam fahren, wenn du möchtest.»

Ich höre mit der Räumerei auf. «Wir fahren nie gemeinsam!»

Ed greift nach der Kaffeekanne und schenkt sich nach. «Heute könnten wir es aber tun.»

«Ich muss zuerst Elliott in die Vorschule bringen.»

«Ich warte auf dich. Brauchst dich nicht zu beeilen.»

«Muss ich aber. Ich hab nämlich noch tausend Sachen zu erledigen.»

«Wir hätten die Möglichkeit, miteinander zu reden.»

«Und worüber?»

Ed runzelt die Stirn. «Weiß nicht.»

Ich räume weiter. «Ich auch nicht.»

Ich bin innerlich geladen und würde am liebsten die Frühstücksteller in die Luft werfen, um zu hören, was für Lärm sie machen, wenn sie auf dem Boden zerschellen. «Du könntest mir Elliott abnehmen und mit ihm zur Vorschule gehen, wenn du nicht in Eile bist.»

«Klar.» Ed trinkt seinen Kaffee aus und faltet die Zeitung zusammen. «Komm, Elliott», sagt er, und unser Sohn gehorcht tatsächlich, ohne ein Drama in drei Akten daraus zu machen. «Bis gleich dann», sagt er. Er kommt nicht zu mir, um mir einen Kuss zu geben, und vielleicht liegt es an seinem Auge oder meiner Paranoia, aber ich habe den Eindruck, dass er mich höchst eigenartig ansieht.

Ich werde Christian treffen. Da Ed und Elliott jetzt aus dem Weg sind, scheuche ich Tanya und Thomas mit eiligen Küssen und unter strengsten Ermahnungen aus der Tür und fliege die Treppe hinauf. Ich trage denselben Hosenanzug, den ich bereits gestern anhatte, wähle jetzt aber etwas Salopperes, das sowohl für Kew als auch für die Arbeit passend ist. Ich werde nicht den ganzen Tag mit Christian verbringen. Ich werde ihn nur treffen, um ihm zu sagen, dass ich nicht den Tag mit ihm verbringen kann, allerhöchstens schnell einen Kaffee mit ihm trinken und dann wieder zur Arbeit düsen.

Ich nehme die U-Bahn bis Kew Gardens und bin nicht nur nicht zu spät, sondern geradezu lachhaft viel zu früh. Ich wandere vor dem schmiedeeisernen Tor auf und ab und komme mir ziemlich auffällig vor. Es wird zehn Uhr und später. Mir ist unwohl bei der ganzen Sache. Meine Güte, ich bin doch nur gekommen, um Christian zu sagen, dass ich nicht komme, und jetzt kommt *er* nicht. Wenn man versetzt wird, weiß man zwar irgendwo im Hinterkopf, dass man versetzt worden ist, aber es bleibt dennoch immer der nagende Zweifel, ob derjenige, der einen versetzt hat, nicht durch einen Unfall verhindert ist oder sowieso keine Schuld daran trägt, nicht anwesend sein zu können.

Ich gehe wieder auf und ab und versetze dem Pflaster einen heftigen Tritt. Er hätte mich informieren sollen, dass er nicht kommt. Aber wie hätte er das anstellen sollen? Meine Telefonnummer hat er nicht. Er weiß auch nicht, wo ich wohne. Wo ich arbeite, hat er eigentlich nur durch Zufall herausbekommen. Ich spüre, dass sich Tränen in meinen Augen sammeln, und ich komme mir total bescheuert vor. Das ist doch der reine Wahnsinn. Wie habe ich es zulassen können, dass dieser Mann, dieser Junge, in mein Leben treten konnte? Wie konnte er es wagen, mich zu zeichnen, mein Leben ebenso wie meine innersten Gefühle auf den Kopf zu stellen und mich dann hier stehen zu lassen, sodass ich ganz allein auf und ab wandere und mich dabei von all diesen Touristen beobachten lassen muss, die wissen, *zweifellos* wissen, dass ich versetzt worden bin. Ich geb ihm noch zwei Minuten, und dann bin ich weg. Um Zuflucht zu finden hinter den Rüschenvorhängen von Kath Brown.

– Kapitel 13 –

«Grünzeug, Obst, Obst! Grünzeug, Grünzeug, Obst, Obst …»

Ed hob die Hand. «OK, OK, OK!» Obst und Gemüse hörten zu tanzen auf und rempelten einander dabei an. «Kurze Pause.»

Er gab der Tomate, die das Gemüseballett anführte, ein Zeichen, und sie kam aus der überdimensionalen Küche auf ihn zu gewatschelt. Diese Küche bildete die Kulisse für den Kitchen-Kapers-Werbespot – eine Fertigsoße für eher unkritische Vegetarier.

«Sollte es Ihnen eventuell möglich sein, sich Ihren Songtext noch einmal durchzulesen und dann zu versuchen, ihn bis zum nächsten Take im Gedächtnis zu behalten?» Ed lächelte der Tomate freundlich zu, konnte aber natürlich nicht erkennen, ob diese auch zurücklächelte. Doch aus der Art, wie das Gemüse davonstapfte, war unschwer zu erkennen, dass wer immer unter der grässlichen roten Verkleidung steckte, keine sonderlich gute Laune hatte.

Warum dauerte das hier nur so lange? Die Kulisse war

gestern gebaut worden, und die Zutaten hatten den ganzen Tag damit verbracht, ihren großen Auftritt zu proben. Es hätte ein Kinderspiel sein müssen. Im Handumdrehen erledigt. Der Werbespot hätte in fünf Minuten aufgezeichnet sein müssen und dann vielleicht noch ein bisschen Nachbearbeitung. Dennoch waren sie schon mehr als eine Stunde beschäftigt, und das ohne erkennbaren Erfolg. Schließlich galten sie als kleines, aber feines Produktionsteam, das stets sein Budget im Auge hatte, und beim Obst und Gemüse handelte es sich angeblich um Schauspieler.

Trevor sah Ed an, der sarkastisch sagte: «Ich dachte immer, es soll schwierig sein, mit Kindern und Tieren zu drehen. Ich kann mich nicht erinnern, dass auch von Obst und Gemüse die Rede war.»

«Ist es dir ein Trost, dass letztendlich die ... äh ... Früchte deiner Arbeit in sämtlichen Filialen von Netto und in allen Postämtern des Landes zu sehen sein werden?»

Trevor stellte die Kamera ab. «Du darfst auch eine von deinen Harrison-Geschichten erzählen, wenn es dir dann besser geht.»

«Ich glaube, heute kann mir nicht mal Harrison helfen. Schließlich muss man sich nicht alle Tage mit Gemüse abplagen, das den Ton nicht halten und sich keine vier Wörter merken kann.»

«Genau genommen ist eine Tomate eine Frucht», korrigierte Trevor.

«Ja, natürlich», sagte Ed. «Wie dumm von mir.»

«Entspann dich, Ed. Es ist bestimmt nicht leicht, als Erwachsener in einem Tomatenkostüm rumzulaufen.»

«Hast ja Recht.» Ed griff nach dem weißen Plastikbecher neben sich, aber der Tee war inzwischen kalt geworden. «Wahrscheinlich würde er viel lieber König Lear spielen.»

«Geh ich recht in der Annahme, dass wir die glamouröse Welt der Industriefilme immer noch nicht sonderlich attraktiv finden?»

Ed rieb sich mit beiden Händen übers Gesicht. «Und ich hatte gedacht, man merkt mir nichts an.»

«Solltest du dich entschließen, zurück nach Hollywood zu gehen», sagte Trevor, «dann nimm mich bitte mit.»

Ed wehrte ab: «Wer hat denn was von Hollywood gesagt?»

Trevor zuckte die Achseln. «Wenn man mitmischen will, ist es der einzige Ort. Und ich bin nicht sicher, wie lange du das hier noch erträgst.»

Ed wandte sich ab, bevor er in Versuchung kam, Trevor zu antworten. Die verlockende Karotte sah er direkt vor sich. Nur dass sie auf dem Rand einer Bratpfanne von zwei Metern Durchmesser saß, den Schaumgummikopf zur Seite geklappt hatte und einen Mars-Riegel vernaschte. «Wollen wir nachschauen, ob das Gemüse bereit ist? Ansonsten müssen wir beide uns den Rest des Lebens mit dem Mist hier abplagen.»

Ed klatschte in die Hände. «Meine Damen und Herren! Sind wir dann so weit?»

Hinter ihm wurde eine Tür geöffnet, und Orla kam auf den Set. Sie trat so dicht an ihn heran, dass er ihren Atem spüren konnte. Wie immer roch sie gut. Eine Mischung aus frischer Seife und irgendeinem sündhaft teuren Parfüm, die er unwillkürlich in tiefen Zügen einsog.

«Ich muss nochmal mit Ihnen sprechen.»

Ed sah sich um, denn er wollte sicher sein, dass man ihnen nicht zuhörte. Doch gleich bei Orlas Ankunft hatte sich Trevor in den Hintergrund verzogen. «Gut.»

«Haben Sie schon mit Alicia sprechen können?»

Ed gab einen Ton der Entschuldigung von sich. «Der richtige Zeitpunkt hat sich bisher noch nicht ergeben.»

«Die Dinge nehmen Gestalt an. Können wir ein Treffen verabreden?»

«Sicher.»

«Heute Abend. Vielleicht zum Essen?»

«Äh …» Ed stöberte in seinem Gedächtnis nach etwaigen Überresten von Gesprächen mit Ali über Elternabende, Zahnarzttermine, Konzerte, Essen mit Freunden, aber da war nichts. «Abendessen wäre bestens.»

Orla trennte sich von einem ihrer seltenen Lächeln. «Ich freu mich.»

Eds Handy klingelte.

«Verdammt», sagte er, als er seine sämtlichen Taschen absuchen musste, bevor er es schließlich fand. Er bemerkte, dass Obst und Gemüse allmählich unruhig wurden. «Ed Kingston.» Er biss sich beim Zuhören auf die Unterlippe und sagte dann: «Haben Sie meine Frau benachrichtigt? Gut. Gut, ich bin sofort da.» Ed klappte das Telefon zu und wischte die feuchten Handflächen an seiner Hose ab. Er war blass geworden, und auf seiner Stirn standen tiefe Falten. «Orla, ich muss weg. Können Sie mir einen Gefallen tun und das hier übernehmen?»

Orla spreizte die Finger. «Klar.»

«Finden Sie Trevor. Der bringt Sie auf den letzten Stand.»

«Ist alles okay?»

«Nein, kann man nicht sagen.» Ed zwängte sich in sein Jackett. «Wir reden dann später.»

«Bleibt es denn noch bei unserem Abendessen?»

Ed war bereits auf dem Weg zur Tür. «Wir treffen uns

um acht im Groucho.» Er drehte sich auf dem Absatz um, kam zurück und küsste Orla auf den Mund. «Danke», sagte er. «Sie sind ein echter Kumpel.»

Orla sah zu, wie er zur Tür hinaushastete, bevor sie sich mit der Zunge über die Lippen fuhr. «Gern geschehen», sagte sie leise.

— Kapitel 14 —

Christian kommt die Straße hinaufgerannt. Ich möchte mir vor Freude die Hände reiben, aber stattdessen stehe ich nur da und spiele die Gleichgültige. Ich hatte gerade gehen wollen. Vielleicht werde ich irgendwann in der Zukunft auf diesen Moment zurückschauen und mich fragen, wie sich alles wohl entwickelt hätte, wenn ich davongegangen und mit der U-Bahn zurück zur Arbeit gefahren wäre, um diese ganze Sache als unerhebliche Erfahrung abzuschreiben.

An jenem Abend, als ich Ed kennen lernte, meldeten sich bei mir die ersten Anzeichen einer Erkältung, und beinahe wäre ich nicht zu der improvisierten Fete im Rugbyclub gegangen. Was wäre geschehen, wenn ich mich stattdessen mit einer Wärmflasche und einer Schicht VapoRub auf der Brust ins Bett gelegt hätte? Wäre ich trotzdem jetzt mit Ed verheiratet, oder hätte er vielleicht an jenem Abend eine andere kennen gelernt, und die Chance, dass sich unsere Wege kreuzten, wäre für immer verloren gewesen? Aber es ergab sich eben, dass wir einander begegneten, den ganzen Abend miteinander tanzten und uns zu einer Knutscherei hinreißen ließen, bei der ich ihn mit meiner Erkältung ansteckte und Höllenqualen litt, weil es deswegen länger als eine Woche dauerte, bis er dann schließlich anrief, um sich mit mir zu verabreden.

Atemlos steht Christian vor mir und lächelt mich an. «Hi», sagt er.

«Hi.»

«Tut mir Leid, dass ich jetzt erst komme», bestürmt er mich fröhlich. «Die Bahn hatte Verspätung. Selbstmörder.»

«Oh», sage ich und verwerfe den Gedanken, dass er vielleicht lügt. Soweit es meine U-Bahn-Linie anging, wurde nichts von einer Verspätung erwähnt oder davon, dass jemand auf die Schienen gesprungen war. Ich frage mich, was für ein schreckliches Ereignis einen Menschen dazu veranlassen kann, sein Leben beenden zu wollen, indem er sich vor eine fahrende U-Bahn wirft.

«Ich hab schon befürchtet, dass Sie vielleicht gegangen wären», sagt er und hat zweifellos gar nicht in Erwägung gezogen, dass ich überhaupt nicht gekommen sein könnte. Er ist sich seiner so sicher, während ich nichts mehr als sicher ansehe.

Christian ergreift meine Hand mit einer Selbstverständlichkeit, die mir für einen Moment den Atem nimmt, und zieht mich in Richtung des großen Tores und des Wartehäuschens.

Ich bleibe stehen. «Christian.» Er dreht sich um und bleibt ebenfalls stehen. «Ich kann das nicht tun.»

In seinem Gesicht zeichnet sich Enttäuschung ab. Er sieht so aus wie Elliott, als Barney, dessen frecher Dinosaurier, ein Ohr verlor.

«Ich bin nur gekommen, um Ihnen zu sagen, dass ich den Tag nicht mit Ihnen verbringen kann.»

«Warum denn nicht?»

«Ich habe eine Familie.»

«Weiß ich.»

«Und die würde ich täuschen.»

«Nur ein bisschen», gibt er mir Rückhalt. Und ich frage mich, ob es eine Skala für Täuschungen gibt wie die Richterskala für die Stärke von Erdbeben.

«Sie können sich gar nicht vorstellen, wie schwierig es für mich gewesen ist, von zu Hause wegzukommen», bitte ich um Verständnis.

«Es ist aber doch irgendwie blöde, einen so weiten Weg zu machen und dann einfach wieder zu gehen.»

Ich sage nichts, denn genau dieser Gedanke ist auch mir gerade in den Sinn gekommen.

«Wovor haben Sie denn Angst?»

Oh, noch einmal jung und furchtlos zu sein und nicht wahrzunehmen, welche Gefahren auf uns warten, gleich hinter der nächsten Ecke, eben außer Sichtweite. «Ich habe Angst, dass wir zu weit gehen könnten.»

Christian grinst herausfordernd. «Glauben Sie etwa, ich werde versuchen, Sie hinter den Palmwedeln im Tropenhaus zu verführen?»

Ich lache und sage: «Seien Sie nicht albern!» Aber genau das ist es, wovor ich Angst habe, und noch mehr Angst habe ich vor dem, was ich anstellen könnte.

«Ich habe mir einen Tag frei genommen», fügt Christian hinzu, um mir das Leben noch schwerer zu machen.

«Das hab ich auch.» Und da fällt mir ein, dass ich Kath nicht angerufen habe, um zu sagen, dass ich nicht komme. Denn ich hatte ja vorgehabt, im Studio zu sein.

«Kommen Sie, Alicia, Ali Kingston. Leben Sie gefährlich. Sie können doch so früh wieder zu Hause sein, dass

Ihnen Stunden bleiben, Ihren Kindern und Ihrem Ehemann das Essen zu machen und zu bügeln und auch sonst noch all die wilden Sachen anzustellen, die Sie sich vorgenommen haben.»

«Sie verspotten mich.»

«Nein», sagte er und schüttelte sein dunkelblondes Haar. «Das würde ich niemals tun.»

Christians Finger umschließen meine und ziehen sanft an ihnen. «Gönnen wir uns ein bisschen Spaß, Ali. Nur heute. Niemand wird es je erfahren. Das verspreche ich Ihnen.»

— Kapitel 15 —

Ed wurde von einer roten Ampel aufgehalten. Er griff schnell nach seinem Handy, drückte die Wahlwiederholung und versuchte nochmals Alis Handy zu erreichen. «Das Vodafone, das Sie zu erreichen versuchen, könnte abgestellt sein», informierte ihn eine freundliche Frauenstimme.

«Ach, nein», sagte Ed sarkastisch.

«Bitte versuchen Sie es später noch einmal», fuhr die Roboterstimme unbeeindruckt fort.

«Ich hab's jetzt seit einer Stunde unentwegt versucht, du dämliche Kuh», schrie er ins Telefon. «Wo, zum Teufel, steckt sie bloß?» Frustriert schlug Ed auf das Lenkrad, und die Ampel wurde grün. Er warf das Telefon zurück auf den Beifahrersitz und trat das Gaspedal durch. Seine Frau war nicht an ihrem Arbeitsplatz, wo sie hätte sein sollen. So viel wusste er jedenfalls.

Kath Brown war vor Besorgnis außer sich gewesen, als er auf der Suche nach Ali bei ihr angerufen hatte. Er bekam nur zu hören, dass Alicia, aus welchem Grund auch immer, an diesem Morgen nicht im Studio erschienen war. Das hatte ihm noch gefehlt. Hatte sie erwähnt, dass sie heute irgendwo anders sein musste? Handelte es sich wieder um das wohl bekannte Elternabend-Syndrom? Hatten sie eventuell eine durchaus angenehme Unterhaltung über eine Änderung in Alicias Plänen geführt, die von seinem Gedächtnis vielleicht registriert, aber nicht gespeichert worden war?

Ed raste an einer Kamera vorbei und hätte schwören können, geblitzt worden zu sein. Er sollte langsamer fahren. Gerade jetzt kam es darauf an, gelassen zu bleiben und nicht die Kontrolle zu verlieren. Normalerweise kümmerte sich Alicia um so was, nicht er. Ed gab sich alle Mühe, tief durchzuatmen. Er war ganz sicher, dass sich der Verkehr in dem Maße verlangsamte, wie sein Herz immer schneller zu rasen begann.

Beim nächsten Stau nahm er die Gelegenheit wahr, Jemma in ihrem Laden anzurufen, aber es war nicht die Stimme seiner Schwägerin, die sich meldete.

«*You Must Remember This* ... historische Kleidung.»

«Ist Jemma da?»

«Nein, leider nicht», erwiderte eine Stimme mit dem Akzent besserer Leute. «Kann ich etwas ausrichten?»

«Wissen Sie, wann sie wiederkommt?»

«Nein, tut mir Leid.»

«Ist sie mit ihrer Schwester weggegangen?»

«Ich wusste ja gar nicht, dass sie eine Schwester hat.»

«Würden Sie ihr bitte ausrichten, dass Ed angerufen hat? Wenn sie Ali trifft, möge sie ihr bitte ausrichten, dass sie Ed anrufen soll. Es ist dringend.»

«Ali?»

«Ihre Schwester.»

«Sie soll Ed anrufen.»

«Ja.»

«Danke.» Frustrierter als zuvor beendete Ed das Gespräch. Hatte Ali heute mit Jemma irgendwo hingehen wollen? Er konnte sich nicht erinnern. Verdammt, verdammt, verdammt! Wie konnte Alicia ihm das nur antun? So einfach vom Erdboden zu verschwinden. Das passte gar nicht zu ihr.

Er wurde nicht gerade häufig von Intuitionen heimgesucht, aber diese Situation ließ ihm doch die Nackenhaare zu Berge stehen. Die Autos setzten sich wieder in Bewegung. Ed schaltete und schloss sich ihnen an. Reiß dich zusammen, Edward, sagte er sich. Es gab ganz bestimmt eine einleuchtende Erklärung. Kein Grund, eine kleine Krise zum Drama aufzubauschen.

Mit einem Seufzer der Erleichterung bog er schließlich auf den Parkplatz ein, kramte in seinen Taschen nach Kleingeld für den Parkautomaten und zog dabei die Handbremse an. Er stellte den Wagen reichlich unvorschriftsmäßig ab, kaufte ein Ticket mit dem gesamten Kleingeld, das er fand, vergaß, es hinter die Windschutzscheibe zu legen, und rannte über die Straße. Atemlos hastete er durch die automatische Tür in die Notaufnahme, wo er einen tränenüberströmten und unglücklichen Elliott fand, der von Nicola Jonas getröstet wurde, der stets sonnig lächelnden Besitzerin des Vorschulkindergartens Sunny Smiles.

— Kapitel 16 —

Es ist ein herrlicher Frühlingstag, an dem ein kühler Hauch die Luft nur noch klarer und prickelnder macht. Ich hab mich schließlich doch überreden lassen, wider besseres Wissen den Tag mit Christian zu verbringen. Ich kann mir nicht vorstellen, dass er wirklich auf Kew Gardens steht. Hat er mich nur deswegen hierher gebracht, weil er meint, dass es besonders älteren Leute hier gefällt? Ich weiß nicht. Wenn er anfangen sollte, mich zu jeder vollen Stunde zu Tee und Gebäck einzuladen, werde ich mir ernsthafte Gedanken über seine Motive machen. So halten wir es nämlich bei Ausflügen mit meinen Eltern – versorgen sie mit Kalorien und Twinings-Tee, damit sie nicht zu maulen anfangen. Christian sieht aus, als sei er bester Laune. Wir spazieren Seite an Seite und grinsen einander albern an. Ich schwöre, meine grauen Zellen scheinen allesamt den Dienst zu verweigern, wenn ich mit ihm zusammen bin. Er bringt mich dazu, das eine zu erwägen und das andere zu tun.

Ich fühle mich höchst eigenartig. Einerseits bin ich entspannt und froh, hier zu sein – die Sonne scheint, die Vögel singen, ich bin für einen Tag meinem Job entronnen –, aber andererseits war ich auch in meinem ganzen Leben noch nie so angespannt. Ich hätte Kath Brown anrufen müssen, aber ich habe sie bisher noch nie belogen und bringe es auch jetzt nicht über mich. Heute ist Freitag, und es bleiben zwei ganze Tage, mir eine Entschuldigung auszudenken, bevor ich am Montag wieder arbeiten muss. Feige, wie ich bin, hab ich mein Handy ausgeschaltet und es ganz unten in meiner Handtasche vergraben, damit sie mich nicht erreichen kann.

Wir sind überall durch die Gärten spaziert – durch das kantige, ultramoderne Prince-of-Wales-Gewächshaus, durch den japanischen Teil mit dem feinbüscheligen Zierahorn und dem rekonstruierten Tempeltor, und wir haben auch angemessen beeindruckte Laute von uns gegeben, als wir die mächtige Pagode erreichten, die am Ende einer Allee steht, deren hoch aufragende Bäume sie mit ihrer Pracht schier erdrückt. Ich liebe Bäume und Blumen und die Natur an sich. Christian scheint es genauso zu gehen. Vielleicht hat er anders als ein durchschnittlicher 23-Jähriger eher den Blick eines Künstlers; junge Leute sind nicht gerade bekannt dafür, dass sie Bäume schätzen, oder?

Wir liegen beim Tropenhaus im Gras, und ich habe das Gefühl, völlig falsch angezogen zu sein. Trotz meiner Bemühungen, ganz zwanglos zu erscheinen, bin ich im Ballkleid auf einer Bottleparty aufgetaucht. Ich sollte Turnschuhe an den Füßen haben, aber stattdessen trage ich recht elegante Straßenschuhe aus Schlangenlederimitat, die schwer im Trend lagen, als ich sie vor Jubeljahren gekauft habe. Im Büro – wenn ich hingegangen wäre – wären meine Füße darin gar gekocht worden, und sie sind weiß Gott nicht bequem genug, um damit durch botanische Gärten zu stapfen. Ich komme mir übertrieben aufgedonnert vor und gleichzeitig eingeengt. Meine Tochter schmeißt sich in irgendwelche Klamotten und sieht hinreißend aus. Das liegt daran, dass sie hohe, feste Brüste hat, denen nichts ferner liegt, als sich in Richtung Erdboden zu orientieren, und dazu schlanke, makellose Beine, die meilenweit in den Himmel reichen. Christian ist unübersehbar aus demselben Guss. Er hat keine Hüften und einen flachen Bauch, und von Sit-ups hat er bestimmt noch nie gehört. Seine Kleider hängen an ihm wie an einem Laufstegmodel. Er liegt da, hat die Arme über dem Kopf verschränkt. Sein kurzes khakifarbenes T-Shirt ist nach oben verrutscht, und man kann seinen Bauch sehen. Er hat einen tollen Bauchnabel. So hübsch rund. Ich bin ganz besessen von Bauchnabeln, seit meiner nach der ersten Schwangerschaft tränenförmig und äußerst unansehnlich wurde. Ich gebe mir große Mühe, nicht auf seinen Nabel zu starren, aber Christian hat die Augen gegen die Sonne geschlossen. Eine schmale Linie blonder Daunen verschwindet unter seinem Hosenbund, und als ich mich bei der Überlegung erwische, ob er wohl Haare auf der Brust hat, laufe ich rot an.

Wir haben uns nur einmal Tee und Gebäck gegönnt, und das sehe ich als gutes Zeichen an. Ja, der Tag ist großartig verlaufen. Christian ist sehr aufmerksam und ein angenehmer Begleiter. Und wenn ich nicht verheiratet wäre und mir zudem nicht ab und zu mal vorkäme wie seine Mutter, befände ich mich wahrscheinlich im siebenten Himmel.

Berührt haben wir einander nicht. Wenigstens nicht richtig. Nur ab und zu verweilten Fingerspitzen auf Stoff; die schwache Andeutung einer Hand auf meinem Rücken unterhalb der Taille. Was unsere Bedürfnisse betrifft, sind wir befangen. Aber sie sind da, sind die ganze Zeit zwischen uns gegenwärtig. Das Bedürfnis, einander zu berühren, ist fast greifbar. Ich möchte, dass er mich berührt, und habe Angst, dass er es tun könnte. Ich möchte ihn berühren und wage es nicht. Ich möchte seine Wange streicheln, seine Haut, die so weich aussieht und so kräftig und faltenlos ist. Ich möchte der Kontur seiner aufgeworfenen Lippen mit dem Finger folgen. Ich möchte wissen, wie er sich anfühlt, und fürchte, was ein solches Wissen zur Folge haben könnte.

«Ich sage es, bevor Sie es tun.» Christian lächelt mich traurig an. «Sie sollten nach Hause fahren.»

Ich sehe auf meine Uhr. «Meine Güte», sage ich, «das stimmt. Ich muss doch Elliott abholen.» Inzwischen weiß er alles über meine Kinder, über Ungemach und Drangsal, die sie ertragen müssen. Ich habe versucht, nicht immer wieder von ihnen zu sprechen, und Christian hat sich Mühe gegeben, Interesse zu bekunden. Aber es ist überdeutlich, dass wir beide, was unser Alltagsleben betrifft, eine Million Meilen entfernt voneinander sind.

Er steht auf und reicht mir die Hände. Ich greife zu, und er zieht mich hoch. «Gehen wir durchs Tropenhaus», sagt er. «Da wird uns warm.»

Als hätte ich das nötig! Christian nimmt mich an der Hand und geht voran. Diesmal lässt er mich nicht wieder los.

Das Tropengewächshaus ist ein riesiges Gebäude, eine leichte und luftige Konstruktion aus filigranem weißem Eisengeflecht, das spinnennetzartig zerbrechlich wirkende Glasscheiben zusammenhält. Im Inneren ist es eng und überladen, denn dort herrscht ein Dschungeldickicht aus üppig und wild wuchernden Grünpflanzen, die in ständigem Kampf um Lebensraum miteinander wetteifern. Der überwältigende Geruch im Tropenhaus ist moschusartig, erdig und fast erstickend feucht. Man vermag die Luft kaum zu atmen, sondern wird von ihrem Gewicht umfangen und eingeschnürt. Zudem kriecht sie mit heißen Fingern aufreizend unter die Kleidung. Wie kann Vegetation so sexy wirken?

«Oben gibt es eine Plattform», informiert mich Christian. «Wir können ganz raufklettern.» Und dann führt er mich eine schmale schmiedeeiserne Wendeltreppe hinauf, bis wir uns schließlich weit oberhalb der Pflanzen inmitten der Baumwipfel auf einem schwindelerregend hohen Vorsprung befinden. Niemand sonst ist so unerschrocken wie wir, und folglich sind wir hier oben in luftiger Höhe über dem grünen Dickicht völlig allein.

Wir lehnen uns übers Geländer, und Christian hat mir den Arm um die Schultern gelegt. Er deutet auf Blüten und Früchte, die zwischen den Blättern hervorlugen.

«Christian.» Meine Stimme klingt selbst in meinen Ohren bedeutungsvoll. «Ich habe den heutigen Tag wirklich genossen.»

«Das klingt nicht nach ‹Ich hab den heutigen Tag wirklich genossen, und lass es uns deswegen so bald wie möglich wiederholen, Christian›.»

Ich wende mich ihm zu, und er sieht mir forschend in die Augen.

«Möchten Sie es denn wiederholen?» Er streicht mir über die wilde Mähne, die sich in der feuchten Luft wie wild kringelt, und berührt dabei meine Wange.

«Ich weiß nicht.»

«‹Ich weiß nicht, aber ja, ich möchte schon›?» Er ist so liebenswert und jung und knackig, und ich weiß noch immer nicht, was er in mir sieht.

Ich schüttele den Kopf. «Es macht das Leben so schrecklich kompliziert.» Und in diesem Augenblick wünsche ich mir, eine andere Person zu sein, ein anderes Leben zu haben, in dem ich, ohne nachzudenken, einfach ja sagen könnte.

Christian beugt sich vor und küsst mich auf die Lippen. Das fühlt sich so zart und weich und verboten an, dass ich im Aufwallen der Gefühle am liebsten das Bewusstsein verloren hätte.

Er hält mich in den Armen, und ich versuche, ihn nicht ebenfalls zu umarmen, aber ich fühle die Wärme seiner

Haut durch den dünnen Stoff seines Hemdes. Meine Hände zittern.

«Ist das hier so falsch?», fragt Christian, als er sich von mir löst.

«Ja», sage ich. Und das ist es auch. Ich weiß es. Wir wissen es beide.

Stumm kraxeln wir die Wendeltreppe hinunter, und immer noch Hand in Hand verlassen wir das Tropenhaus, folgen den wenigen Touristen, die wohl ebenfalls auf dem Heimweg sind. Als wir das Haupttor erreichen, bleiben wir stehen und sehen einander verzagt und hilflos an. Unsere Hände hängen nur schlaff zwischen uns. Ich habe furchtbare Angst, dass Christian mich nochmals küsst, hier mitten auf der Straße, vor aller Augen. Aber er tut es nicht.

«Darf ich Sie wenigstens anrufen?» Zum ersten Mal heute ist ihm das Lächeln vergangen, und er fummelt an meinen Fingern.

«Nein.» Es hört sich so an, als meinte ich es auch.

Er gibt einen Schmolllaut von sich, mit dem alles gesagt ist. «Ach, Ali.» Er streicht mir das Haar von der Schulter und berührt mit feuchten, heißen Lippen meine Wange. Ich drücke seine Hand und lasse sie dann los.

«Good-bye», sagt er, dreht sich um und geht davon.

Ich stehe da und sehe ihm nach, presse die Lippen aufeinander, schwelge im süßen Geschmack seiner Jugend und frage mich, wie ich den Rest meines Lebens ohne ihn auskommen soll.

— Kapitel 17 —

Elliott hockte zusammengekauert auf Eds Knien und nuckelte an seinem Daumen. Er sah noch immer sehr unglücklich aus, aber zumindest liefen die Tränen nicht mehr, es waren nur zwei eingetrocknete graue Spuren auf seinen Wangen geblieben. Seine Augen verdrehten sich, da ihn der Schlaf der Erschöpfung zu übermannen drohte.

«Nicht mehr lange, mein Süßer.» Nicola lächelte ihm zu.

Nicolas Optimismus war gewagt. Es würde nämlich noch sehr lange dauern. Man brauchte nur auf die Leute zu schauen, die noch vor ihnen an der Reihe waren. Sie alle befanden sich in den verschiedensten Stadien der Invalidität und hatten die resignierte Miene von Menschen aufgesetzt, deren Leben sehr langsam verstrich. In der Zeit, die es brauchte, heutzutage in der Notaufnahme eines Krankenhauses versorgt zu werden, hätte Michelangelo der Sixtinischen Kapelle wahrscheinlich einen ganzen Satz neuer Wand- und Deckengemälde verpassen können. Elliott war am untersten Ende der Hackordnung, da er sich nicht in akuter Lebensgefahr befand. Aber das überforderte Personal schien auf derartige Kleinigkeiten ohnehin nicht zu achten, und so saßen sie bereits seit Stunden hier.

«Es tut weh», klagte Elliott. Sein Arm war angeschwollen und doppelt so dick wie normal. Außerdem hatte er sich Besorgnis erregend rot verfärbt.

«Ich weiß. Psst, psst.» Ed wiegte Elliott in den Armen und küsste ihn oben auf den Kopf. «Es tut mir Leid, Nicola.»

«Kein Problem. Er ist ziemlich tief gefallen. Ich hielt es für das Beste, ihn hierher zu bringen und röntgen zu lassen. Ich kann nämlich nicht erkennen, ob etwas gebrochen ist oder nicht.»

Wegen Thomas oder Tanya hatten sie nie den nationalen Gesundheitsdienst in Anspruch nehmen müssen und waren daher auch nie von ihm enttäuscht gewesen. Beide Kinder hatten sich als verblüffend unfallfrei erwiesen und besaßen bis jetzt sogar noch ihren Blinddarm und die Mandeln. Elliott hingegen schien aus der Art geschlagen und zog die Unfälle mit geradezu fanatischer Inbrunst an. In seinen wenigen Lebensjahren war er bereits mit jedem erdenklichen von Menschen errichteten oder von der Natur geschaffenen Hindernis in Konflikt geraten.

«Es könnte sein, dass es sich nur um eine schlimme Verstauchung handelt», sagte Ed, denn er wusste, dass Elliott es zwar darauf abgesehen hatte, das am meisten unfallgefährdete Familienmitglied zu sein, aber es bis jetzt doch noch nicht geschafft hatte, sich etwas zu brechen. Zerbrochen hatte er nur die Dinge, über die, in die oder durch die er zu fallen pflegte.

«Jedenfalls vielen Dank, dass Sie ihn hergebracht haben.»

«Nicht der Rede wert, wirklich.»

Ed kam zu der Überzeugung, Nicola sei genau die Art Person, die man sich als Leiterin des Kindergartens wünschte, in den man seinen Sohn schickte. Sie war feminin und auf angenehme Weise versponnen. Alles an ihr wirkte sanft: Ihre Augen waren von einem freundlichen Grau; sie war schlank und von zierlicher Statur; ihre Lippen, die blassrosa schimmerten wie das Innere einer Muschel, feuchtete sie mit der winzigen Spitze ihrer rosa Kätzchenzunge häufig an. Ihr Haar war weißblond mit Löckchen, die echt sein mochten oder auch nicht, und es hing in feinen Strähnchen hinunter bis über ihre Schultern. Sie hatte einen geschliffenen Akzent, der von sinnlichem Tonfall gefärbt wurde, und eine leicht atemlose Art zu sprechen, als würde sie jeden Moment vor Lust zu keuchen anfangen. Und man hätte sich niemals vorstellen können, dass sie etwa Gewichte heben oder fluchen oder sich gar mit etwas so Schweißtreibendem wie Sex beschäftigen könne. Aber letztlich, dachte Ed, konnte man nie wissen – wahrscheinlich war sie eine von jenen Frauen, die unter ihren langen geblümten Kleidern Reizwäsche von Agent Provocateur trugen. Bei alledem und obwohl sie wundervoll mit Kindern umzugehen verstand, war sie zweifellos an eine Truppe von Vierjährigen absolut verschwendet. Elliott betete sie an, und Ed fand, dass er für sein Alter bereits einen bemerkenswert guten Geschmack bewies.

«Konnten Sie inzwischen Ihre Frau erreichen?»

«Nein», sagte Ed barsch. Er warf einen Blick auf das rote Schild mit der Warnung KEINE MOBILTELEFONE und verwarf den Gedanken, nach draußen zu gehen und nochmals zu versuchen, Alicia anzurufen. Damit riskierte er nur, dass der zurückgelassene Elliott zu jammern anfing. «Ich kann mir nicht erklären, wo sie ist.» Ed erkannte durchaus an, dass es normalerweise Alicia war, die kleine Krisen wie diese bewältigte, und dass er zum ersten Mal damit allein gelassen worden war, das Kind sozusagen aus dem Brunnen zu holen.

«Ich bin sicher, es gibt eine ganz einfache Erklärung», suchte Nicola ihn zu beruhigen. «Mrs. Kingston ist doch immer so verlässlich.»

«Ja», sagte Ed gedankenverloren. Gerade deswegen war ihr Verschwinden ja Besorgnis erregend.

Sie sahen beide auf Elliott, der in den Schlaf der Erschöpfung gefallen war. Seine Stirn war von Falten zerfurcht.

«Elliott ist ein ganz bezaubernder Junge», sagte Nicola.

Ed zauste liebevoll die Locken seines Sohns. «Er hat seine Sternstunden.»

«Es macht Vergnügen, seine Lehrerin zu sein. Er ist mir wirklich ans Herz gewachsen.»

«Haben Sie selbst auch Kinder?», fragte Ed.

«Nein.» Nicola schüttelte ihr Haar, und auf ihren Lippen deutete sich ein Lächeln an, als sie ihn wieder ansah. «Noch nicht. Der Richtige geht mir ständig aus dem Weg.»

«Ach», sagte Ed mitfühlend.

«Alle netten Männer sind anscheinend schon verheiratet», fuhr sie fort, und eine leichte Röte breitete sich auf ihren Wangen aus. «Es ist wohl heutzutage nicht gerade in Mode, in Kinder vernarrt zu sein, oder?»

«Wahrscheinlich nicht», stimmte Ed zu. «Vielleicht sollten Sie es nicht gleich beim ersten Rendezvous erwähnen.»

Nicola lachte, und ihr Lachen war so liebreizend und zart wie sie selbst auch. «Sie können sich sehr glücklich schätzen.»

Eine ganze Menge Leute hatten ihn in letzter Zeit darauf hingewiesen, und irgendwie begann es ihn zu wurmen.

«Kinder zu haben muss eine äußerst lohnende Aufgabe sein.»

«In erster Linie macht es einen arm», sagte Ed schmunzelnd. «Aber ja, gelegentlich erweist es sich auch als lohnend.»

Er fragte sich, ob er wohl zu den Leuten gehören mochte, die sich im Fall einer neuerlichen Chance entscheiden würden, nicht Vater zu werden. Aber gewöhnlich waren es sowieso die Frauen, die in diesem Bereich die Entscheidungen trafen, und die Männer folgten ihnen treu und brav. Er hatte noch keinen Mann kennen gelernt, der so vom Fortpflanzungstrieb beherrscht war wie die Frauen. In seinem und Alis Fall waren alle drei Kinder «Unfälle» gewesen, die auf eine an Fahrlässigkeit grenzende Sorglosigkeit im Verhütungssektor deuteten. Vielleicht war darauf auch Elliotts Unfallgefährdung zurückzuführen. Vielleicht handelte es sich einfach um ein genetisches Fehlverhalten. Jetzt mochte Ed natürlich keins von ihnen missen. Natürlich nicht. Nicht einmal dann, wenn Tanya sich als der scheußlichste Teenager auf Erden erwies. Aber manchmal konnte er sich nicht von dem Gedanken frei machen, dass er bei aller Liebe für Ali doch lieber ein Leben wie Neil hätte. Frei, ungebunden. Nach Herzenslust allen Brautjungfern nachstellen. Aber Neil war auf der Suche nach einer umwerfenden Sexbombe, die nichts lieber wollte, als eine Familie zu gründen und Babys zu haben. Warum trachten wir nur immer nach dem Gegenteil dessen, was wir haben?

Ed sah zu Nicola hinüber, die voller Zuneigung, aber auch mit Besorgnis auf den schlafenden Elliott blickte und sein dralles kleines Bein streichelte. Sie war eine zarte Blüte in einer Welt voller Dornen. Vielleicht sollte er Miss Nicola Jones seinem Bruder vorstellen. Ed presste gedankenvoll die Lippen aufeinander und rieb sich das Kinn. Er hatte schon dümmere Ideen gehabt.

— Kapitel 18 —

Ich stehe an Elliotts Vorschule, und es wird nur noch fünf Minuten dauern, bis sie alle zur Tür herausgestürmt kommen, übermütig schwatzend und kichernd und völlig zerzaust. Ich nutze diese Minuten, um meine Gedanken zu sammeln. Ich versuche, nicht mehr an Christian zu denken und mich stattdessen auf die Entscheidung zwischen Pizza und den allgegenwärtigen Chicken Nuggets zu konzentrieren. Aber im Moment will es nicht recht klappen mit der Konzentration. Eine Horde anderer Mütter trifft ein, in Gucci-Slippern, exzellent geschnittenen Hosen und marineblauen Blazern entsteigen sie ihren BMWs und Mercedes-Kabrios – so sehen sie eben aus, die Damen, die sich täglich zum Lunch ausführen lassen. Sie nicken und lächeln, und ich nicke und lächle zurück, aber ich will heute in kein Gespräch verwickelt werden. In meinem glitzernden Sweatshirt komme ich mir viel zu auffällig vor, und in den wenigen Minuten, die mir noch bleiben, bis ich wieder in den Strudel meines Alltagslebens gerissen werde, möchte ich mit meinen Gedanken allein sein.

Die Meute kniehoher Rabauken wird von der Vorschule freigelassen, und sie stieben in alle Richtungen zu ihren wartenden Eltern. Elliott ist immer der Letzte. Dieses Kind ist schwatzhaft wie zehn Fischweiber. Ich dachte immer, die Mütter seien die Quasselstrippen, die ihren gelangweilten Nachwuchs einfach stehen lassen, bis sie mit ihrem Tratsch fertig sind. Bei Elliott läuft es andersherum. Seine Lehrerin Miss Jones, gleichzeitig Besitzerin von Sunny Smiles, die er über die Maßen liebt, wird mit vierzig wahrscheinlich taub sein und das in erster Linie Elliott zu verdanken haben.

Die Türen der BMWs und Mercedes fallen satt und teuer hinter den Kindern ins Schloss, und schon ist ihr Radau nicht mehr zu hören. Noch immer ist von Elliott nichts zu sehen, und ich wandere in der Hoffnung, ihn aufzustöbern, in Richtung des Gebäudes. Sonst sind Thomas und Tanya noch vor uns zu Hause, und obwohl sie älter sind und schon ihre eigenen Schlüssel haben, halte ich es für richtig, immer vor ihnen im Haus zu sein. Das mag man vielleicht altmodisch nennen, aber so ist es eben.

Im Gebäude ist es kühl und luftig. Irgendwie herrscht hier immer eine friedliche Stimmung, selbst wenn alle Kinder herumtoben. Miss Jones führt ein strenges Regiment, und wir müssen dafür auch ziemlich heftig blechen. Barbara, ihre Assistentin, räumt Buntstifte zusammen, die sie mit den Spitzen in einer Richtung sorgfältig wieder in die entsprechenden Kästen ordnet. Miss Jones ist anscheinend nicht da und Elliott ebenso wenig.

Barbara dreht sich um, als sie mich hört, und das Begrüßungslächeln auf ihrem Gesicht verwandelt sich sofort in einen Ausdruck der Besorgnis. Es durchläuft mich eiskalt.

«Mrs. Kingston.» Barbara legt die Buntstifte beiseite. «Wir haben Sie den ganzen Tag zu erreichen versucht.» Das sind doch genau die Worte, vor denen es jeder Mutter graut, oder? Voller Schuldbewusstsein denke ich an das abgestellte Handy, das unter einem Stapel verrotzter Papiertaschentücher auf dem Boden meiner Handtasche begraben lag. «Elliott hatte einen kleinen Unfall.»

«Unfall? Was für einen Unfall?»

«Alles ist in Ordnung. Wirklich», versichert sie mir. «Er ist vom Klettergerüst gefallen und unglücklich auf dem Arm gelandet. Nicola meinte zwar nicht, dass er sich etwas gebrochen hätte, aber sie wollte doch lieber sichergehen. Deswegen ist sie mit ihm ins Krankenhaus gefahren.»

Meine Hände zittern, und Barbara denkt zweifellos, dass ich überreagiere, und das ist wahrscheinlich auch der Fall, aber sie ist ja auch nicht ganz im Bilde. Das heißt, sie kann ja nicht wissen, wo ich gewesen bin.

Ich gehe langsam rückwärts zur Tür.

Barbara folgt mir. Sie ist jetzt sehr besorgt. «Mich würde es nicht überraschen, wenn sie inzwischen wieder zu Hause sind. Es ist bestimmt alles gut, Mrs. Kingston.»

«Ich muss los», sage ich mit der Stimme einer Irren. «Ich muss zu meinem Baby.»

«Wir konnten Mr. Kingston erreichen.» Barbara will meinen Arm berühren, aber besinnt sich eines Besseren.

«Ed?»

«Er kam von der Arbeit. Er wird jetzt bei Elliott und Nicola sein.» Jetzt hält sie mich wohl endgültig für übergeschnappt, denn sie spricht ganz langsam zu mir. «Im Krankenhaus.»

Ed! Ed ist in einer solchen Situation hoffnungslos überfordert, möchte ich ihr sagen. Er kann den Anblick von Körperflüssigkeiten außer den eigenen nicht ertragen, und selbst mit denen hat er seine Schwierigkeiten. Ein Tropfen Blut, und er wird ohnmächtig. In seinem ganzen Leben hat er einmal eine Windel gewechselt und dabei so würgen müssen, dass er sich schließlich übergab. Ich musste viel mehr hinter meinem Ehemann herputzen als hinter dem Baby. Ich sollte jetzt bei meinem Sohn sein, nicht Ed.

Ich gehe rückwärts aus dem Raum und überlasse eine leicht verwirrte Barbara ihren Buntstiften. Dann renne ich, so schnell ich kann, nach Hause, um herauszufinden, welche Katastrophen mich erwarten. Jetzt muss ich bezahlen für das unrechtmäßige Vergnügen, das ich mir gegönnt habe, und ich weiß, dass ich es mir niemals verzeihen werde.

— Kapitel 19 —

Christian saß in der Küche und hatte die Füße auf den Tisch gelegt, als Robbie von seiner Schicht im Plattenladen nach Hause kam. Er hielt sich an einer Flasche Budweiser fest und blickte bekümmert hinaus in den Garten.

Robbie warf seinen Rucksack auf den Tisch. «Man hat uns doch nicht den Strom abgestellt, oder?»

Christian schüttelte den Kopf und nahm einen großen Schluck aus der Flasche.

Sein Freund holte sich ebenfalls ein Bier aus dem Kühlschrank und setzte sich ihm gegenüber auf den Stuhl. «Was ist denn mit dir los?»

«Nicht jetzt, Robbie.»

«Probleme mit dem schönen Fräulein Seelenverwandt?»

Christian schniefte und schmollte.

«Die wahre Liebe nimmt manchmal verschlungene Wege», sagte Robbie mitfühlend.

«Für mich nimmt sie gar keinen Weg», klagte Christian.

Robbie zog ein Päckchen Zigaretten aus der Tasche und bot Christian eine an. Der lehnte ab. «Ich dachte, du wolltest die Touristen am Markt sausen lassen, damit ihr den Tag zusammen verbringen könntet?», sagte er und steckte sich eine an.

«Hab ich auch getan.»

«Und?»

«Wir waren in Kew Gardens.»

Robbie verzog verwirrt das Gesicht. «Nett.»

«So hatte ich es mir auch vorgestellt.»

«Warum Kew Gardens?»

«Fand ich romantisch.»

«Und war es das auch?»

«Ja.» Christian fixierte Robbie nachdenklich. «Es war perfekt.»

«Ich hab das Gefühl, dass jetzt gleich ein ‹Aber› kommt ...»

«Aber ...» Christian seufzte tief. «Es gibt da Komplikationen.»

Robbie stieß eine Rauchwolke aus. «Und möchtest du Onkel Robert davon erzählen?»

«Nur wenn du versprichst, nicht zu lachen und keinen Ton zu Becs zu sagen. Die macht sich doch nur lustig darüber, und genau das könnte ich jetzt nicht ertragen.»

«Versprochen.» Robbie legte die Hand aufs Herz.

Christian trank sein Bier auf Ex und verschränkte dann die Arme über der Brust. Entschlossen blickte er geradeaus. «Erstens einmal ist sie ziemlich viel älter als ich.»

Robbie schürzte die Lippen. «Heutzutage nichts Ungewöhnliches. Sogar ganz angesagt. Ältere Puppen haben was für sich.» Er richtete sich auf. «Sie ist doch nicht etwa sechzig oder so?»

Christian funkelte ihn an. «Nein, Mittdreißigerin. Aber das sieht man ihr nicht an. Echt nicht.»

«Okay, sie ist also alt.»

«Und sie ist verheiratet.»

Robbie zog an seiner Zigarette. «Jetzt fängt es tatsächlich an, kompliziert zu klingen, Christian.»

«Und sie hat drei Kinder.»

«Scheiße», sagte Robbie. «Haben die denn kein Fernsehen?»

«Und sie will mich nicht wieder sehen.»

Robbie drückte seine Zigarette aus. «Das hört sich für mich nach einer sehr vernünftigen Entscheidung an.»

«Ich komm damit nicht zurecht, Robbie. Solche Gefühle habe ich noch nie gehabt. Ich kann sie nicht gehen lassen. Ich bin verrückt nach ihr.»

«Du bist verrückt, dich mit ihr einzulassen.»

«Ich weiß. Ich weiß. Verstandesmäßig krieg ich das ja klar. Aber sie stellt abgedrehte Sachen mit mir an.»

Robbie riss die Augen auf. «Das musst du mir genauer ...»

Christian warf ihm einen finsteren Blick zu. «Emotional abgedreht, nicht abgedreht, wie du gleich denkst.»

Robbie sackte in sich zusammen. «Verstehe.»

Christian biss sich auf die Unterlippe und sah seinen Freund an. «Ich weiß nicht, was ich machen soll.»

Robbie schüttelte den Kopf. «Vergiss es, Kumpel. Du gerätst auf höchst gefährliches Gelände.»

«Ich weiß aber nicht, ob ich es vergessen kann», gestand Christian ein. «Wie kann ich sie nur dazu bringen, mich zu lieben?»

«Normalerweise hast du Schwierigkeiten, die Girls loszuwerden, Christian, und keine, ihnen den Kopf zu verdrehen.»

«Blödsinn.»

«Wer bekam denn drei Monate lang tränenreiche Anrufe von dieser Tara Soundso. Schließlich musstest du sogar deine Handynummer ändern. Ihr ging es ganz furchtbar schlecht. Und du wolltest nicht mal mit ihr reden.»

«Das war doch nichts Ernstes, und das wusste sie auch. Jetzt ist es Liebe. Zum ersten Mal. Wahre Liebe.»

«Du befindest dich bereits auf höchst gefährlichem Gelände, Christian.»

«Ich kann's doch auch nicht ändern. Man kann eben nicht bestimmen, in wen man sich verlieben will.»

«Kann man doch.» Robbie schwenkte die Bierflasche in seine Richtung. «Du kannst jetzt aufhören und es hinter dir lassen. Vergiss sie. In ein paar Wochen, ein paar Tagen, vielleicht sogar in ein paar Stunden ist sie schon Vergangenheit. Eine nette Erinnerung an etwas, das hätte sein können, wenn sie nicht so alt gewesen wäre, verheiratet und mit drei Kindern gesegnet.»

«Das glaube ich nicht.»

Robbie trank sein Bier aus und knallte die Flasche demonstrativ auf den Tisch. «Weißt du, was ich glaube?»

«Was?»

«Ich glaube, wir sollten losziehen und uns was Geiles zum Bumsen aufreißen.»

Christian schüttelte den Kopf. «Danach ist mir nicht.»

«Danach ist dir immer.» Robbie spitzte die Lippen und machte Stoßbewegungen mit dem Becken. «Komm schon, machen wir die Clubs unsicher.»

Christian musste grinsen. «Denkst du, das wird helfen?»

«Weiß ich auch nicht», räumte Robbie fröhlich ein, «aber ich finde, es ist eine Theorie, die man unbedingt mal testen sollte.»

Jetzt grinste Christian bereits übers ganze Gesicht. Er stand auf und umschloss Robbies Hand mit der Faust.

«Auf uns, Alter», sagte er mit einem Kopfnicken. «Ich fühl mich jetzt schon besser.»

Die Vordertür ging auf, und Rebecca kam in die Küche, schwer beladen mit Einkaufstüten. Sie blieb stehen und starrte die beiden an. «Warum guckt ihr so verschwörerisch?»

«Gibt keinen Grund.» Christian spähte in ihre Einkaufstüte, als er sich an ihr vorbeidrängte, und sie zog sie weg.

Rebecca runzelte die Stirn. «Warum bin ich sicher, dass ihr was ausgeheckt habt?»

Christian gab ihr einen Kuss auf die Wange. «Weil du von Natur aus argwöhnisch bist.»

Rebecca schlug nach seiner Hand. «Wo wollt ihr denn hin?»

Christian zwinkerte Robbie zu. «Ich jedenfalls zieh mir meine sexy Disco-Unterhosen an!»

— Kapitel 20 —

Thomas sitzt am Tisch und macht Hausaufgaben. Der gute Junge! Tanya hingegen sieht mit dem kleinen tragbaren Gerät fern und schaltet es schuldbewusst in dem Moment ab, als ich zur Tür hereinkomme.

«Wo ist Elliott?», stoße ich hervor.

Thomas blickt auf. «Er war im Krankenhaus. Als wir reinkamen, hat Daddy gerade angerufen und gesagt, dass sie auf dem Weg nach Hause sind.»

«Geht es ihm gut?»

«Es ist nur eine schlimme Verstauchung», sagt Thomas, der offensichtlich enttäuscht ist, dass Elliott nicht mit einem Gipsverband wird aufwarten können, der ihm in der Nachbarschaft Hochachtung eingebracht hätte. Ich bin zu aufgedreht, um Erleichterung zu empfinden.

«Sehr schön.»

Mir ist nach Weinen zumute, und kaum habe ich mich Thomas gegenüber hingesetzt, höre ich den Schlüssel in der Eingangstür, und dann kommt Elliott auch schon herein und sieht trotz seines Martyriums bemerkenswert fröhlich aus. Sein Arm ruht in einem Stützverband, und er kuschelt mit einem neuen Schmusehund. Die Freude daran scheint ihn völlig von seinen Schmerzen abzulenken. Ich nehme mir vor, Ed für den Einfall zu danken, diese psychologische Taktik anzuwenden. Wie albern sie auch sein mögen, Tricks dieser Art wirken immer.

Ed sieht nicht so froh aus. Sein Gesicht ist bleich, und um seine Augen liegen graue Ringe. Am auffälligsten ist jedoch die pechschwarze Gewitterwolke, die sich über seiner Stirn zusammengebraut hat. «Wir waren im Krankenhaus», bringt er zwischen zusammengepressten Lippen heraus.

«Ich weiß», sage ich matt. «Barbara hat es mir gesagt, als ich Elliott abholen wollte.» Ich schenke meinem Sohn ein Lächeln. «Komm her, mein Liebling.» Er kommt an meine Seite, und ich nehme ihn fest in die Arme.

«Ich hab den ganzen Tag versucht, dich zu erreichen», sagt Ed. «Nicola ebenfalls. Man brauchte dich in der Vorschule. Wir haben gerade für einen sehr wichtigen Kunden gedreht. Ich musste meine Arbeit unterbrechen.»

«Das hätte ich auch müssen», sage ich. Dieser Kommentar ist raus, bevor ich nachdenken kann, und ich weiß eigentlich gar nicht, warum ich aggressiv werde. Dies ist das erste Mal, dass Ed je mit einer solchen Sache konfrontiert wurde. Ehrlich. Er würde das selbst zugeben.

Aber der Hauptgrund, warum ich ausraste, ist, dass ich sauer bin. Sauer über mich selbst, weil ich nicht zur Stelle war. Sauer, dass ich Elliott im Stich gelassen habe, als er mich brauchte. Sauer, dass ich bei der einen einzigen geringfügigen Entgleisung erwischt wurde, die ich mir je zuschulden habe kommen lassen. Sauer, dass ich überhaupt hingegangen bin! Und ich bin sauer, dass Ed so eine winzige Krise nicht bewältigen kann, ohne auf emotionale Erpressung zurückzugreifen.

Ed sieht mich an. Seine Stimme ist gefasst, aber sein Blick ist streng. «Nur warst du heute gar nicht bei der Arbeit, Ali.»

Was soll ich dazu sagen? Unter diesen Umständen kann ich Ed kaum die Wahrheit sagen. Zuerst muss ich Kath Brown belügen und jetzt Ed. Mein Gesicht rötet sich. Eine der mannigfaltigen Freuden, die rotes Haar mit sich bringt, besteht darin, dass man einen Teint besitzt, der einem Pokerspieler kaum nützen dürfte. Ich hasse es zu erröten und tue es häufig.

«Von der Vorschule aus konnte man dich nicht erreichen. Ich konnte dich nicht erreichen. Dein Handy war abgestellt. Kath war krank vor Sorge», leierte er. «Und ich nicht weniger. Wo warst du also?»

Ich konnte ihm kaum in die Augen sehen. «Mit Jemma zusammen», lüge ich, und bei Gott, an diesen Worten wäre ich fast erstickt.

«Mit Jemma?»

«Wir hatten uns zum Einkaufen verabredet.»

«Einkaufen?»

«Ich dachte, ich hätte es dir gesagt.»

«Nicht, dass ich wüsste», sagt Ed.

«Na ja, du hast auch den Elternabend vergessen», schlage ich zurück, aber selbst in meinen Ohren klingt das kläglich.

«Ja, das stimmt.» Ed lächelt mich reumütig an, und ich fühle mich zehnmal grässlicher.

Ich versuche, mein Herzklopfen zu kontrollieren und die Vorstellung zu verdrängen, dass auf meinem Kopf ein Leuchtschild mit der Aufschrift LÜGNERIN blinkt.

«Was hast du dir denn gekauft», murmelt Ed.

«Was?»

«Einkaufen», erinnert er mich. «Was du dir gekauft hast?»

«Äh …» Mein Kopf ist leer, denn mein Vorrat an Lügen ist anscheinend erschöpft. «Nichts.»

«Du bist mit Jemma einkaufen gewesen und hast nichts gekauft?»

«Ja.»

«Also, das gehört im Kalender angestrichen», schnaubt er, und sein Blick ist seltsam, obwohl mit seinem Auge doch alles wieder in Ordnung ist.

— Kapitel 21 —

Das Telefon klingelt, und ich springe fast an die Decke. Ed bemerkt es. «Ich geh schon ran», grummelt er, steht auf und hat das Wohnzimmer durchquert, bevor ich selbst reagieren kann.

Ich stecke in der Klemme. Ich versuche, ein Loch in Thomas' Schulhosen zu stopfen, aber steche die Nadel ständig durch ein falsches Stück Stoff, sodass mein Sohn niemals die Hände, geschweige denn irgendetwas anderes, in die Taschen wird stecken können. Das liegt natürlich daran, dass ich mich nicht im Geringsten zu konzentrieren vermag. Ich löse die Naht wieder auf und lasse die Hose auf meinen Schoß fallen, bevor ich einen neuerlichen Reparaturversuch starte. Ich überlege, ob ich Ed nicht sagen soll, wo ich heute wirklich gewesen bin. Sollte ich nicht reinen Tisch machen und seinen Zorn in Kauf nehmen? Er ist nicht gerade in bester Stimmung, nachdem man ihn aus der Arbeit gerissen hat und er anschließend vier Stunden in der Notaufnahme warten musste, bis ein kleiner Verband angelegt worden war. Ich denke, ich sollte ihm beichten, aber jetzt ist nicht der richtige Zeitpunkt. Oder sollte ich Christian vielleicht gar nicht erwähnen? Ist nicht Unwissenheit manchmal ein Segen? Zumal es vorüber ist, bevor es überhaupt begonnen hat. Es war eine Ausnahmesituation. Eine kurze Verrücktheit. Eine geringfügige Entgleisung. Das ist alles. Und jetzt ist es vorüber. Ich werde Christian nicht wieder sehen. Oder sollte es doch zufällig geschehen, dann nur, um einen Kaffee zu trinken. Unter Freunden. Mehr nicht. Nicht, dass es etwa je mehr gewesen wäre. Wirklich nicht.

«Oh, hallo», grüßt Ed in den Hörer. Ich sehe auf und bemerke, dass er mich anstarrt und dabei auf seiner Unterlippe kaut. «Ja. Ja. Hat sie.» Unsere Blicke kreuzen sich. «Das glaube ich schon», sagt er betont langsam und nachdrücklich.

Mein Mund ist plötzlich trocken, und ich haste in die Küche, um den Wasserkessel aufzusetzen. Beide Jungs sind in ihren Schlafzimmern und beschäftigen sich garantiert mit unaussprechlichen Dingen. Doch ich sehe einfach nicht ein, warum ich herausfinden sollte, ob sie etwas trinken oder essen möchten. Stattdessen mache ich nur Tee für mich und Ed.

Als ich ins Wohnzimmer zurückkomme, sitzt er schon wieder in seinem Sessel.

«Ich dachte, du magst vielleicht ein Tässchen», sage ich und stelle die Tasse neben ihm ab.

«Danke.» Er schenkt dem Tee keine Beachtung, und seine Hände zittern, als er wieder zur Zeitung greifen will.

«Wer war denn dran?», traue ich mich zu fragen.

«Jemma.»

Meine Nackenhaare sträuben sich wie auf Kommando. «Oh.»

«Sie wollte wissen, ob alles in Ordnung ist.»

«Oh.»

«Ich hab ihr gesagt, es sei alles in Ordnung, Alicia.» Ed sieht auf, aber ich kann seinen Blick nicht deuten. «Ich hingegen bin nicht so sicher, ob das stimmt.»

Blut schießt mir in den Kopf, und ich kann meinen Puls hören.

«Jemma war den ganzen Tag in Prag.» Ed hält inne und sieht zu, wie mein Gesicht weiter rot anläuft. «Auf Einkaufsreise für den Laden. Historische Spitze. Ist also wohl so, dass Jemma heute einkaufen war», sagt er, «aber eins ist ganz gewiss, Alicia: Du warst nicht mit ihr zusammen.»

Ich weiß nicht, ob ich stundenlang dasitze und nichts sage oder ob ich direkt antworte. Ich höre die Rädchen in meinem Hirn surren, aber als ich rede, kommt die banalste Aussage heraus: «Ich kann das erklären.» Mehr habe ich meinem Ehemann nicht anzubieten.

«Hat das hier etwas damit zu tun?» Ed hält einen Plan von Kew Gardens und eine Eintrittskarte in die Höhe, die zweifellos heute abgestempelt ist. Er muss in meiner

Handtasche gewühlt haben, während ich Tee machte. Schon diese kleine Indiskretion tut weh, und ich frage mich, wie er sich wohl fühlen mag.

«Ja.»

«Warst du allein dort?»

Sogar jetzt noch denke ich daran, abermals zu lügen. Ich kann gar nicht fassen, zu welchem Ausmaß von Betrug ich fähig zu sein scheine, aber in einem Augenblick der Klarheit wird mir bewusst, dass es sich um eine Eintrittskarte für zwei Personen handeln dürfte, die Ed da in der Hand hält. «Ich war mit einem Freund dort», gebe ich zu.

«Du warst also mit einem Mann im botanischen Garten.»

«Ja.» Wie kann ich es darstellen, ohne dass es so schlimm klingt, wie es das in diesem Moment tut? Würde Ed mir glauben, wenn ich ihm erzählte, dass ich hingerissen war von ungeteilter Aufmerksamkeit und überkommen von spontaner Lust, aber dann noch rechtzeitig wieder zur Besinnung kam? Würden Sie mir glauben? Glaube *ich* mir? «Er ist nur ein Freund», wiederhole ich.

«Und warum konntest du mir das nicht sagen? Warum konntest du mir nicht sagen, wo du warst?»

«Ich weiß nicht.»

«Weil du nicht gedacht hättest, dass ich es herausbekomme?» Mag schon sein, möchte ich sagen. Aber so war es gar nicht. Ich hab gar nicht über Konsequenzen nachgedacht.

«Wie lange geht das schon so?»

«Da geht gar nichts so. Ich kenne ihn erst ein paar Wochen.»

«Hast du mit ihm geschlafen?» Eds Mund bebt, und er presst die Lippen aufeinander, um nicht die Beherrschung zu verlieren. Ich weiß nicht, ob es Wut ist oder ob es Tränen sind, die er unterdrücken will, denn ich habe ihn noch nie in einer solchen Verfassung gesehen.

«Natürlich nicht!» Wie ich das hier handhabe, ist höchst ungeschickt, aber das liegt daran, dass mir nicht einmal die nötigen Worte einfallen, um es geschickter zu machen.

«Hat er dich geküsst?»

«Ich … äh …»

«Oh, Alicia.» Ed steht auf und durchquert mit schnellen Schritten das Wohnzimmer. «Sag besser gar nichts. Es steht dir sowieso ins Gesicht geschrieben.»

«Heute war der erste Tag, an dem ich mich mit ihm getroffen habe. Allein», sage ich. Es war das erste Mal, dass es sich um kaltblütigen, kalkulierten, vorsätzlichen Betrug gehandelt hat, meine ich. «Es ist nichts passiert.»

«Ist er das hier?» Er wirft mir eine Karte aus meiner Handtasche auf den Schoß. Auf der Rückseite sind Christians Adresse und Telefonnummer notiert.

«Ja.» Ich sehe Ed an und möchte ihn umarmen und küssen und ihm sagen, dass er alles falsch versteht, aber sein Gesicht ist wie versteinert, und er hat eine Barriere zwischen uns errichtet, die undurchdringlich ist. Ich schiebe die Karte in meine Gesäßtasche, weil ich nicht weiß, was ich sonst mit ihr anfangen soll. «Lass mich nur einen Moment nachdenken, Ed», sage ich. «Ich möchte mit dir darüber reden. Wir müssen das klären.»

«Ich möchte aber nicht mit dir reden, Alicia. Du belügst mich nämlich.»

«Das tue ich nicht», protestiere ich, obwohl ich es doch tue. «Es ist ein Missverständnis.»

«Hat er irgendwas mit der Zeichnung zu tun, die du ganz hinten in den Kleiderschrank gestopft hast?»

«Ja.» Ich wusste, dass ich das vermaledeite Ding in den Mülleimer hätte werfen sollen. Aber Eitelkeit ist ein äußerst starkes Gefühl, und Christian hatte mich so, so schön aussehen lassen. Ich wollte die Zeichnung aufheben, bis ich neunzig wäre und runzlig wie eine Walnuss, um zurückzublicken auf eine Zeit, als ich noch jung war und bewundert wurde. «Er war es, der mich gezeichnet hat.»

Ed lacht, aber es klingt kalt und hohl. «Dann musst du ja schwer in ihn verliebt sein, Alicia.» Er dreht mir den Rücken zu, als könne er meinen Anblick nicht ertragen. «Ich jedenfalls hab dich noch nie so strahlend schön gesehen.»

— Kapitel 22 —

Die Musik dröhnte so laut, dass Christian spürte, wie sein Hirn vibrierte. Sie ließ seine Muskeln zittern und seinen Brustkorb beben. Er zuckte im Rhythmus und lehnte sich über das schmiedeeiserne Geländer, um die Tanzfläche zu überblicken.

Robbie ließ neben ihm die Hüften kreisen, Bierflasche in der Hand. Er checkte das Angebot ab. Christian konnte sich nicht erinnern, wo sie inzwischen gelandet waren, sondern wusste nur noch, dass es sich um den dritten Nachtclub in Folge handelte und sie stets eine exorbitante Summe bezahlt hatten, um eingelassen zu werden. Robbie versicherte ihm jedes Mal, genau dies sei der absolut angesagte Ort, aber in Christians Augen sahen die Tanzschuppen alle gleich aus: schwarz, Rauch, Schaum,

Trockeneis, Stroboskope, die anderen Gäste samt und sonders reichlich neben der Kappe.

Er sah auf die Flasche, aus der er trank. Darin befand sich eine Wodkamischung, die Robbie empfohlen hatte. Er hatte bereits mehr als genug intus, und der Gefühlstaumel, der ihn zuvor mitgerissen hatte, war inzwischen einer eher wohltuenden Dumpfheit gewichen. Er sah auf seine Uhr. Die Nacht war noch jung, aber bereits jetzt wollte er am liebsten unter die Bettdecke schlüpfen und schlafen, möglichst allein. Aber der Konsum von Unmengen Alkohol war nur die Phase eins des Reha-Plans, den sein Freund für ihn aufgestellt hatte. Und jetzt knuffte Robbie ihm in die Rippen, und zwar so nachdrücklich, wie es Betrunkene gern tun. Anscheinend signalisierte das den Beginn von Phase zwei.

«Was wär denn mit den zwei beiden?», rief Robbie gegen die laute Musik an. Mit seiner Bierflasche deutete er dabei auf die Tanzfläche.

«Zwei beide» gab es massenweise – Mädels, die für einen Abend die Stadt unsicher machten, und Christian hatte keinen Schimmer, welche «beiden» er meinte. Aber es gab da zwei Girls, die anscheinend auf Robbies lüsterne Miene geziert spröde reagierten, zwei flotte Käfer mit langem, in der Mitte gescheiteltem schwarzem Haar. Sie trugen schwarze Tops, schwarze Lycra-Shorts und kniehohe schwarze Stiefel. Jeweils zwischen den schwarzem Kleidungsstücken stellten sie weite Flächen künstlich gebräunter Haut zur Schau. Fest in den Händen hielten sie identische Damentäschchen und Bierflaschen. Zweifellos hätten sie auf die Frage, ob sie vielleicht Zwillinge seien, wie kleine Schulmädchen gekichert.

«Äh?», wollte Robbie wissen.

Christian zuckte die Achseln. «Okay.»

Phase zwei bestand darin, zwei Frauen anzusprechen, die nicht allzu wählerisch und prüde wirkten. Phase drei beinhaltete schließlich, sie zum fröhlichen Matratzensport nach Hause abzuschleppen. Die Musik wurde wilder, und die beiden Frauen tanzten noch ausgelassener, denn sie waren sich ja jetzt ihres Publikums sicher.

Christian war nicht mit dem Herzen bei der Sache. Anfangs hatte er gerne mitgespielt, aber jetzt ebbte sein Enthusiasmus ab. Der entscheidende Makel an Robbies Plan war der Erfolg von Phase eins, und jetzt hatte Christian das Gefühl, niemals zu Phase drei fortschreiten zu können, ohne zuvor ein kleines Schläfchen zu halten.

Robbie leerte seine Bierflasche und warf sie auf den Boden. «Na, komm, Alter.»

Christians Flasche war noch halb voll, aber er trank sie trotzdem aus. Sie stiegen die Treppen hinunter und bahnten sich den Weg durch die Menge auf der Tanzfläche, bis sie ihre Beute gefunden hatten. Robbie steuerte direkt auf die hübschere von beiden zu, Christian stand vor der anderen und begann zu tanzen. Die Kleine sah nicht schlecht aus, aber sie besaß weder goldschimmerndes Haar noch einen Teint so zart wie Perlmutt oder gar rätselhafte Katzenaugen von der Farbe dunkler Smaragde. Wie schade, dass ihm das einfiel, denn bis jetzt hatte er kaum an Ali gedacht.

«Hi», sagte seine Tanzpartnerin. «Ich bin Sharon.» Christian war verblüfft, als sie ihren Oberschenkel zwischen seine Beine schob und ihn lüstern in seinem Schritt rieb. Die Mädels waren unzweifelhaft mit denselben Absichten hergekommen wie er und Robbie. Sich einen genehmigen und dann flachgelegt werden. Phase zwei war anscheinend zur Kopulationsvorbereitung nicht mehr nötig. Christian widerstand dem Drang, sich zu lösen, und streckte stattdessen die Arme hoch über den Kopf. Gleichzeitig ließ er die Hüften kreisen und beugte sich nach hinten. Sharon lächelte, als hätte sie bereits eine Eroberung gemacht. Robbie bewegte sich in enger Umarmung mit dem anderen Mädel und war bereits voll mit deren Brüsten beschäftigt. Sharon ließ die Hände über Christian gleiten, über seine Brust, seinen Unterkörper, seinen Hintern – und er fragte sich, wieso Frauen wohl Derartiges mit Fremden anstellen konnten, deren Namen sie nicht einmal wussten und vielleicht auch gar nicht erfahren wollten. Es hatte ihn Wochen gekostet, Ali zu einem keuschen Kuss zu verleiten, und darin lag etwas Angenehmes und Unerwartetes.

Vor nicht allzu langer Zeit hätte er die Gelegenheit wahrgenommen und die Hände in die geradezu lächerlich kurzen Shorts dieses Girls gleiten lassen, um zu packen, was ihm geboten wurde. Sharon lächelte, ließ die Hand zu seinen Eiern schlängeln, umfasste sie und drückte sanft zu. Vielleicht wurde er älter, aber plötzlich kam ihm das alles deprimierend vor.

— Kapitel 23 —

Ed steht vor einem kleinen Koffer, der offen auf dem Bett lag.

«Was machst du denn da?», frage ich, obwohl es doch offensichtlich ist. «Du kannst nicht so einfach gehen.»

«Ich gehe auch nicht, Alicia.» Er stellt sich höchst ungeschickt dabei an, ein Paar Hosen zusammenzulegen. «Sondern du gehst.»

«Was?»

«Ich möchte, dass du das Haus verlässt. Und zwar sofort.»

«Warum?» Mein Mund möchte sich öffnen und schließen, obwohl er nichts zu sagen hat. Ed antwortet nicht. «Warum? Das ist ja lächerlich.»

«Das mag deine Ansicht sein.» Mit zorniger Miene sieht Ed auf. «Meine ist es nicht.»

«Führ dich doch nicht so auf. Du weißt doch, was ich meine.»

«Ich weiß nicht, was du meinst, Alicia. Ich habe nicht mehr die geringste Ahnung, wer du bist.»

«Ed, wir müssen uns aussprechen. Wie vernünftige Menschen. Wir können ja wieder bei dem Zeitpunkt anfangen, als du mit Elliott aus der Klinik nach Hause gekommen bist, und ich werde dir haarklein erzählen, was geschehen ist.»

«Ich dachte, du hast gesagt, es sei gar nichts geschehen.»

«Ed, wir stehen hier nicht vor Gericht. Verdreh bitte nicht alles, was ich sage.»

Er hört auf, meine Kleidungsstücke in den Koffer zu stopfen. «Du hast wirklich Nerven, Alicia.»

«Und du reagierst übertrieben», sage ich ganz ruhig. «Ich weiß, dass du verletzt bist ...»

«Gar nichts weißt du.» Er beißt die Zähne zusammen und zischt die Worte hervor.

Ich verschränke die Arme. Wie konnte es so weit kommen? Ed und ich haben immer miteinander reden können. Obwohl ich einräumen muss, dass wir uns in letzter Zeit kaum mehr über bedeutsamere Dinge als die Auswahl passender Tapeten unterhalten haben.

«Ed, ich habe einen schlimmen Fehler begangen.»

«Darüber sind wir uns ja wohl einig», faucht er mich an.

«Ich möchte das klären.» Ich bewege mich auf meinen Koffer zu und will gerade die Kleidungsstücke wieder herausnehmen, als Ed mich schlägt. *Er schlägt mich.* Er schlägt meine Hände weg. Sie schmerzen, und ich fühle mich verletzt.

Ich bin stumm vor Schreck und starre meine Handrücken an, auf denen sich grellrote Flecken gebildet haben.

«Ich möchte, dass du hier verschwindest, Alicia. Raus aus meinem Haus. Ich muss über alles nachdenken, und dabei will ich dich nicht in meiner Nähe haben. Und auch nicht in der Nähe der Kinder.»

«Was!?» Ich weiß nicht, ob ich weinen oder schreien soll. «Du wirfst mich tatsächlich raus?»

«Mach's nicht so dramatisch.»

«Für immer?»

«Ich brauche Zeit für mich allein. Ich denke, das kann auch dir nicht schaden. Du könntest die Situation im Licht jüngster Entwicklungen neu einschätzen.» Ed hört sich an, als würde er im Sitzungsraum einer großen Gruppe von Schlipsträgern ein neues Projekt präsentieren. Ganz und gar nicht so, als wolle er das Ende unserer Ehe heraufbeschwören.

«Und wohin soll ich, bitte, gehen?»

«Das ist allein deine Entscheidung», erwidert Ed und schließt meinen Koffer.

«Darf ich nicht auf dem Sofa schlafen?»

Stumm stößt er den Koffer in meine Richtung übers Bett. Ich hebe ihn an, und sein Gewicht lässt mich in die Knie gehen. Der letzte Rest meiner Energie versickert im Schlafzimmerteppich. «Jetzt bist du aber derjenige, der einen schlimmen Fehler macht», sage ich leise.

«Geh einfach, Alicia.»

Und das tue ich. Solange er in dieser Stimmung ist, kann ich Ed sowieso nicht zur Vernunft bringen. Ich fasse es nicht, wie schnell wir in eine solche Lage geraten sind. Ich bin schockiert von seinem Mangel an Mitgefühl, und es ist ihm nicht einmal in den Sinn gekommen zu hinterfragen, was mich wohl dazu veranlasst haben könnte, Freundschaft mit einem anderen Mann zu schließen – wie unklug das auch gewesen sein mochte. Aber wenn Ed eine Nacht drüber geschlafen hat, ist er vielleicht zum Gespräch bereit.

Ohne recht zu wissen, wie mir geschieht, gehe ich die Treppe hinunter. Mein Mantel liegt über dem Ende des Geländers. Ich kann mich nicht entsinnen, ihn dort gelassen zu haben. Ich bleibe stehen, stelle den Koffer ab und werfe mir den Mantel über die Schultern. Ed steht auf dem Treppenabsatz, und ich blicke zu ihm hinauf, bereit, nochmals meine Unschuld zu beteuern. Doch er wendet sich ab, geht ins Schlafzimmer, unser Schlafzimmer, und schließt die Tür fest hinter sich.

Ich nehme wieder meinen Koffer, und obwohl ich mich höchst jämmerlich fühle, kommt jetzt meine störrische Ader zum Vorschein. Soll Ed doch die Nacht über schmoren, und wenn er dann bereit ist, mir zuzuhören, werde ich ihm alles erklären. Schließlich bin ich eine Frau mit rotem Haar. In einem Anflug ungezügelten Zorns stürme ich zur Tür hinaus und lass sie so heftig hinter mir ins Schloss fallen, dass sie in den Angeln bebt und die Glasscheibe Furcht erregend vibriert. Mir doch egal. Ich stelle meinen Mantelkragen auf und stapfe hoch erhobenen Hauptes in die kalte, dunkle Nacht.

— Kapitel 24 —

Es regnet. Schüttet. Außerdem ist es stockdunkel, als ich vor Jemmas Wohnung stehe, die sich über ihrem Laden befindet. Die Wohnung ist ebenfalls stockdunkel, und das kann man kaum als gutes Zeichen ansehen, wenn man auf ein freudiges Willkommen hofft. Da ist anscheinend niemand, der das Kaminfeuer in der Wohnung meiner Schwester hütet.

In meiner Erregung bin ich ohne Handtasche losgerannt. Darin befindet sich der Zweitschlüssel für Jemmas Eingangstür. Und gerade jetzt erst wird mir die enorme Tragweite dieser Nachlässigkeit bewusst. In meiner Manteltasche befanden sich genau zwei Pfund und fünfundsiebzig Pence Kleingeld, die ich herausbekommen hatte, als ich in Kew Gardens für Christian und mich Sandwiches zum Lunch gekauft hatte. (War das nicht in einem ganz anderen Leben?) Zwei Pfund und fünfzig Pence hab ich dann für meinen U-Bahn-Fahrschein hierher ausgegeben, weil meine Autoschlüssel sich ebenfalls in meiner Handtasche befinden. Zwanzig Pence sind mir aus der Hand gefallen, als ich nach meinem Geld suchte. Die hatte ein Stadtstreicher aufgesammelt, und ich brachte nicht den Mut auf, sie von ihm zurückzuverlangen. Jetzt befinde ich mich also im Besitz der stattlichen Summe von fünf Pence, habe dafür aber weder Scheckbuch, Kreditkarte, Handy oder Schlüssel. Angefressen werfe ich das Fünf-Pence-Stück weit von mir und bin jetzt total blank. Klasse gemacht, Alicia.

Jemmas Laden ist in der Ladbroke Road, in einem eher dörflichen Viertel, abseits des geschäftigen Trubels von Notting Hill Gate. *You Must Remember This …*

(toller Name, ich weiß!) ist einer von den nostalgischen Retro-Klamotten-Läden, die in dieser Gegend wie Pilze aus dem Boden geschossen sind. Seltsame Geschäfte voller Sachen, die meine Mutter noch in ihrem Kleiderschrank hat. Zeug aus der Altkleidersammlung, ausgezeichnet mit Boutique-Preisen, wenn Sie mich fragen. Und wenn sie tatsächlich von Modeschöpfern aus den 60er Jahren stammen? Hässlich sind sie trotzdem! Und warum, bitte, warum will jemand Abgelegtes aus den 70ern tragen? Auch wenn ein Etikett von Halston oder Ossie Clark draufgenäht ist? Für mich war das eine Zeit, die vom Geschmack vergessen wurde, und am besten vergessen wir sie auch. Meine Tochter hat gerade ihr erstes Paar Hot Pants gekauft, die nach fünfundzwanzig Jahren zum dritten oder wahrscheinlich sogar zum vierten Mal in Mode gekommen sind, und bei dem Gedanken, dass ich in den Dingern mal ausgegangen bin, krieg ich das kalte Grausen. Jemma sagt, mir mangele es an Seele, aber ihre Kunden haben umso mehr davon, denn trotz astronomischer Miete macht sie ein Vermögen. Aber um Jemma nicht Unrecht zu tun: Der Löwenanteil ihrer Lagerbestände besteht aus echten Fundstücken – Schlaghosen und ausladende Revers sind kaum darunter. Ihre schicken Verkaufsräume ächzen unter der immensen Auswahl an eleganten, mit Perlen bestickten Abendkleidern aus den 30er und 40er Jahren, mit denen ich, vom Stil her gesehen, weitaus mehr anfangen kann. Sie sagt, ihre Kundinnen möchten sich individuell und kreativ kleiden, aber das klingt mir verdächtig nach Verkäuferinnengeschwafel. Wer außer einem anderen Kleider-Fan, der Durchblick hat, würde denn tatsächlich erkennen, dass man nicht nur einen Fummel trägt, den man bei einer Wohltätigkeitsauktion für einen Fünfer erstanden hat? Ich würde lieber frisch und neu aussehen, aber vielleicht lieg ich auch daneben. Und am ernst zu nehmenden Engagement meiner Schwester ist absolut nicht zu zweifeln, denn sie widmet all ihre Zeit dem Erfolg ihres Geschäfts. Aber ich hab gut reden, stehe ich doch hier im strömenden Regen vor der Tür, weil mein Mann mich rausgeschmissen hat.

Ich klopfe noch einmal an Jemmas Tür, und der Gedanke, dass ich auf verlorenem Posten stehe, schießt mir wieder durch den Kopf. Ich stelle mich in ihrem Stückchen Hausflur unter, damit ich nur völlig durchnässt werde und nicht auch noch ertrinke. Ich dachte, Ed hätte gesagt, meine Schwester sei aus Prag zurück, aber vielleicht hat sie ja auch von dort aus angerufen. Hier gibt es jedenfalls kein Lebenszeichen.

Ich erwäge einzubrechen, aber weil die Lagerbestände einen immensen Wert besitzen, ist der Laden mit mehr Alarmanlagen gesichert als ein Atomkraftwerk, und zweifellos würde die Hälfte der Metropolitan Police über mich herfallen.

Ich könnte zum Haus meiner Eltern fahren. Sie wohnen Meilen entfernt in Harpenden, aber ich könnte mir ja ein Taxi nehmen und sie überreden, es zu bezahlen, und anschließend von Ed verlangen, dass er ihnen das Geld erstattet. Es würde zwar ein kleines Vermögen kosten, aber ihm recht geschehen! Nur würden sich die beiden schrecklich aufregen, wenn ich mitten in der Nacht auftauchte, da sie ihren Schlummertrunk schon lange intus haben und bereits im Land der Träume weilen. So sind sie eben. Außerdem würde mein Auftauchen bei ihnen die dämliche Meinungsverschiedenheit zwischen meinem Gatten und mir weitaus schlimmer erscheinen lassen, als sie ist. Meine Mutter würde den Rest ihres

Lebens in der Überzeugung verbringen, dass meine Ehe zerrüttet sei. Das Herz sinkt mir bis in die durchweichten Schuhe. Vielleicht ist sie ja zerrüttet.

Ich krame wieder in meinen Taschen nach Geld und bin den Tränen nahe. Ich besitze eine wunderbares Heim und ein bequemes Bett. Ed kann doch nicht so grausam sein, mich auf der Straße stehen zu lassen. Das lasse ich mir von ihm nicht gefallen, auch wenn ich noch so betteln muss.

Gerade als ich alle Hoffnung aufgeben und reumütig in mein eheliches Heim zurückkehren will, ertasten meine eiskalten Finger eine Visitenkarte. Auf deren Rückseite steht Christians Adresse, und im Licht der Straßenlaterne erscheint mir die Karte in meiner Hand wie ein Leuchtturm in der Dunkelheit. Mein Gott, er wohnt ja gleich um die Ecke. In fünf Minuten könnte ich bei ihm sein. Sogar noch eher. Ich wünschte, ich hätte mein Handy, damit ich ihn anrufen könnte. Ich weiß, ich weiß, ich weiß. Er ist der Letzte auf der Welt, mit dem ich Verbindung aufnehmen sollte. Aber was soll ich denn machen? Zumindest könnte er mir doch ein Eckchen auf seinem Fußboden anbieten oder eine Tasse Tee. Er könnte mir auch etwas Geld leihen, damit ich mir ein Zimmer leisten kann. Und hatte er nicht gesagt, ich solle auf jeden Fall vorbeischauen, wenn ich mal in der Nähe wäre? Ich seufze, als ein fetter Regentropfen auf die Adresse platscht und die Tinte verschmiert. Vermutlich hat er sich aber nicht träumen lassen, es könne um ein Uhr morgens geschehen.

– Kapitel 25 –

Ed lag auf dem Bett und starrte an die Decke. Seine Kleidungsstücke lagen so verstreut auf dem Fußboden, wie Ali es am meisten hasste, und er trug nur noch seine Boxershorts. Er hatte die Arme hinter dem Kopf auf dem Kissen verschränkt, und dem ungeübten Auge musste er entspannt erscheinen, obwohl er es ganz und gar nicht war. Jeder Herzschlag grollte wie Donner in seiner Brust.

Ed ließ den Blick von der Zimmerdecke zum Wecker schweifen, dessen Digitalanzeige ihn vorwurfsvoll anblinkte. Ali war jetzt schon eine Ewigkeit fort.

Was für ein Arsch war er doch gewesen, rumzuschimpfen wie ein schmollender Schuljunge, wenn es doch vielleicht durchaus eine perfekt einleuchtende Erklärung geben mochte. Warum hatte er seiner Ehefrau nicht zugehört? Zumindest hätte er ihr diese Höflichkeit geschuldet, als sie auf ihre Unschuld gepocht hatte. Es war undenkbar, dass Ali sich auf eine Affäre eingelassen hatte. Nicht einmal, wenn sie in Versuchung geraten wäre. Sie hatte dafür gar keine Zeit. Entweder war sie bei der Arbeit, oder sie hatte mit den Kindern zu tun. Da blieb kaum Gelegenheit, sich in verruchten Hotels zu treffen oder was man sonst heutzutage machte, wenn man außerehelichen Freuden frönen wollte. Ed betrachtete die Kew-Gardens-Eintrittskarte für zwei Personen. Das klang nicht gerade nach dem perfekten Ort für eine klammheimliche Nummer. Allerdings gab es dort ja mehr als genug Büsche.

Er wünschte, Ali würde zurückkommen und sie könnten über alles reden. Ed war sicher, dass sie zur Wohnung ihrer Schwester gegangen war, aber er hatte Jemmas

Nummer gewählt und war nur vom Anrufbeantworter begrüßt worden. Er konnte sich gut vorstellen, dass die beiden inzwischen bereits ihre zweite Flasche Wein geleert hatten und mal wieder über die dämlichen Männer herzogen. Besonders über ihn. In Situationen wie dieser waren die beiden ein Herz und eine Seele. Nur dass in sämtlichen «Situationen wie dieser» in der Vergangenheit Alis Schwester von ihren Boyfriends – die samt und sonders ehelich verstrickt waren – verlassen worden war und Ali zur Rettung hatte eilen müssen. Zweifellos dürfte es ihrer Schwester gefallen, dass sie sich jetzt revanchieren konnte.

Ed betrachtete das Telefon. Sie könnte doch zumindest anrufen, damit er sich keine Sorgen machte, aber Ali wusste nur zu genau, dass er niemals schlafen könnte, bevor sie nicht angerufen hatte, und deswegen ließ sie ihn schwitzen und genoss wahrscheinlich die kleinliche Rache.

Es war alles die Schuld von Harrison Ford und dem National Health Service, die ihn jeweils auf ihre Weise aus der Bahn geworfen und zu einem ruhelosen und unzufriedenen Mann gemacht hatten. Hätte er nicht den Kopf voller Phantasievorstellungen über ein Leben in Hollywood gehabt, wäre seine Reaktion vielleicht anders gewesen, als Ali den ihr zugewiesenen Rahmen verlassen hatte, um ein bisschen Spaß zu genießen.

Das Telefon klingelte, und wie elektrisiert griff er nach dem Hörer: «Hallo?»

«Gibt es einen bestimmten Grund dafür, dass Sie mich drei Stunden lang im Groucho schnöde haben sitzen lassen?»

Ed atmete die Luft aus, die er unwillkürlich angehalten hatte. «Orla.»

Ed rieb sich das Gesicht, während er den Hörer mit der Schulter ans Ohr klemmte. «Ich hab es vergessen. Es tut mir ja so Leid, glauben Sie mir.»

«Sie haben es vergessen.» Sie klang gereizt. «Das ist nicht gerade schmeichelhaft, Ed.»

«Glauben Sie mir, wenn Sie wüssten, was hier heute abgelaufen ist, würden Sie mir vergeben.» Ed fühlte sich plötzlich äußerst müde und erschöpft. Eine Verantwortungslast von mindestens tausend Tonnen spürte er auf den Schultern, und am liebsten hätte er hemmungslos geweint, in den Wind geheult und seine Lungen wie seine Seele mit einem klagenden Urschrei von allen Qualen befreit. Stattdessen stieß er einen bedeutungsvollen Seufzer aus.

Ihre Stimme wurde sanfter. «Alles in Ordnung mit Ihnen?»

«Nein», gestand er. «Ich stecke in einer häuslichen Krise.»

«Ist es ein schlechter Zeitpunkt?»

«In meinem Leben oder für den Anruf?»

«Beides», sagte Orla, ohne wahrzunehmen, dass er einen Scherz versucht hatte.

«Zu Ersterem – ja. Zu Letzterem – nicht sonderlich.»

Es folgte eine gedankenschwere Pause, bevor Orla fragte: «Möchten Sie, dass ich vorbeikomme?»

«Ich glaub nicht.»

Wieder eine peinliche Pause. «Sie wissen, dass ich immer für Sie da bin, Ed.»

Jetzt wusste er es. «Danke», erwiderte er.

«Rufen Sie mich morgen an?»

«Ja», sagte Ed, ohne eigentlich zu wissen, warum.

«Hören Sie», sagte Orla und schwieg dann wieder. Ed hätte am liebsten aufgelegt und sich zusammengerollt, um endlich Schlaf zu finden. «Sie brauchen mich nur zu bitten, dann tue ich alles für Sie», sagte sie. «Meine Empfindungen für Sie sind sehr stark. Das wissen Sie doch, oder?»

Bisher hatte er es nicht gewusst, aber jetzt wusste er es. «Ja», sagte er. «Und danke, Orla. Es tut mir echt Leid wegen heute Abend. Es war mir völlig entfallen.» Dann versprach er: «Aber ich mache es wieder gut.»

«Könnte sein, dass ich Sie beim Wort nehme», sagte sie mit einem leisen Lachen. «Gute Nacht, Ed.»

«Gute Nacht, Orla.»

Sie legte auf, und bevor sich Ed noch ausmalen konnte, wie eine solche Wiedergutmachung gegenüber Orla aussehen könnte, ertönte aus dem Badezimmer ein ohrenbetäubender und durch Mark und Bein gehender Schrei. Ed schoss aus dem Bett hoch und raste über den Treppenabsatz.

Im Badezimmer stand Elliott im schwachen Schein des Rasierlichts, das ständig eingeschaltet blieb, weil beide Jungen sich im Dunkeln fürchteten. Warum nur? Es waren zwei absolut gesunde, wohlerzogene Mittelklassekinder. Warum fürchteten sie ungeahnte Schrecknisse hinter jeder dunklen Ecke? Was war der Grund dafür? Und warum gelang es einem als Erwachsenem, die Dinge, die in den dunkelsten Bereichen der Psyche lauerten, am allerleichtesten zu ignorieren?

Elliott kreischte abermals zum Steinerweichen. Ed stürmte wie ein Superheld in Boxershorts ins Bad. «Was ist denn los?»

Elliott heulte sofort los. «Ich will Mami!»

Ed hockte sich hin und nahm ihn in die Arme. «Mami ist ausgegangen.»

Elliott schrie noch lauter. «Ich will Mami!»

«Liebling, Mami ist nicht da. Aber Daddy ist doch da. Was ist denn los? Hast du dir wehgetan?»

«Ich will Mami!»

«Ist was mit deinem Arm?» Ed bekam zum x-ten Mal an diesem Tag fast einen Herzschlag. «Was ist los?»

Elliott wandte sich ihm zu. Sein Gesicht war tränenüberströmt und schimmerte im Licht. Schluchzer schüttelten ihn. «Hab mir inne Nase gepieselt!»

«Was?»

Elliott schluchzte weiter. «Hab mir inne Nase gepieselt! Mit meinem wehen Arm konnte ich den Pieselmann nicht richtig halten», jammerte er. «Und mein Piesel ist mir inne Nase gegangen!»

Ed konnte nur mit Mühe ein Grinsen unterdrücken. «Davon geht doch die Welt nicht unter, Elliott.»

Aber der kleine Junge ließ sich nicht beruhigen und schrie nur noch lauter.

«War doch nur ein kleines Missgeschick.» Ed zog seinen jüngeren Sohn fest an sich, aber dann fiel ihm wieder ein, dass ihm ja der Urin übers Gesicht lief.

Jetzt klangen Elliotts hysterische Schluchzer nur noch todtraurig. «Ich will Mami!»

Ed schluckte schwer. «Sie ist nicht da.»

«Wo ist sie denn?»

«Sie besucht Tante Jemma.»

«Und wann kommt sie wieder?»

Ed spürte ein Kribbeln im Auge. «Das weiß ich nicht genau.» Er hob Elliott in die Höhe, hielt ihn auf Armeslänge von sich und manövrierte ihn zum Waschbecken. «Komm, lass uns dein Gesicht waschen und dir einen frischen Pyjama anziehen.» Ihm fiel nicht ein, wo Ali die sauberen Pyjamas aufbewahrte.

Elliott streckte Ed das Gesicht entgegen, und der machte sich mit Seife und Waschlappen ans Werk. Er zog Elliott auch das Pyjamaoberteil aus. Gähnend erschien Tanya an der Badezimmertür. «Was ist passiert?»

«Elliott hatte einen kleinen Unfall.»

«Schon wieder?»

«Hab mir inne Nase gepieselt», sagte ihr kleiner Bruder unglücklich.

Tanya war beeindruckt. «Toller Partytrick.»

Elliott grinste stolz.

«Weißt du, wo Mami eure sauberen Pyjamas aufbewahrt?»

Tanya nickte. «Natürlich.»

«Sei ein Engel und hol Elliott einen davon.»

Tanya schlich davon und kramte dann lautstark in den Schubladen der großen Kommode oben an der Treppe. Wenn es so weiterging, würde Elliotts Missgeschick noch die gesamte Nachbarschaft wecken. Wenn er einundzwanzig war, würden sie ihn bei ihren Partys darauf ansprechen. Wahrscheinlich würden sie ihn sogar bitten, seinen Trick bei diesen Partys vorzumachen.

Thomas kam schläfrig ins Bad geschlurft. Er rieb sich die Augen und sah leichenblass aus. «Daddy», sagte er. «Mir ist schlecht.» Und prompt erbrach er sich über Elliotts Pyjamahosen, weswegen sein Bruder auf der Stelle wieder lauthals schrie und einen Kriegstanz im Bad aufführte, wodurch er das Erbrochene gleichmäßig auf den Kunststofffliesen verteilte. «Ich will Mami! Ich will Mami!»

«Ich möchte auch meine Mami», sagte Thomas höflich, und sein blasses Gesicht verschmolz mit dem Weiß der Badezimmerfliesen.

«Tut mir Leid. Ihr müsst schon mit mir vorlieb nehmen. Tanya!» Ed hob die Stimme. «Saubere Pyjamas für zwei!»

Nicht ohne etliche Kotzkleckse zu verursachen, bugsierte Ed seine beiden Söhne unter die Dusche und drehte den Hahn ganz auf. Normalerweise war Ali für derartige Notfälle zuständig. Für alles hatte sie Salben parat. Kotze und Blut machten ihr nichts aus. Sie watete einfach hinein und wischte alles auf, wobei sie zudem noch beruhigend gurrte. Wenn er jedoch jemanden sah, dem übel war, hätte er am liebsten selber als Erster gekotzt. Ed zerrte die Jungs unter der Dusche hervor und rubbelte sie trocken.

Tanya warf ihm die sauberen Pyjamas zu.

«Wo ist Mum?»

«Bei Tante Jemma.»

«Oh-ooh. Was ist denn jetzt wieder passiert?», fragte Tanya.

Ed hielt inne. «Das wird dir Mami erklären, wenn sie kommt.»

«Einen Scheiß wird sie tun», sagte Tanya. «Die geilen Sachen erzählt sie mir nie.»

«Geh jetzt ins Bett», sagte ihr Vater.

Mosernd trollte Tanya sich.

Ed steckte Elliott in seinen Pyjama und knöpfte ihm das Oberteil zu. Er konnte nur staunen, dass der Schreihals von vorhin zu einem so engelsgleichen Geschöpf mutiert war. Thomas zog sich still in der Ecke an. «Wenn Mami nicht da ist», überlegte Elliott laut, «darf ich dann zu dir ins Bett?»

«Nur dies eine Mal», antwortete Ed müde. «Das darf nur nicht zur Gewohnheit werden.»

«Kann ich auch mitkommen?», fragte Thomas.

Ed schmunzelte. «Natürlich kannst du das, Liebling.»

Und dann verdrängte er einfach den Gedanken, dass sein Sohn sich eventuell im Bett übergeben könnte.

Er sah sich kurz den Fußboden des Badezimmers an, nahm sich vor, ihn gleich am nächsten Morgen sorgfältig zu reinigen, und stopfte die schmutzigen Sachen in den Wäschekorb, um sich ihrer ebenfalls am nächsten Morgen anzunehmen.

Nachdem sie alle in Eds Bett lagen, schaltete dieser das Licht aus. Elliott und Thomas kuschelten sich an ihn. Es war ein eigenartiges Gefühl, anstelle von Ali diese kleinen und knochigen Körper zu spüren. Es war schon lange her, dass Elliott bei ihnen geschlafen hatte. Noch länger natürlich, dass Thomas zu ihnen gekommen war. Und es war sehr lange her, dass er sein Bett mit einer anderen Person als Ali geteilt hatte. Sie hatte stets die Zeiten der erzwungenen Trennung gehasst, wenn er zu Dreharbeiten irgendwo im Ausland gewesen war. Sie hatte genörgelt und gemäkelt. Ihm hatte das jedoch nicht viel ausgemacht, denn er war immer völlig verausgabt oder völlig betrunken gewesen, wenn er am Drehort ins Bett gefallen war, und alles andere drehte sich sowieso um Arbeit, Arbeit und noch mehr Arbeit. Nur eine einzige Nacht hatte es gegeben, in der er mit einer anderen Frau ins Bett gegangen war, mit einer Produktionsassistentin oder einem Make-up-Girl, das wusste er auch nicht mehr so genau. Sie war hübsch gewesen, jung und zu haben. Sie hatten beide sehr viel getrunken, und zudem hatte er sich mit Ali am Telefon über irgendeine Nichtigkeit gestritten. Die Kleine hatte es wahrscheinlich darauf angelegt, Harrison Ford aufzureißen, es aber nicht geschafft. Jedenfalls hatten sie die Nacht zusammen verbracht, und es war ein Riesenspaß gewesen. Bis zum Morgen. Da hatte er sich dann elend und dämlich gefühlt, und sie hatte sich nüchtern und dämlich gefühlt. Sie waren einander aus dem Weg gegangen, bis der Film im Kasten war, und seitdem hatte er sich nie wieder auf dergleichen eingelassen. Nicht, dass sich dazu etwa keine Gelegenheit ergeben hätte, nein, er fand nur, dass unverbindlicher Sex einfach nicht der Mühe wert war. Er war mit Alicia glücklich. Er liebte Alicia.

Elliott rubbelte sich an ihm. «Du riechst so gut, Daddy.» Ed atmete tief ein. Elliott roch nach Pisse. Thomas stank nach Kotze. Er musste dringend daran arbeiten, seine Fähigkeiten als Kindermädchen und Waschfrau zu verbessern.

Elliott nuckelte am Daumen und döste ein. Kurz vorher murmelte er noch: «Ich finde es doof, wenn Mami nicht hier ist.»

«Ich auch», stimmte ihm Thomas zu.

«Pssst jetzt», sagte Ed und strich seinen Söhnen über die weichen Haare. Auch ihm gefiel es nicht, dass Ali nicht da war, und er hoffte inbrünstig, dass seine Söhne und er sich an diese Situation nicht würden gewöhnen müssen.

— Kapitel 26 —

Die Straße, in der Christian wohnt, macht schwer was her. Irgendwie bin ich verblüfft. Ich weiß nicht, warum. Ich nehme an, ich hatte leicht verwahrloste studentische Wohnverhältnisse erwartet, aber so ist es ganz und gar nicht. Wollte man in dieser Nachbarschaft was zum Wohnen finden, musste man auf jeden Fall mindestens eine halbe Million Pfund auf den Tisch legen können. Besonders deswegen, weil die Gegend durch den Film *Notting Hill* berühmt geworden ist. Hugh Grant hat jede Menge Immobilienbesitzer hier sehr froh gemacht.

Man wohnt fast ausschließlich in todschicken und sehr gepflegten Terrassenhäusern, die in optimistischen Mittelmeerfarben gehalten sind: rosa, gelb und wolkenlos himmelblau. Eiserne Zäune umsäumen die Grundstücke, Veranden sind von kunstvoll geschmiedetem Eisen eingefasst, und die Blumenkästen vor den Fenstern quellen über mit bunten Frühlingsblumen. Die Autos, die auf der Straße parken, stammen aus den Träumen kleiner Jungen. Fragen Sie mich nicht, welche Marken es sind. Mir kommt es nur darauf an, dass mein Auto morgens anspringt, und unter Umständen noch darauf, welche Farbe es hat.

Christians Haus sieht etwas weniger schick aus als die anderen, und schon bin ich erleichtert. Im Blumenkasten vegetiert, was nach den Überresten der letztjährigen Geranien aussieht, und die begrüßen wahrscheinlich als einzige weit und breit den Sintflutregen. Zwei Fahrräder sind ans Geländer gekettet, und der Mülleimer unten an den Souterraintreppen ist mehr als randvoll. Eine der Katzen aus der Nachbarschaft nascht an den Überresten eines Chinagerichts aus einer Alubox. Die Eingangstür ist lila gestrichen und mit kunstvollen Schnitzereien verziert, aber wenn man genauer hinsieht, erkennt man, dass die Farbe überall aufgeplatzt ist und stellenweise abblättert.

Leichte Furcht beschleicht mich, als ich mich frage, ob Christian vielleicht noch bei seinen Eltern wohnt und das nur nicht eingestehen mochte, weil er es für uncool hielt. Bevor ich mich umdrehen und davonrennen kann, drücke ich auf die Klingel, aber höre kein beruhigendes Läuten auf der anderen Seite.

Ich warte und werde dabei immer nasser. Langsam wird mir auch klar, dass sich dies zur wahrscheinlich übelsten Nacht meines Lebens entwickelt. Ich klammere mich an meinen jämmerlich kleinen Koffer wie an einen Schmuseteddy und wüte stumm vor mich hin. Wie bei Jemma scheint auch in diesem Haus kein einziges Licht zu brennen, und die Vermutung liegt nahe, dass Christian bereits zu Bett gegangen ist. Wenn die Klingel funktionieren würde, wäre er bereits hier. Ich läute nochmals und stelle mich ein bisschen dichter an die Tür, um unzureichenden, aber verlockenden Schutz unter dem Balkon zu finden. Einige Minuten vergehen, und ich verlege mich darauf, am Briefkasten zu klappern, da ich inzwischen überzeugt bin, dass die Klingel ihren Geist aufgegeben hat.

Kaum habe ich damit angefangen, öffnet ein junges Mädchen die Tür. Schlaftrunken reibt sie sich die Augen. Außer einem seidenen Unterrock trägt die Kleine nichts.

Ich überprüfe schnell noch einmal die Adresse, weil ich fürchte, dass der dicke Regentropfen die Hausnummer verwischt hat (meine Lesebrille, die jetzt hilfreich wäre, ist ebenfalls in der Handtasche zurückgeblieben!) und ich ein völlig unbeteiligtes Sexkätzchen mitten in der Nacht aus dem Bett geholt habe. Sie sieht mich verständnislos an. Mit Recht.

«Hi», sage ich und streiche dabei meine platten, nassen Korkenzieherlocken nach hinten, damit ich nicht ganz so verwirrt aussehe. «Ich möchte zu Christian Winter.»

Trotz der Schlaftrunkenheit weiten sich ihre Augen. «Chris?»

«Ja.»

«Der ist unterwegs.»

Es folgt eine längere Pause, und eine von uns beiden sollte eigentlich etwas sagen. Keine tut es. Bis ich das Gefühl habe, ich sollte es tun, bevor sie in Versuchung gerät, mir die Tür vor der Nase zuzuschlagen.

«Ich würde gern auf ihn warten», sage ich. «Wenn es keine Umstände macht.»

Ihr Blick sagt, dass es natürlich Scheißumstände macht, denn es ist ja schließlich ein Uhr morgens! Sie wird langsam wacher, verschränkt die Arme über der Brust und beäugt mich argwöhnisch.

Wer würde schon jemanden, der so fertig aussieht wie ich, mitten in der Nacht in sein Haus lassen? «Es ist wichtig.»

«Sind Sie seine Mutter?»

«Nein.» Ich mag ja schlimm aussehen, aber doch nicht so schlimm! «Wir sind befreundet. Vielleicht hat er mich ja mal erwähnt», sage ich betont geduldig. Warum sollte er? «Ich heiße Ali. Alicia.»

Das Sexkätzchen reagiert wie vom Donner gerührt und lässt den Blick von meinem Haar zu meinen Schuhen und wieder zurück wandern. In Zeitlupe, wohlgemerkt. «*Sie* sind Ali?»

«Ja.»

«Scheiße», murmelt sie und tritt beiseite. «Kommen Sie lieber rein.»

Das Sexkätzchen patscht mit bloßen Füßen in eine gigantische Küche, die mir – desorientiert, wie ich bin – so groß vorkommt wie zehn Fußballfelder. Und ich frage mich, wer in aller Welt die Kleine wohl sein mag.

Seine Schwester kann sie nicht sein, selbst wenn es eine gäbe, denn die hätte ja wohl die eigene Mutter in der Tür erkennen müssen, selbst mitten in der Nacht. Wohnt er gemeinsam mit anderen Leuten in diesem Haus? Warum habe ich das nicht in Betracht gezogen? Über was, in aller Welt, haben wir uns den lieben Tag lang unterhalten? Bin ich etwa in die Rolle der vernarrten Mutter verfallen und hab stundenlang von meinen Kindern gefaselt?

«Tee?», fragt sie und nimmt den Kessel zur Hand.

«Wenn es nicht zu viel Mühe macht.»

Sie sagt nichts, aber ich nehme an, dass es ziemlich viel Mühe macht und dass ihre Gastfreundschaft aufgesetzt ist. Aber ich betrachte die Sache auch von ihrer Warte. Sie wird Christian morgen bestimmt erwürgen. Ich sitze stumm da, während das Wasser eine Ewigkeit braucht, bis es kocht. Sie macht nur einen Becher Tee.

Den stellt sie vor mich auf den Holztisch. Anscheinend ist es ihr egal, dass der heiße Becher einen weißen Rand auf dem Holz hinterlassen wird. Oder vielleicht ahnt sie es ja auch gar nicht. «Danke.»

«Ich bin Rebecca», sagt sie. «Christian und ich teilen uns dies Haus.» Sie sieht sich abschätzig in der großen Küche um. «Wir sind ... alte Freunde.»

Eine bedeutungsschwangere Aussage, die auch noch eine leichte Warnung zu enthalten scheint. Und wenn mein Sinn für Humor nicht zu Hause in meiner Handtasche zurückgeblieben wäre, hätte ich es gewiss als amüsant empfunden, dass diese perfekt gebaute Nymphe Konkurrenz durch eine Frau fürchtet, die gegenwärtig aussieht wie die Mutter aller Hexen.

Rebecca setzt sich nicht zu mir, sondern lehnt sich an den Herd und mustert mich prüfend. «So hatte ich Sie mir nicht vorgestellt.»

Was soll ich darauf antworten? Ich kann mir absolut nicht vorstellen, was Christian von mir erzählt hat, wenn er mich überhaupt beschrieben haben sollte. Wenn ich jedoch ihren Gesichtsausdruck richtig interpretiere, dann muss sie wohl ein richtig heißes Teil erwartet haben und keine verhärmte Tussi, von der man erwartet, dass sie jeden Moment verlangt, den Fahrschein zu sehen. Mir kommt ein grässlicher Gedanke. Ich befand mich wahrscheinlich auf dem Höhepunkt meiner coolen Hot-Pants-Phase, als Christian und das junge Fräulein hier das Licht der Welt erblickten.

«Was tun Sie überhaupt hier?», fragt sie und sieht auf die Uhr, um mir deutlich zu machen, wie spät es bereits ist.

«Das weiß ich auch nicht so recht», antworte ich wahrheitsgemäß. Ich will dieser Fremden nichts von meinem Krach mit Ed erzählen und davon, dass ich von diesem kindischen und uneinsichtigen Mann sozusagen auf die Straße gesetzt worden bin. Wenn ich es täte, würde ich bestimmt zu heulen anfangen.

Sie reibt sich die bloßen Arme, um die Kühle der Nacht zu vertreiben, und ich spüre ebenfalls, dass ich innerlich zu zittern anfange.

«Was meinen Sie, wann Christian nach Hause kommt?», frage ich kleinlaut.

Rebecca prustet. «Wer weiß das schon? Christian macht, was er will – aber das werden Sie vermutlich bereits wissen.» Ich sehe, dass ein feines Lächeln ihre Lippen umspielt, als meine Miene deutlich erkennen lässt, dass ich es noch nicht weiß. «Er zieht mit Robbie um die Häuser, dem anderen Typ, der hier noch wohnt. Könnte sogar sein, dass sie heute Nacht gar nicht wiederkommen.» Sie sieht mich herausfordernd an.

«Ich trinke den Tee hier aus und mach mich dann auf den Weg», sage ich und trinke den Tee, ohne ihn zu schmecken.

«Bleiben Sie nur», sagt sie achselzuckend. «Wenn Sie

mögen. Wenn Sie es nicht eilig haben, nach Hause zu kommen.»

«Würde es Ihnen denn nichts ausmachen?» Wieder das gleichgültige Achselzucken.

«Ich geh in die Falle.» Sie unterdrückt ein Gähnen. «Sie können das Bett von Chris haben, denke ich. Oder sich auf dem Sofa lang machen. Ganz, wie Sie mögen.»

«Ich werde einfach hier warten», sage ich.

«Sie müssen es wissen.»

«Danke, Rebecca.» Ich lächle sie an. «Sie sind sehr freundlich.» Und auf ihre Weise war sie das auch. Sie hat mich in ihre Wohnung eingeladen, obwohl ich ihr völlig fremd bin, und offenbar ist sie inzwischen auch überzeugt, dass ich für Christian viel zu alt und verknöchert bin.

«Sollten Sie sich entschließen zu gehen», fügt sie hinzu, als sie die Küche verlässt, «bitte schließen Sie die Tür leise. Ich hab einen sehr leichten Schlaf.»

Ich lächle ihrem Rücken hinterher, ihren durchgedrückten Schultern und ihrem kecken Hintern. Ich rutsche an der geraden Stuhllehne etwas nach unten, um es mir für eine möglicherweise sehr lange Wartezeit etwas bequemer zu machen.

— Kapitel 27 —

Das Hämmern an der Eingangstür brauchte einige Minuten, bis es in Eds Bewusstsein gedrungen war und ihn aus dem Tiefschlaf riss. Abrupt richtete er sich kerzengerade im Bett auf und stellte erst mal fest, dass Elliott schon aufgestanden war. Thomas, noch immer blass und kränklich, schlief. Ed schlüpfte in seinen Morgenmantel und gab sich ganz kurz dem Wunschgedanken hin, für das beharrliche Klopfen könne Ali verantwortlich sein, die heimgekommen war, aber keinen Schlüssel hatte. Aber dieser Lärm konnte nur von zwei ganz bestimmten Fäusten herrühren. Ed spähte aus dem Fenster, und wie sollte es auch anders sein: Neils Motorrad war mitten in der Einfahrt «geparkt», wie sein Bruder es nannte.

«Oh, Scheiße», grummelte Ed und machte sich auf den Weg nach unten.

Mit Kopfhörern saß Elliott im Wohnzimmer und hatte den Kinderkanal eingeschaltet. «Onkel Neil hämmert schon seit zehn Minuten gegen die Tür!», tadelte Ed.

Elliott hob die Kopfhörer an. «Was?»

«Vergiss es.» Ed riss die Vordertür auf.

Draußen stand Neil, grinsend und den Sturzhelm unterm Arm. Das Lächeln schien ihm aber schnell zu vergehen. «Du siehst verdammt scheiße aus, Bruderherz.»

«Vielen Dank», sagte Ed und ließ ihn vorbei. «So fühl ich mich auch.»

Ed folgte seinem Bruder, der in Bikerkluft extrem cool aussah, in die Küche. Neil legte den Helm beiseite und füllte den Wasserkessel. «Du brauchst einen Kaffee», sagte er. «Schwarz und stark.»

Tanya lehnte im Türrahmen.

«Wer ist denn das aufregende Geschöpf?», fragte Neil.

Tanya wurde rot. Das aufregende Geschöpf hatte zentimeterdick Fundierung aufgelegt und war umhüllt von einer Wolke aus Alis Lieblingsparfüm, wie Ed sofort auffiel. Sie klimperte mit den Lidern. «Hi, Onkel Neil.» Sie wandte sich Ed zu, und das Klimpern stoppte abrupt.

«Du siehst aus, als hättest du getrunken, Dad», bezichtigte sie Ed.

«Hab ich aber nicht», sagte Ed. Ich wünschte aber, ich hätte es getan, fügte er stumm hinzu.

«Wo ist Mum?»

Ed vermied es, einen von beiden anzusehen. «Sie ist immer noch bei Jemma.»

«Die Kotzklamotten müssen gewaschen werden.»

«Kannst du das nicht machen?»

«Ich verbringe den ganzen Tag mit Hannah Cooper. Wir fahren nach Brighton. Jetzt gleich. Mum sollte mir eigentlich Sandwiches machen.»

«Ich nehme an, dazu hat sie nicht die Zeit gefunden», erläuterte Ed. «Außerdem bist du fünfzehn Jahre alt und müsstest wirklich in der Lage sein, dir selbst deine Sandwiches zu machen.»

Tanya öffnete den Kühlschrank und prüfte ungnädig dessen Inhalt. «Ich mag nichts von dem, was wir haben. Ich bin Vegetarierin.»

«Seit wann?»

«Seit heute.»

Ed seufzte. «Neil. Hast du mal 'nen Zehner?» Neil kramte in den Taschen seiner Lederkluft und fand einen Zehn-Pfund-Schein. Er gab ihn Ed, der ihn an Tanya weiterreichte. «Kauf dir einen Sojaburger.»

Tanya lächelte und gab ihm einen Kuss. «Danke, Dad. Ich weiß noch nicht, wann ich wieder da bin.»

«In diesem Haus eine Standardfloskel», murmelte Ed, und seine Tochter knallte die Eingangstür hinter sich zu.

Neil stellte ihm einen Kaffee vor die Nase, der höllisch stark aussah. «Ich schulde dir 'nen Zehner, Kumpel», sagte Ed.

«Ich schreib's zu all den anderen Schulden», kommentierte Neil und kostete zögernd von der pechschwarzen Brühe. «Steckt Jemma mal wieder in einer Beziehungskrise?»

«Nein.»

Neil spitzte die Lippen. «Mädchenabend auf der Piste?»

«Nein.»

«Gibt es vielleicht etwas, das du mir mitteilen möchtest?»

Ed verschränkte die Arme und stützte sich auf den Küchentresen. «Sie hat mich verlassen.»

«Wer?»

«Alicia. Wer sonst? Alicia hat mich verlassen!»

«Nein, nein, nein, Bruderherz, nein.»

«Hat sie aber.»

«Niemals.»

Ed deutete auf die leere Küche.

«Wann?»

«Gestern Abend.»

«Und warum?»

«Weil ich sie darum gebeten habe.»

«Sie hat dich verlassen, weil du sie darum gebeten hast?»

«So könnte man es sagen», stimmte Ed zu.

«Bist du wahnsinnig?»

Diese Vermutung war ihm während der vergangenen zwölf Stunden tatsächlich gekommen. «Es gibt da jemanden, mit dem sie sich trifft.»

«Ali?» Neil zog eine Grimasse. «Wann?»

«Ich weiß nicht.»

«Ali hat doch dazu gar keine Zeit. Ist viel zu sehr damit beschäftigt, sich um euch zu kümmern.»

Auch das war ihm in den Sinn gekommen.

«Und wie lange geht das schon?»

«Weiß ich nicht.»

«Wer ist es?»

«Weiß ich auch nicht», räumte Ed ein.

Neil runzelte die Stirn. «Verstehe, ihr habt das Problem in aller Gründlichkeit diskutiert.»

«Sie waren zusammen in Kew Gardens.»

«Oh, in diesem Sündenpfuhl!»

«Du bist mein Bruder. Da solltest du auf meiner Seite stehen!»

«Da stünde ich auch, wenn du nicht so viel Scheiße im Hirn hättest!» Neil kam quer durch die Küche und beugte sich seinem Bruder entgegen. «Du meinst, sie hat eine Affäre, aber kannst dir nicht vorstellen, woher sie die Zeit dafür haben könnte, und du weißt nicht, wie lange es schon so geht, und du weißt ebenso wenig, mit wem sie dich betrügt. Aber du meinst, all das ist Grund genug, sie zu bitten, dich zu verlassen. Also hat sie einen Koffer gepackt und ist zu Jemma gezogen.»

Ed knabberte an seinem Daumennagel. «Glaubst du, ich war vielleicht zu voreilig?»

«Heilige Scheiße auch», sagte Neil.

«Ich hatte einen echt schlechten Tag hinter mir, Alter.»

«Und du hast noch weitaus schlechtere Tage vor dir, wenn du dich nicht schleunigst bei ihr entschuldigst.» Neil steuerte ihn auf die Tür zu. «Zieh dich an. Los doch … zieh dich an. Mit ein bisschen Glück schaff ich es vielleicht, dich da hinzuschaffen, bevor die beiden aufgestanden sind und einen durchtriebenen Plan ausgeheckt haben, wie sie es dir heimzahlen können. Die Nummer wird dich teuer zu stehen kommen, Bruderherz. Ich würde mal annehmen, unter einer Karibikkreuzfahrt wirst du nicht davonkommen, Alter.»

— Kapitel 28 —

«Weißt du, ob ihr Brot habt?» Ich hab keine Ahnung, wessen Stimme das ist, und öffne sicherheitshalber nur ein Auge. Als ich schließlich erkennen kann, wer mit mir spricht, bekomme ich einen Schock. In diesem Haus bin ich anscheinend belagert von nur teilweise bekleideten, leicht unterernährten, aber nichtsdestoweniger hinreißenden Geschöpfen. Mein Selbstwertgefühl sinkt auf der Stelle unter null.

«Brot?», wiederholt sie.

«Ich weiß nicht», stammele ich. Irgendwann muss ich mich auf dem durchgesessenen Sofa in Christians Küche zusammengerollt haben. Mit ist bitterkalt, und meine Knochen sind bleischwer. «Ich wohne nicht hier», sage ich.

«Ich auch nicht», erwidert die Hübsche.

Diese trägt noch weniger am Leib als Rebecca heute Nacht: nur BH und Höschen nach neuester Mode. Hauchdünne, durchsichtige Teile mit Leopardenmuster, die gegen eine steife Brise nichts ausrichten könnten. Nicht mal gegen eine sanfte Brise. Ihr schlanker Körper ist leicht gebräunt, aber ihr Gesicht zeugt mit seiner geisterhaft fahlen Blässe von einem schlimmen Kater. Sie tänzelt über die Terrakottafliesen, während sie angeblich nach Brot sucht und darauf wartet, dass ihr Kaffeewasser kocht. «Ich brauche unbedingt Toast», sagt sie bibbernd.

Ich setze mich mühevoll auf und massiere meine abgestorbenen Muskeln. Die Horizontale fühlt sich schlimmer an, als ich in Erinnerung habe. Daher lasse ich den Kopf gegen die Sofalehne sinken.

Das Mädel betrachtet mich besorgt. «Sind Sie okay?»

Ich versuche es mit einem schwachen Lächeln. «Bestens.»

«Ich bin Sharon», sagt sie und lächelt ebenfalls.

«Ali.» Zumindest halte ich mich dafür. «Sind Sie eine Freundin von Christian?», frage ich.

Sie rümpft die Nase. «Eigentlich nicht. Na ja, irgendwie schon. Hab ihn aber erst gestern Abend im Exodus kennen gelernt.» Ich habe nicht die geringste Ahnung, was oder wo das Exodus ist, will aber nicht uneingeweiht erscheinen. Also nicke ich nur und lächle und sage nichts. Sharon findet tatsächlich Brot und winkt damit triumphierend in meine Richtung. «Ich bin hergekommen und hab die Nacht mit ...»

Sharon schaut auf, und ich folge ihrem Blick. Christian steht lässig im Türrahmen. Er trägt lässige Hosen, die ihm lässig um die Hüften hängen. Ich bekomme die Antwort auf eine meiner Fragen: Seine muskulöse Brust ist so glatt wie Elliotts Hintern. Er sieht seinem Hausgast in die Augen, und die Kleine errötet.

«Hi», sagt er, und seine Lippen formen ein Lächeln, das irgendwo zwischen sarkastisch und desinteressiert angesiedelt ist.

Sharon kreuzt ihre bloßen Arme über dem Bauch, verbirgt dadurch aber nicht das Geringste, sondern bringt ihr Dekolleté erst recht zur Geltung. Wie schafft sie es nur, schüchtern auszusehen, obwohl sie nichts am Leib hat als durchsichtige Leopardenunterwäsche?

Ich bin zu weltverdrossen, um eifersüchtig zu reagieren, aber komme mir dennoch wie ein Eindringling vor. «Störe ich vielleicht?», unterbreche ich das stumme Flirten.

Jetzt erst sieht mich Christian. Ich weiß zwar nicht, für

wen er die verwirrte Frau auf dem Sofa gehalten hat, aber mich hatte er bestimmt nicht in ihr erkannt. «Ali?»

Er ist sichtbar erschüttert. Sharon geht es nicht anders, aber sie hat offenbar keine Ahnung, warum sie es sein sollte. «Du liebe Güte, was machen Sie denn hier?»

Das ist eine Frage, auf die ich irgendwann wirklich eine Antwort finden muss. «Ich ... ich ... ich ...»

«Seit wann sind Sie schon hier?»

Ich schniefe. «Schon fast die ganze Nacht.»

«Scheiße!» Christian kommt durch die Küche und kniet neben meinen Füßen. «Haben Sie uns nach Hause kommen hören?»

«Nein. Ich hab nichts gehört. Ich weiß gar nicht, wann ich eingeschlafen bin.»

Eine leichte Beklemmung lässt sich in seinem Blick lesen, als er mich forschend ansieht. «Es ist ernst, nicht wahr?»

Unfähig, einen Laut herauszubekommen, nicke ich nur. «Ich kann verschwinden, wenn ich ungelegen komme.»

«Ganz und gar nicht.» Er und Sharon tauschen einen Blick aus, den ich nicht deuten kann, aber Christian lächelt mir aufmunternd zu.

Dann fasst er meinen Mantel an und sieht dann auf seine Hand, als sei sie blutig. «Ist ja völlig nass», sagt er. «Sie müssen dringend aus den Sachen raus und ein heißes Band nehmen.»

Vor Erleichterung könnte ich Tränen vergießen. Wie nett er zu mir ist. Er hilft mir behutsam vom Sofa hoch, als hätte ich gerade entdeckt, dass ich unheilbar krank bin.

Christian nimmt meine Hand und führt mich aus der Küche. Sein Händedruck ist beruhigend. Ich folge ihm die Treppe hinauf. Erinnern Sie sich an die bleibeschwerten und unsicheren Schritte der ersten Astronauten auf dem Mond? So scheine ich mich jetzt fortzubewegen.

«Wir sind da.» Christian stößt die Badezimmertür auf.

«Wow», staune ich.

Das Badezimmer ist atemberaubend. Es ist gigantisch, und für einen Moment lenkt es mich von allen Problemen ab. Die Armaturen sind weiß und viktorianisch, aber der Raum ist mit Wandgemälden geschmückt, wie ich sie phänomenaler noch nie gesehen habe. Neptun dominiert mit seinem Dreizack die gegenüberliegende Wand. Er ist von Nymphen umgeben, von riesigen Muscheln und gewaltigen Fischen, die alle direkt aus der Mythologie geschwommen kommen. Die leuchtenden Farben sind die der Ozeane: türkis, aquamarin und korallenrot. Delphine spielen an der Decke, begleitet von Nixen mit golddurchwirktem Haar und irisierenden Schwanzflossen.

«Das ist ja fabelhaft.» Ich schüttle ungläubig meine Löckchen.

«Ist von mir», sagt Christian.

«Tatsächlich?»

Er nickt. «Als Geschenk an die Besitzer.»

«Ich wette, die sind begeistert», plappere ich drauflos. Wenn ich nur den Mund halten könnte.

Er zuckt beiläufig mit den Achseln. «Die haben es noch nicht gesehen. Sie sind verreist», sagt er. «Wir hüten sozusagen ihr Haus.»

Ich lasse meinen Mantel von den Schultern gleiten. Er landet als unförmiger nasser Haufen auf dem schwarzweißen Marmorboden.

Christian beugt sich über die Wanne und dreht die

Wasserhähne auf, während ich zögernd meine Bluse aufknöpfe, die an meiner klammen Gänsehaut klebt.

Sharon steckt den Kopf zur Tür herein und sagt mit einem nervösen Kopfnicken: «So, ich muss jetzt los. Ich verabschiede mich aber noch von … äh …»

«Robbie», kommt Christian ihr zu Hilfe.

«Yeah. Und … danke.» Sie lächelt mir zu. «Bis irgendwann mal.»

Ich lächle zurück, und Christian hat anscheinend schon jedes Interesse verloren.

«Sie ist nett», sage ich.

«Scheint okay zu sein», antwortet er über die Schulter. «Obwohl ich nicht so recht weiß, was ich von einem Mädchen halten soll, das scharf darauf ist, die Nacht mit Robbie zu verbringen.»

«Oh.» Ich bin erleichtert, dass sie die Nacht mit Robbie verbracht hat, wer immer das auch sein mag, und nicht mit Christian, denn das hatte ich schon befürchtet.

Meine Wanne ist voll gelaufen, und das prächtige Badezimmer hat sich mit Dampf gefüllt, der nach Erdbeeren riecht. Mir wird von Minute zu Minute wärmer.

Christian sitzt auf dem Klodeckel und betrachtet mich. Für mich ist es eine zutiefst verunsichernde Situation. Wie zeigt man sich nackt vor jemandem, den man kaum kennt? Sein Blick haftet auf meinem Körper. Ganz und gar nicht lüstern oder so, aber trotzdem kommt es mir so vor, als würde ich ihm einen Striptease vorführen. Ich würde mich am liebsten in mir selbst verkriechen, um meine Unzulänglichkeiten vor seinen intensiven Blicken zu verbergen. Niemand hat mich je so angesehen, und ich fühle mich auf mehr als eine Weise entblößt.

Ich klettere so anmutig in die Badewanne, wie ich es hinkriege, und meine Füße sieden im heißen Wasser.

Langsam lasse ich mich in den Schaum sinken und spüre dessen sanftes Streicheln auf meiner matten Haut. Voller Wonne genieße ich die Wärme, die meine Nerven beruhigt und mich vom Stress erlöst. Ich schließe die Augen, und die Tränen lassen sich nicht von meinen Wimpern zurückhalten, sondern hinterlassen ihre stummen Spuren auf meinen glühenden Wangen.

Christian rutscht neben die Wanne, und ich mache die Augen auf, als er meine Tränen mit einem Pu-der-Bär-Waschlappen abtupft.

«Möchten Sie mir sagen, warum Sie hier sind?»

Eigentlich nicht, denke ich. Zu früh. Zu kompliziert. Und viel zu peinlich. Ich atme tief durch, was zu Herzflattern führt. «Ed hat alles herausgefunden», sage ich so beherrscht, wie ich kann. «Er hat das mit uns herausbekommen und mich rausgeworfen.»

Ich erzähle die Geschichte von Elliott und dem Klettergerüst, dem Besuch auf der Unfallstation, von der Eintrittskarte für die Kew Gardens usw. usw.

«Scheiße», ist alles, was er sagt, und ich verstehe ganz genau, was er meint. «Und was wollen Sie jetzt tun?»

«Mich anziehen, nach Hause fahren und zu Kreuze kriechen, denke ich.»

«Aber wir haben doch gar nichts getan.»

«Genau das werde ich ja zu erklären versuchen.»

Christian zupft an seinem Pony. «Es ist alles meine Schuld.»

«Das finde ich nicht. Sie haben mich doch nicht gegen meinen Willen dazu verführt.»

«Sie lieben Ihren Mann aber doch noch immer.»

Darüber brauche ich noch nicht einmal nachzudenken. «Ja.»

Sein Gesicht sieht traurig aus, und ich ertrage es nicht,

dass seine Mundwinkel nach unten weisen. «Und was ist mit uns?»

«Ich glaube, ‹uns› sollten wir jetzt vergessen.»

«Ich hatte gehofft, genau diese Worte nicht von Ihnen zu hören.»

«Es geht aber nicht anders», lasse ich die Vernunft walten. «Es geht eben nicht nur um mich. Ich habe drei Kinder, auf die ich Rücksicht nehmen muss. Ich bin nur hergekommen, weil ich nicht wusste, wohin ich sonst hätte gehen sollen.»

Christian streicht mir mit dem Handrücken über die Wange. Sein Gesicht taucht in mein Haar, und er küsst zärtlich meine widerspenstigen Locken.

«Ali», haucht er. «Ich bin so unendlich verliebt in dich.»

«Christian …», will ich sagen, aber sein feuchter Mund verschließt meinen, heiß und weich. Meine Brüste berühren die Wärme seiner Brust, und er zieht mich an sich, flüstert meinen Namen. Ich bin hin und weg. Einfach so. Hingerissen und erglüht im Feuer seiner Berührung.

Unsere Lippen sind noch immer miteinander verschmolzen, als er seine lässigen Hosen von sich schüttelt, und der Anblick seines nackten Körpers lässt mich stöhnen. Diese jugendlichen Konturen sind die einer klassischen Skulptur, und die Ansätze seiner Muskeln lassen ahnen, wozu sein Körper im vollen Mannesalter erblühen wird. Er klettert in die Wanne und steht über mir. Seine verlangenden Küsse bedecken mich, und sein Gesicht färbt sich vor Lust. Hab ich je zuvor in einem Mann ein solches Begehren entfacht? Ich glaube nicht. Es ist ein so übermächtiges Gefühl, dass sämtliche Hemmungen, die ich je gehegt haben mochte, sich verflüchtigen. Seine Augen und sein Körper verzehren sich nach mir. Und ich möchte ihn ebenfalls verschlingen. Wir winden und drehen uns, bis ich über ihm bin und wir uns lieben. Wir lösen uns ineinander auf, und meine Hände dirigieren seine Hüften in ihrem wilden Verlangen, bis wir gemeinsam aufschreien, weil wir uns in Ekstase verlieren. Und ich verschwende keinen Gedanken darauf, ob die Badezimmertür geschlossen ist oder ob Sharon oder Robbie oder die hellhörige Rebecca uns hören könnten. Und auch nicht darauf, dass ich noch nie zuvor in einer Badewanne Liebe gemacht habe.

— Kapitel 29 —

«Und wo ist sie also?» Ed massierte sein unrasiertes Gesicht.

«Ich hatte gehofft, das könntest du mir sagen», fauchte Jemma ihn an. Mit unnatürlich blau verfärbtem Gesicht rannte sie in ihrer Wohnung auf und ab.

Ed ließ den Kopf noch mehr hängen. «Ich dachte, sie wäre hier.»

«Ist sie aber nicht. Und was nun?»

Neil bewegte sich zappelig, und seine ledernen Bikerhosen quietschten dabei unfein auf Jemmas Ledersessel. Ed bemerkte, dass sein Bruder immer wieder verstohlen auf den Hintern seiner Schwägerin schaute, der in einer Lederhose aus den sechziger Jahren steckte.

«Lass uns doch deine Eltern anrufen», schlug Ed vor.

«Um ihnen was zu sagen? Du hättest vorübergehend ihre Tochter aus den Augen verloren?»

«Vielleicht ist sie ja dort», gab er zu bedenken.

«Ed, wie konntest du nur so gemein sein? Sie ist die Mutter deiner Kinder.»

«Ich weiß, ich weiß», gestand er ein. «Und wenn ich sie finden könnte, würde ich es ja auch sofort wieder gutmachen.»

«Du lässt sie mitten in der Nacht fortgehen, hinaus in den Regen, ohne ihre Handtasche, ohne ihr Telefon. Sie könnte überall und nirgends sein.»

«Ich weiß.»

«Sie könnte im Kanal ertrunken sein.»

Ed horchte verschreckt auf. «In welchem Kanal?»

«In irgendeinem.»

Ed knabberte an seinen Nägeln. «Ich bin sicher, ihr geht es gut.»

«Bist du bescheuert?», schrie Jemma ihn an. «In London wimmelt es von Irren.»

«Und sie ist auch tatsächlich nicht hier gewesen?»

Jemma schüttelte den Kopf. «Ich war die ganze Nacht da. Nichts zu sehen und nichts zu hören von ihr.»

«Sie kann aber doch nicht einfach vom Erdboden verschwunden sein», sagte Ed. «Meint ihr, ich sollte bei den Krankenhäusern und der Polizei anrufen? Macht man das nicht, wenn eine Person verschwunden ist?»

«Sie ist aber nicht ‹verschwunden›, Edward, sondern sie wurde nach einem häuslichen Streit hinausgeworfen. Die Polizei wird als Erstes bei euch im Innenhof graben lassen.»

«Oh, Scheiße.»

«Du sagst es – oh, Scheiße!», wiederholt Jemma.

«Hat sie dir was von diesem Kerl erzählt? Von diesem … Christian?»

«Klar hat sie das. Ich bin ihre Schwester.» Jemma legt die Hand aufs Herz. «Sie erzählt mir alles.»

«Und ...?»

«Und – nichts! Es war nur ein alberner Flirt. Sie hatte ein bisschen Spaß. Den kann sie weiß Gott auch brauchen.» Jemma sah Ed vorwurfsvoll an, und er fragte sich, was Ali wohl sonst noch erzählt haben mochte. «Er ist doch noch ein Junge», fügte sie hinzu. «Ein Kind.»

«Stimmt das?»

«Wenn du dir die Zeit genommen hättest, mit ihr zu sprechen, statt gleich aus der Haut zu fahren, hättest du es ebenfalls erfahren. Er hat sich in Ali verguckt. Eine alberne Schuljungenschwärmerei. Du hättest wahrscheinlich nur gelacht.»

Das bezweifelte Ed. Die Vorstellung, dass ein Schuljunge nach seiner Frau lechzte, konnte er beim besten Willen nicht amüsant finden.

«Soll ich uns mal den Kessel aufsetzen?», fragte Neil fröhlich.

«Eine großartige Idee, Neil», sagte Jemma, als hätte er soeben verkündet, das Rätsel des Lebens gelöst zu haben, und nicht nur typisch britisch auf eine schwierige Situation reagiert. Eine schöne Tasse Tee. Ed gab durch ein leises Schnalzen sein Unverständnis zu verstehen. Jemma machte wieder ein freundliches Gesicht und lächelte seinen Bruder strahlend an. «Ich zeig dir, wo die Sachen sind.»

Neil folgte ihr in die Küche. Dabei zwinkerte er Ed anzüglich zu. Seine klobigen Motorradstiefel passten so gar nicht zu der stromlinienförmigen Eleganz der Wohnung. Das war kein Heim, sondern Innenarchitektur. Innenarchitektur zum Vorzeigen, ein Haus, in dem sich alles an seinem Platz befand. Es war klein und so kompakt, dass es schon etwas von einer Puppenstube hatte. Außerdem war es gnadenlos stilvoll. An keiner Wand prangten die

Abdrücke schmutziger Finger, am Kühlschrank waren keine sich hoch ringelnden Kartoffeldrucke mittels Magneten befestigt, und weder Spielsachen noch Rollerblades oder Skateboards bildeten Barrikaden auf dem Fußboden. Die Atmosphäre, die Jemma anscheinend zu schaffen versucht hatte, bestand in der Abwesenheit jeder Art von Atmosphäre, soweit Ed feststellen konnte. Aber er wohnte ja auch schon so lange in einem Haus, das eine Kreuzung aus Laura Ashley mit Hamleys Spielzeugparadies war, dass er vergessen hatte, wie das Leben in den Zeiten vor der großen Unordnung gewesen war. Er hoffte, dass es den Jungs gut ging. Vielleicht sollte er mal kurz anrufen und sich erkundigen, aber dann wäre das Handy besetzt, und es bestand doch die schwache Chance, dass Ali gerade in dieser Sekunde anzurufen versuchte.

Nach den Tönen zu urteilen, die aus der Küche zu ihm drangen, herrschte dort ausgelassene Stimmung, was Ed unter den gegebenen Umständen für unangebracht hielt. Aber er sah ein, dass er sich die schlechte Laune selbst zuzuschreiben hatte und nicht von allen anderen erwarten konnte, dass sie die miese Stimmung teilten.

Als Neil und Jemma dann mit dem Tee wiederkamen, nahm Ed eine Tasse und lächelte, obwohl er viel lieber zu Hause gewesen wäre, um dort darauf zu warten, dass Ali zurückkehrte. Und das würde sie doch ganz sicher tun, oder?

— Kapitel 30 —

«Ich will aber nicht, dass du gehst.» Christian hält meine Taille umschlungen und schaut mich flehentlich mit seinen dunkelbraunen Welpenaugen an.

Meinem Ehemann Ed hab ich zu verdanken, dass ich höchst eigenwillig gekleidet bin. Unterhöschen hatten im kleinen Koffer keinen Platz mehr gefunden, und daher ist mein Hintern unter den kratzigen Wollhosen nackt – was Christian amüsiert, mich aber ganz und gar nicht.

«Ich muss aber.» Das Köfferchen wartet geduldig zu meinen Füßen, und ich bin so weit, mich auf den Heimweg zu begeben.

«Es war doch aber gut, oder?» Er reibt die Nase an meiner.

«Ja.» Ich habe in meinem Leben außer mit Ed nur mit einer Person geschlafen, und das war ein Ausrutscher als Teenager sowie totale Zeitverschwendung, zumindest nach meinem Dafürhalten. Ich wage jedem zu widersprechen, der behauptet, dass seine erste Erfahrung mit Sex keine totale Enttäuschung war. Man wird bombardiert mit Bildern von sich brechenden Wellen, und angeblich soll man laute Tonkaskaden hören wie in der Werbung von Old Spice und explodierende Feuerwerkskörper, es sollen die Glocken läuten und Sternschnuppen vom Himmel regnen, aber die Realität ist anders. Oder? Die Realität ist: Das kann doch nicht alles gewesen sein! Ich kann doch nicht all die Jahre auf das hier gewartet haben! Das ist die Realität. Keine einzige Welle schlug über mir zusammen, als ich nach Monaten der Verweigerung David Chatham meine Jungfräulichkeit opferte. Es war nicht einmal so beeindruckend wie ein tropfender Wasserhahn. Es herrschte große Enttäuschung, und kurz darauf trennten wir uns. Genau gesagt, bereits drei Tage später.

Mit Ed war es anders. Es war gut. Es war aufregend. Aber es dauerte dennoch nicht lange, bis es zur angenehmen Selbstverständlichkeit wurde. Sex für Menschen, die daran denken, dass sie früh wieder aus dem Bett müssen, oder sich Sorgen machen, dass die Verhütung versagt. Sex, bei dem man kein Feuerwerk erleben darf, weil laute Geräusche die Kinder wecken könnten. Sex, bei dem man keine Angst zu haben braucht, dass man vielleicht beim Orgasmus ein albernes Gesicht macht oder dass bestimmte Körperbereiche schwabbeln wie Götterspeise. An diese Art Sex habe ich mich gewöhnt. Mir gefällt sie sogar. Ich hatte gedacht, dass sei eben alles.

Christian hingegen hat mich verrückt gemacht. Ich habe nie Pot geraucht, aber ich kann mir vorstellen, welche Wirkung es hat. Ich schwebe und grinse und bin innerlich butterweich. Nach dem «Vorfall» im Bad haben wir uns noch einmal auf Christians Bett geliebt, und … Der Junge muss Unterricht genommen haben, das steht außer Frage, denn niemand wird so sinnlich geboren. Ich hatte jede Menge riesiger Wellen, die über mir brachen, ich hatte die Gesamtfassung von Carl Orffs «Carmina Burana O Fortuna» (Werbung für Old Spice) … ich hatte die am Himmel zerplatzenden Feuerwerkskörper. In alle Richtungen stoben die Sterne auseinander. Und ich werde mich wohl neu orientieren müssen, denn ich weiß nicht, ob mir Sex als angenehme Selbstverständlichkeit noch reichen wird, wenn ich wieder zu Hause bin. Ich war bis jetzt noch nie auf den Gedanken gekommen, unbefriedigt zu sein, aber vielleicht bin ich es. Ed und ich müssen uns wohl unsere Regenhäute überstreifen und in der Pornoabteilung der Videothek an der Ecke einen filmischen Ratgeber nach Art von «Sextechniken, die verrückt machen» ausleihen oder etwas anderes, das nicht allzu vulgär ist, denn wenn es auch vor ein paar Stunden noch nicht so war, bin ich inzwischen doch ehrlich davon überzeugt, dass Ed und ich Hilfe brauchen.

«Ich will noch immer nicht, dass du gehst.» Christian knabbert an meinem Ohr. Ich besitze erogene Zonen, von denen ich noch nie etwas geahnt habe, und ich befinde mich in einem totalen Gefühlschaos.

«Nicht doch.» Ich weiche von ihm zurück und setze dabei meine bevorzugte Lehrerinnenstimme ein.

«Ich ruf dich an», sage ich.

«Versprich es.»

«Wir können irgendwann mal Kaffee trinken.»

«Das reicht nicht, Ali. Es reicht mir nicht, und dir reicht es auch nicht.»

«Das muss es aber», sage ich und höre mich diesmal wirklich so an, als sei es mir ernst. «Ich bin wirklich, wirklich froh, dass wir diesen gemeinsamen Morgen erleben konnten.»

«Aber ...»

«Da gibt es zu viele ‹Aber›, Christian.» Ich sehe auf meine Uhr. «Und vier davon warten zweifellos bereits darauf, dass ich ihnen das Mittagsessen auf den Tisch stelle.»

Christian lächelt traurig. Er kramt in seiner Hosentasche und zieht eine Zehn-Pfund-Note hervor. «Du wirst ohne das hier nicht sehr weit kommen.» Er zögert, bevor er mir das Geld gibt. «Ich könnte dich gefangen halten», droht er.

Er nimmt mich in die Arme und drückt mich so fest,

dass es schmerzt. Wie soll ich ihm sagen, dass ich bereits eine Gefangene bin und es mich all meine Kraft kostet, fortzugehen?

– Kapitel 31 –

Eds Wagen steht in der Auffahrt, aber ich bemerke kein Lebenszeichen, als ich die Küchentür öffne. «Hallo.»

Nichts. Ich war verschwunden und könnte auch eine ganze Nacht lang für tödlich verunglückt gehalten worden sein – aber niemand hat auch nur mit der Wimper gezuckt. Ich und mein dämlicher Koffer haben uns von der klapprigen U-Bahn ratternd den langen Weg zurückschaffen lassen, und hier ist niemand zugegen, der auch nur einen Funken Interesse an meinem Wohlergehen hätte. Meine verräterische Handtasche liegt angemessen verschämt auf der Arbeitsplatte. Streitlustig versetze ich ihr einen Handkantenschlag und nehme mir fest vor, demnächst eine neue anzuschaffen, allein schon um diese abzustrafen. Und es wird eine sein, die markerschütternde Alarmtöne von sich gibt, wenn man sich weiter als einen Meter von ihr entfernt.

Das Frühstücksgeschirr steht verlassen auf dem Tisch, und ich folgere daraus, dass ich wohl noch immer die einzige Person in diesem Haushalt bin, die ohne Straßenkarte den Weg zum Geschirrspüler findet.

Ich höre ein leises und befremdliches Winseln aus dem Wohnzimmer. Ein gruseliges Geräusch. Eins von der Sorte, die man in Horrorfilmen hört, wenn der irre Schlitzer auf Schlitztour ist und sein Opfer wimmernd zurücklässt.

Ich renne aus der Küche und stoße die Wohnzimmertür auf. Der Anblick, der sich mir bietet, ist wahrhaft entsetzlich.

Unsere direkten Nachbarn, die Beresfords, haben einen Hund namens Harry, einen schwarzen Labrador, fett und an sich dämlich. Aber sind sie das nicht alle? Die Beresfords sagen, er sei nicht fett, sondern nur muskulös. Dieser Hund Harry jedenfalls verbringt einen Großteil seiner Zeit in unserem Haus, weil hier die Kekse besser schmecken und in größeren Mengen zur Verfügung stehen als bei ihm daheim.

Harry liegt bewegungslos auf dem Boden, und seine rosa Zunge hängt ihm dämlich aus der Schnauze. Elliott greift sich eine große Sicherheitsnadel und vollendet sein Werk. Harry winselt noch etwas mehr.

Elliott sieht auf und grient mich an. «Guck mal, was ich gemacht hab, Mami.»

«Elliott», bringe ich zwischen zusammengebissenen Zähnen hervor. «Was hast du denn da gemacht?»

«Ich hab gemacht, dass es ihm besser geht», sagt er, als sei es das Selbstverständlichste auf der Welt.

Harry ist vom Kopf bis zu den Pfoten bandagiert. Elliott hat ihm die elastischen Binden um den Kopf gewickelt, über ein Auge und in einem kunstvollen Muster kreuz und quer um den ganzen Körper. Ich wusste gar nicht, dass wir so viele von den verdammten Dingern besitzen. Harrys Beine, vordere und hintere, sind zusammengebunden, und sein Schwanz wedelt heftig, obgleich auch er dick bandagiert ist. Er würde mich wahrscheinlich wie gewöhnlich mit einem freudigen Bellen begrüßen, wenn er denn könnte. Elliott hatte ihm aber auch seine Schnauze bandagiert und mit einer Schleife gekrönt, die fester und sauberer geschlungen ist, als es meinem Sohn je mit seinen Schnürsenkeln gelungen ist.

«Elliott!», schreie ich und hocke mich neben den malträtierten Hund.

«Ich dachte, er hat sich was gebrochen», protestiert mein Kleiner.

«Kann sein, dass jetzt wirklich was gebrochen ist, du dummer Bengel», sage ich und gebe Elliott einen Schlag auf den Hintern. Einen kräftigen Schlag. Ich halte nichts davon, Kinder zu schlagen. Höchstens, wenn sie es verdienen. Oder wenn ich absolut mit meiner Geduld am Ende bin und die Vernunft aussetzt. Beide Voraussetzungen sind in der gegenwärtigen Situation gegeben.

Es ist sehr lange her, dass Elliott meine Hand gespürt hat, und er ist sichtbar schockiert. Er saugt an Luft ein, was er atmen kann, richtet sich auf, bis er stocksteif und puterrot dasteht, und schreit dann aus vollem Halse, dass einem das Blut in den Adern gefriert. Harry schließt sich dem Geheul an.

«Elliott! Sei still!»

Doch er kreischt nur noch lauter. Ich zerre an Harrys Bandagen, um sie zu lockern, und das entlockt ihm ein Geheul, wie es schlimmer auch der Hund von Baskerville nicht hätte anstimmen können.

In dem Moment kommt Ed herein.

Elliott rennt auf ihn zu und klammert sich an seine Beine. «Mami hat mich verhaun!»

Eds Gesicht verdunkelt sich. «Was?»

«Sieh doch nur, was er dem armen Hund angetan hat!»

«Ich war doch nur der Arzt», jammert Elliott.

Ed kuschelt mit seinem Sohn. «Er war doch nur der Arzt.»

«Ärzte holen nicht kerngesunde Hunde von der Straße und versuchen, sie zu mumifizieren!» Ich befreie Harrys Beine von ihren Fesseln, und er jault dankbar, als er sich endlich aufrappeln kann.

«Ist ja nichts passiert», knurrt Ed abwiegelnd.

«Und wo bist du gewesen?», frage ich barsch. «Warum war Elliott hier allein? Du weißt doch, dass er immer was anstellt.»

«Ich war bei Jemma.» Ed sieht mich durchdringend an. «Auf der Suche nach dir.»

Ich atme bereits schwer, und es wird noch schwerer. Ich schnappe mir die Keksdose. «Elliott, gib dem armen Hund einen von den guten Kinderkeksen und bring ihn nach Hause.»

Mein Sohn tut, wie ihm geheißen, und führt Harry, der den eher dilettantischen tierärztlichen Eingriff gut überstanden hat, unter dramatischem Geschluchze zur Tür hinaus.

Obwohl ich sicher bin, dass er irgendwo auf der Kopfhaut die Zahl 666 tätowiert hat, wirkt Elliott so engelsgleich, dass man ihm einfach nicht böse sein kann. In diesem Moment würden Ed und ich normalerweise in einen Kicheranfall ausbrechen. Heute jedoch nicht. Wir stehen da, die Geweihe verhakelt, und starren einander wütend an.

«Du warst nicht bei Jemma», sagt Ed.

«Ich war dort und hab ewig geklopft. Aber sie war unterwegs», erkläre ich.

«Jemma sagt, sie war die ganze Nacht da, aber du bist nicht aufgetaucht.»

«Das stimmt nicht.»

«Was stimmt denn schon in diesen Tagen, Alicia?» Ed lacht, aber es ist völlig klar, dass er nichts Amüsantes entdecken kann. Deswegen hat sein Tonfall etwas Verbittertes. «Und wo warst du, wenn ich fragen darf?»

Was soll ich sagen? Was immer man mir jetzt vorwirft, dessen muss ich mich schuldig erklären. Gestern noch konnte ich mich selbstgerecht beschweren, zu Unrecht beschuldigt worden zu sein. Aber jetzt? Szenenbilder von meinem bösen Benehmen im Bad schwimmen vor mein geistiges Auge, und aus der Ferne betrachtet, ist das kein schöner Anblick. Ich habe mit einem anderen Mann geschlafen, und meine Unschuld ist verloren.

«Warst du in *seiner* Wohnung?»

«Ja.»

Ed verschränkt die Arme über der Brust und atmet lange aus. «Und bestehst du noch immer darauf, dass da nichts läuft?»

Wie könnte ich das? Ich habe mit Christian Liebe gemacht, ohne an meinen Mann oder meine Kinder oder sonst jemanden zu denken außer allein an mich, und ... Wozu ist Christian dadurch geworden? Zu meinem Liebhaber? Und ich? Zu einer ziemlich miesen Ehefrau.

Aber ich weiß nicht – nachdem ich so weit gegangen bin, kann ich ihn nie wieder sehen, ihn nie mehr begehren, ihn nie mehr in den Armen halten. Was, um Himmels willen, ist nur geschehen? Warum empfinde ich so? Hat mein Verstand ausgesetzt, weil ich achtunddreißig bin und deswegen immens dankbar, dass jemand, der so jung ist und so schön, sich in mich hat verlieben können?

Ich liebe Ed. Habe ihn immer geliebt. Aber plötzlich sind wir einander fremd geworden. Ich sehe ihn an, und die Verbindung zwischen uns ist abgerissen. Ich weiß nicht, was ich tun soll, um sie wieder herzustellen. Die paar staubigen Fliesen auf dem Küchenboden erstrecken sich meilenweit zwischen uns. Es ist alles so schnell gegangen. Eine klitzekleine Notlüge, und im nächsten Augenblick drohe ich in einem Meer von Lügen zu ertrinken.

Ich möchte Ed entgegenkommen, aber es gelingt mir nicht, die Kluft ist viel zu groß. Ich schlucke schwer. «Es tut mir Leid.»

Ed bewegt sich ebenso wenig. «Mir auch» ist alles, was er sagt.

— Kapitel 32 —

Robbie und Rebecca warteten in der Küche. Christian schloss die Tür und lehnte sich dagegen. «Sie packt ihren Koffer aus.»

Auf dem Sofa zog Rebecca die angewinkelten Beine enger unter sich. «Toll.»

«Ich hab ihr gesagt, wenn sie nicht weiß, wohin, kann sie gerne bleiben.» Christian sah die anderen beiden an, als wolle er sich entschuldigen. «Ich hab sie nicht so schnell zurück erwartet. Ich hoffe, es macht euch nichts aus.»

Robbie zuckte die Achseln. «Hab nichts dagegen, Alter.»

«Sie hat den Eindruck gemacht, als würde sie für immer hier einziehen.» Rebecca nuckelte schmollend an einem Finger. «Wie lange wird sie denn unser Hausgast sein?»

«Weiß ich auch nicht», räumte Christian ein. «Bis sie mit sich ins Reine gekommen ist, schätz ich.»

«Warum hier bei uns?», jammerte Rebecca. «Als hätten wir nicht genug Probleme.»

«Sie konnte sonst nirgendwohin, Becs. Die Situation ist schwierig. Kompliziert.» Robbie und Christian tauschten Blicke aus.

«Da hab ich wohl was nicht mitgekriegt, oder?», beharrte Rebecca.

«Sag es ihr lieber», riet Robbie.

Christian seufzte. Er löste sich von der Tür, ging zum Sofa und setzte sich neben Rebecca.

«Ali ist verheiratet», sagte er. «Oder war es. Sie hat ihren Mann verlassen. Und ich bin sozusagen der Grund.»

«Prima, wie klassisch du das hinbekommen hast, Christian.»

«Ich liebe sie, Becs.»

«Du weißt doch gar nicht, was das Wort bedeutet», erwiderte Rebecca. «Diese Frau hat für dich ihr Leben auf den Kopf gestellt, und du würdest unter Verantwortung höchstens verstehen, dass du dich um einen Goldfisch kümmerst, wenn dessen Besitzer eine Woche verreist sind.»

«Stimmt nicht.»

«Du vergisst, dass ich es aus bitterer persönlicher Erfahrung besser weiß.»

Christian lehnte den Kopf zurück und drückte sich ein Sofakissen auf die Brust. «Wie sollte ich es je vergessen? Von dir krieg ich's doch immer wieder aufs Butterbrot geschmiert.»

Rebecca stand auf. «Na denn, viel Glück für dich. Und viel Glück für sie. Mein Gott, das kann sie brauchen.»

Sie stürmte zur Tür hinaus und schlug sie hinter sich zu.

Robbie drehte sich auf seinem Stuhl. «Versteh doch, Alter. Es muss doch schwer sein für Becs. Sie ist noch immer in dich verknallt, und seit eurer Trennung hast du hier jede Woche eine neue Braut vorgeführt. Und jetzt das?»

«Ich weiß.»

«Sie hätte jedes Recht auf einen kleinen Wutanfall.»

«Ich will nicht, dass sie es Ali schwer macht.»

«Du kennst doch Becs. Es ist nicht leicht für sie.»

«Chris, wenn es irgend so'n junger Hüpfer wäre – wie normalerweise –, ging es ihr vielleicht nicht so an die Nieren. Aber eine Biene, die doppelt so alt ist wie du und auch noch drei Kinder hat? Das ist doch wohl ein ziemlicher Hammer.»

«Du hast ja Recht», sagte Christian. «Ich werde rücksichtsvoller sein.»

«Yeah, und Sylvester Stallone besucht einen Häkelkurs.»

Robbie stützte sich mit verschränkten Armen auf den Tisch und sah seinen Freund ernst an. «Ich nehme an, Ali weiß nichts von deiner wilden Nacht mit der liebreizenden Sharon?»

Christian grinste. «Ich hab ihr gesagt, du hast die Nacht mit Sharon verbracht.»

«Vielen Dank auch! Das ist ja krass. Ich hab's mit Einhandsegeln versucht und euch beiden dabei durch die dünne Wand zugehört, denn trotz intensivster Bemühung war es dem guten Onkel Robert ja nicht vergönnt, ein williges Weib auf seiner Lagerstatt flachzulegen.»

«Das lag ja nur daran, dass Wie-hieß-sie-noch-gleich schon im Taxi k.o. gegangen ist.»

«Sag mal», bat Robbie, «wenn ich es angeblich erlebt haben soll: War sie wenigstens gut?»

Christian ließ die Augenbrauen tanzen und senkte die Stimme. «Sie war ober-affen-*geil*!»

«Mann. Ich wusste es. Ich hätte mich auf sie konzentrieren sollen statt auf Wie-hieß-sie-noch-gleich.» Robbie ließ sich vornüber auf den Tisch sinken. «Du bist ein solcher Mistkerl, Winter!»

Christian schmunzelte und küsste seinen Freund auf den Kopf. «Deswegen liebst du mich doch!»

– Kapitel 33 –

Wir sitzen in einer angesagten Bar namens Black and Blue. Und so ähnlich wie der Name klingt, fühle ich mich auch – angeschlagen und bekümmert. Ich bin bei meinem dritten Glas Chardonnay, spüre aber bis jetzt nicht die geringste Wirkung.

Christian isst irgendeine dubiose Ziegenkäsemousse, was sich übel anhört, aber völlig okay aussieht. Er ist still und wahrscheinlich ebenso schockiert wie ich – wenn nicht noch schockierter. Ich bin in Christians Wohnung zurückgekehrt, nur diesmal mit einem größeren Koffer und dem vagen Gefühl, es könne auf Dauer sein. Ed und ich gingen trockenen Auges und im Zorn auseinander. Es handelt sich um eine Trennung auf Probe – was immer das sein mag. Ich hatte eigentlich gedacht, nur Popstars und prominente Sportler ließen verkünden, dass sie sich zu einer Trennung auf Probe entschieden hätten, was für mich immer nach PR-Fassung von «Ich bin mit jemandem durchgebrannt, der/die jünger und sexyer ist» klang. Aber ich sollte darauf wohl besser nicht weiter eingehen …

Ed und ich haben uns dadurch sozusagen gegenseitig Zeit zum Nachdenken eingeräumt. Im Augenblick würde ich es zwar vorziehen, nicht nachdenken zu müssen, aber ich kann nicht anders. Ich werde von so vielen verschiedenen Emotionen gebeutelt, aber komme mir dennoch absolut empfindungslos vor. Vielleicht trauen wir uns ja nur nicht, einander zu eröffnen, dass es vorbei ist, und diese «Trennung auf Probe» ist nur eine weniger brutale Weise, den anderen loszulassen. Ich weiß es nicht.

Christian verhält sich wundervoll. Er hat mich wie eine Glucke unter seine Fittiche genommen und sogar versprochen, später die Bettwäsche zu wechseln – und ich muss sagen, dass die alte aussieht, als habe sie schon ziemlich viel mit ansehen und aushalten müssen. Auch Robbie scheint sehr nett zu sein, obwohl er, was meinen Männergeschmack betrifft, einige Piercings zu viel hat. Rebecca verließ das Haus und schlug die Eingangstür laut hinter sich zu, kaum dass ich eingetroffen war. Daraus kann man wohl schließen, wie sie zu der Situation steht.

Ich habe Jemma angerufen und ihr einen kurzen Lagebericht gegeben. Die Unterhaltung wechselte Schwindel erregend schnell von Erleichterung darüber, dass ich wieder aufgetaucht war, zur Wut darüber, dass ich ihrer Meinung nach jetzt schon wieder davonlief. Sobald sie ihr letztes seidenes Smokingjackett an den Star aus irgendeiner Soap verkauft hat, will sie herkommen. Sie müsste eigentlich jeden Moment einlaufen.

Zu meiner Schwester hätte ich nicht ziehen können. Zum einen ist ihre Wohnung nicht viel größer als ein Schuhkarton – wenn auch einer, der von Spitzendesignern gestylt wurde. Und zum anderen, weil wir einander schon vor Ablauf der ersten vierundzwanzig Stunden umbringen würden. Ich hab Jemma über alles lieb, sie ist meine Babyschwester, und ich würde mein Leben für sie opfern. Ich würde jedoch niemals freiwillig ein Badezimmer mit ihr teilen. Ich möchte sie zwar nicht manisch penibel nennen, aber sollte auch nur ein Millimeter Zahnpasta aus der Tubenöffnung hervorschauen, wenn sie sich die Zähne putzen wollte, würde sie garantiert in Ohnmacht fallen. Ich hingegen schätze mich bereits glücklich, wenn auch nur eines meiner Familienmitglieder die Bürste zwischen die Lippen bekommt, ohne vorher noch den Badezimmerspiegel zu weißen. Gott sei demjenigen gnädig, der es wagen sollte, eines ihrer Handtücher aus ägyptischer Baumwolle nach dem Händewaschen tatsächlich zu benutzen! Sollte sie ein Schamhaar auf der Seife entdecken, würde sie sich wahrscheinlich die Pulsadern aufschneiden – wenn das nicht eine so große Sauerei verursachen würde. Mit alledem könnte ich zur Zeit nicht fertig werden. Ich bin darauf angewiesen, geliebt und verhätschelt zu werden, ohne dass jemand vor Schreck aufschreit, sobald ich meine Teetasse an der falschen Stelle absetze. Christians Laken mögen vielleicht zerknittert sein, aber damit kann ich momentan leichter umgehen. Und ich hab ja durchaus meinen Anteil daran, dass sie es sind.

«Möchtest du, dass ich gehe, wenn deine Schwester aufkreuzt?», fragt Christian.

«Ich glaub schon.» Ich seufze. «Sie will mich wahrscheinlich gnadenlos runterputzen, und ich möchte nicht, dass sie sich dabei eingeschränkt fühlt.» Nicht dass Jemma sich etwa je wirklich eingeschränkt fühlte, wenn es darum ging, ihre Meinung loszuwerden, aber ich hätte es einfach lieber, wenn Christians erste Begegnung mit meiner Familie unter erquicklicheren Umständen stattfände.

«Ich liebe dich, Ali», sagt er, und seine wunderschönen jungen Augen bestätigen, dass es ihm ernst ist. Christian glaubt offenbar, dass Liebe allein reicht, und ich möchte ihm diese Illusion nicht nehmen. Mich überwältigt es wie ein Rausch, wenn ich ihn sehe, und vielleicht bin ich so in ihn vernarrt, dass es an Irrsinn grenzt, oder sich doch zumindest als hemmungslose Irrationalität bezeichnen lässt. Aber ist es dasselbe wie Liebe? Gut, wenn ich zwanzig Jahre jünger wäre und mich nicht daran erinnerte, dass ich sowohl in Starsky als auch in Hutch verknallt war, würde ich eventuell weniger analytisch reagieren. Gibt es so etwas wie Liebe auf den ersten Blick? Fängt nicht die Liebe erst dann an, wenn die Lust vorüber ist, wenn man gemeinsame Hypotheken hat und gegenseitige Rentenansprüche? Wenn dazu noch kleine hilflose Menschen existieren, die einem bis zu den Knien reichen und die sich darauf verlassen müssen, dass man ihr Leben regelt?

Aber haben Ed und ich uns ausschließlich um der Kinder willen durchgebissen und sind zusammengeblieben? So hätte ich es nicht ausgedrückt. Vor ein paar Wochen noch hätte ich gesagt, dass ich ihn von Herzen liebe und niemals einen anderen Mann ansehen würde. Aber jetzt sitze ich hier, hab mich von meinem Mann getrennt und halte über den Tisch hinweg Händchen mit einem anderen. Da muss sich wohl ziemlich viel Übel unentdeckt unter der Oberfläche angehäuft haben, dass wir so schnell an diesen Punkt gelangt sind.

«Ich suche mir einen Job», sagt Christian. «Einen anständigen Job.»

Ich lächle über seine aufrichtige Bereitschaft und drücke seine Hand, aber bevor ich antworten kann, kommt meine Schwester um die Straßenecke. Sie sieht fabelhaft aus. Ihr Haar glänzt in der Sonne, als sei es mit einer Tonne Bienenwachs zum Glänzen gebracht worden. «Da kommt Jemma», sage ich und bemerke, dass Christian sich ein wenig gerader hinsetzt. Genau wie ich.

Als sie sich nähert, starrt sie Christian beinahe wie hypnotisiert an. Sie küsst mich auf beide Wangen und setzt sich zu uns.

«Jemma, das ist Christian», sage ich. «Christian, Jemma.»

«Freut mich, Sie kennen zu lernen.» Christian setzt sein blendendes Lächeln auf. Jemma nickt sprachlos. «Darf ich Ihnen etwas zu trinken holen, bevor ich gehe?»

«Wein. Weiß. Trocken», schafft Jemma zu bestellen.

Leicht verlegen verschwindet Christian irgendwo im Black and Blue.

«Scheiße, Ali», zischt Jemma. «Der ist ja toll!»

«Findest du?», sage ich. «Ist mir noch gar nicht aufgefallen.»

«Und wie alt ist er genau?»

«Dreiundzwanzig.»

Jemma schnaubt ungläubig. «Er sieht aber viel jünger aus!» Meine Schwester beugt sich mir entgegen. «Er war noch nicht mal auf der Welt, als ‹Dancing Queen› in der Hitparade war, Ali. Da kriegt man doch Angst.»

Christian kommt zurück und stellt uns je ein Glas Wein auf den Tisch.

«Ich geh nach Hause», sagt er, «und warte dort auf dich.»

Seinem Blick ist deutlich abzulesen, dass er glaubt, Jemma wird mich dazu überreden, ihn mir aus dem Kopf zu schlagen. Ich nicke ihm zu, und Christian küsst mich oben auf den Kopf und streicht mir hinten durch die Haare, was Jemma nicht sehen kann. Wir blicken ihm beide nach, als er davongeht, und manch ein weiblicher Gast dreht sich nach ihm um.

«Also», sagt Jemma, als wir uns wieder einander zuwenden, «ich wünschte, ich wäre als Erste an ihn rangekommen.»

«Das wär mir auch lieber gewesen», gestehe ich, «denn dann würde ich vielleicht jetzt nicht in diesem Schlamassel stecken.»

«Warum hast du mir eigentlich gar nichts gesagt? Ich bin doch deine Schwester, und trotzdem hast du nichts erzählt.»

«Ich fand, dass es gar nichts zu erzählen gab.»

«Und Ed? Und die Kinder? Wie kannst du deine Familie und dein Heim aufs Spiel setzen? Alles, wonach du gestrebt hast?»

Wie soll ich ihr darauf antworten? Das ist die Kehrseite, aber trotzdem belastet es bestimmt nicht ihr Gewissen, dass all die Männer, die sie geliebt hat, ebenfalls Ehefrauen haben, Kinder und ein Leben, wonach sie gestrebt haben. Ich entschließe mich aber, auf diesen Aspekt jetzt nicht zu sprechen zu kommen. Diesmal ist meine Schwester nämlich zur Stelle, um mich vor dem Verderben zu bewahren, und nicht umgekehrt.

Jemma nippt in schneller Folge an ihrem Wein. «Weißt du wirklich, was du tust?»

«Natürlich nicht. Ich hab keine Ahnung, wie sich alles so zuspitzen konnte.»

«Ist dieser ... dieser ... Junge es tatsächlich wert, seinetwegen deinen Mann zu verlassen?»

«Ich habe Ed nicht verlassen», erkläre ich geduldig. «Er hat von mir verlangt, aus dem Haus zu gehen.»

«Das kann ich einfach nicht glauben. Er hat sich solche Sorgen gemacht, als du nicht bei mir in der Wohnung warst. Warum bist du eigentlich nicht zuerst zu mir gekommen?»

«Bin ich doch. Länger als eine halbe Stunde hab ich gegen deine Tür gehämmert. Ich dachte, du wärst vielleicht noch in Prag.»

Jemma ist schreckensbleich geworden. «Um welche Zeit?»

«Spät», sage ich. «Sehr spät.»

«Scheiße.» Jemma ist erstarrt. «Gegen elf hab ich eine Schlaftablette genommen und Ohropax und bin ins Bett gegangen.»

«Vielen Dank auch. Ich wünschte, das hättest du meinem Ehemann mitgeteilt.»

«Wie hätte ich wissen sollen, dass du versucht hast, meine Tür niederzureißen?»

«Christian wohnt gleich um die Ecke. Ich konnte ja sonst nirgends hin. Ed hat jedenfalls gedacht, ich hätte gelogen und sei direkt zu meinem ‹neuen Freund› gegangen.»

«Zieh doch jetzt zu mir», bietet sie an.

«Und wo soll ich mich da aufhalten? Bei Christian ist jede Menge Platz. Es ist ja nur für eine Übergangszeit, bis wir die Situation geklärt haben.»

«Meinst du, dass du wieder mit Ed zusammenkommst?»

«Ich weiß nicht», sage ich, und in diesem Moment habe ich wirklich keine Ahnung.

«Glaubst du, ihr lasst euch scheiden?»

Scheidung? Was für ein grausames, endgültiges Wort. Bis jetzt war mir noch nicht bewusst gewesen, wie furchtbar es klingt.

«Ich weiß nicht», stottere ich.

Jemma hat plötzlich Tränen in den Augen, und alles

war viel leichter, als sie mir noch Predigten hielt. «Ich glaube, ich könnte es nicht ertragen, wenn ihr beide kein Paar mehr wärt», schnieft sie.

Und in diesem Augenblick ist auch mir der Gedanke unerträglich.

— Kapitel 34 —

Ed warf das Geschirrtuch über die Schulter und öffnete die Vordertür. Überrascht trat er einen Schritt zurück. «Oh, hi!»

Nicola Jones wirkte verschüchtert. «Komme ich zur unpassenden Zeit?»

«Nein. Ja. Nein. Irgendwie schon.» Ed trat zur Seite. «Treten Sie doch ein. Treten Sie ein.»

Nicola lächelte und ging an ihm vorbei in den Flur. «Ich wollte mich nur erkundigen, wie es Elliotts Arm geht.»

«Ach, richtig. Gut. Bestens», sagte Ed. «Na ja, eigentlich nicht. Es setzt ihm doch ziemlich zu. Er kann nämlich nicht am Computer spielen und auch nicht Fußball, und das macht ihn natürlich nörgelig.»

Nicola lachte. Ed blieb stehen und wandte sich ihr zu. «Nicola», sagte er und biss sich verlegen auf die Unterlippe, «es gibt da ein Problem.»

Elliotts Lehrerin schaute angemessen betroffen.

«Sehen Sie ...» Er kaute wieder auf der Lippe. «Sie müssen wissen ... meine Frau hat mich verlassen. Uns. Gerade erst gestern. Und, verstehen Sie ...»

«Ed.» Nicola berührte seinen Arm. «Es tut mir ja so

Leid.» Ihre Mundwinkel senkten sich. Sie sah unglaublich niedlich aus, wenn sie traurig war, dachte Ed und staunte im selben Moment darüber, dass er so etwas denken konnte, obwohl er doch bis zum Hals in den Problemen steckte, die sich aus der Trennung von Ali ergeben hatten. «Wie kommen die Kinder damit zurecht?»

Er reagierte mit einem Achselzucken. «Bemerkenswert gut, aber ich fürchte, so recht kapiert haben sie es noch nicht.»

«Kann ich Ihnen irgendwie behilflich sein?», fragte Nicola.

«Ich weiß nicht», sagte Ed. «Ich bin ja noch nicht einmal richtig im Bilde, was es überhaupt zu tun gibt. Ich zähle nämlich zu den typisch männlichen Wesen, die sich wohl niemals domestizieren lassen.»

«Ach, das können Sie mir nicht erzählen!»

Er nahm es sich ebenso wenig ab. Nicht wirklich. Es würde schwierig werden, ohne Ali alles zu regeln, denn sie hatte die Zügel fest in der Hand gehabt, aber er würde es schon schaffen. Wie viele Geheimnisse könnte eine Waschmaschine schon bergen?

«Ich könnte mich mittags nach der Vorschule um Elliott kümmern», bot Nicola an, «wenn Ihnen das helfen würde.»

«Das wäre ja phantastisch!» Er widerstand dem Impuls, sie zu küssen. Selbst ein Kuss aus reiner Dankbarkeit wäre wohl unangebracht. «Kommen Sie doch mit durch. Elliott ist in der Küche. Ich bin gerade dabei, die Cholesterinwerte der Kinder durch den Genuss von Spiegeleiern und Chips anzuheben.»

Nicola sah ihm fest in die Augen. «Sie sind sehr tapfer», hauchte sie.

Ed schüttelte den Kopf. «Find ich gar nicht.» Halsstarrig. Verwegen. Wie gelähmt. Das waren die Adjektive, die unter den gegebenen Umständen wohl eher zutrafen.

«Und so bescheiden», fuhr Nicola fort. «Eine Eigenschaft, die mir an Männern gefällt.»

Elliott erschien in der Tür. Der lindgrüne Plastikarm von Buzz Lightyear aus *Toy Story* hing ihm aus dem Mundwinkel, und er murmelte: «Meine Mami ist weg, Miss Jones.»

Nicola hockte sich neben Elliott und schloss ihn fest in die Arme. «Ich weiß. Ich weiß. Du armer kleiner Schatz.» Elliott rückte die Buzz-Zigarette mehr zur Mundmitte. «Ich werde mich zusammen mit Daddy um dich kümmern.» Sie hob den Kopf und lächelte Ed zu.

«Tust du das?» Elliotts Miene erhellte sich beträchtlich.

Nicola zauste ihm das Haar. «Aber natürlich.»

«Trinken Sie Tee mit uns, Miss Jones?»

«Elliott!», wies ihn Ed zurecht.

«Würde ich ja liebend gern», sagte sie und stand auf. «Aber ich kann nicht. Heute nicht. Eine alte Freundin kommt zum Abendessen.»

«Wir essen Spiegeleier und Kartoffelchips», verriet Elliott.

«Elliott!», ermahnte Ed. «Miss Elliott hat Wichtigeres zu tun, als uns Gesellschaft zu leisten.»

«Es ist nur eine Freundin», protestierte sie. «Eine alte Freundin.»

«Daddy sagt, in diesem Haus kriegen wir nie wieder Chicken Nuggets», piepste Elliott.

«Alis Spezialität», erklärte Ed. Er nahm sich vor, den Bengel auf der Stelle umzubringen, sobald es ihm wieder besser ging.

«Das kann ich verstehen», sagte Nicola zu Elliott, der

tatsächlich trotz seiner Sucht nach Chicken Nuggets den Eindruck machte, als sei er einverstanden. «Ich bin gekommen, um zu sehen, wie es deinem Arm geht.»

«Tut noch weh», sagte Elliott und zog dazu eine Mitleid heischende Grimasse. «Aber ich glaub, morgen ist es besser und ich kann wieder aufs Klettergerüst.»

«Elliott!»

Nicola lachte. Sie lachte häufig, aber es klang aufrichtig und ganz und gar nicht wie albernes Mädchengegacker, was Ed fürchterlich auf den Geist gegangen wäre. «Wir werden sehen», versprach sie und strich sich das Haar aus der Stirn. «Ich möchte Sie nicht länger vom Abendessen abhalten. Wie gesagt, ich wollte nur vorbeischauen und ... ja ...»

«Ja.» Ed nickte. «Danke, dass Sie gekommen sind», sagte er, als er sie zur Tür begleitete.

«Ich habe ernst gemeint, was ich sagte», wiederholte sie. «Ich möchte, dass Sie sich bei mir melden, wenn Sie Hilfe benötigen sollten.»

«Danke», sagte Ed. «Ich weiß das sehr zu schätzen.»

«Dafür sind Freunde doch da», fügte Nicola Jones hinzu. Mit einem scheuen Lächeln drehte sich um und ging davon.

Elliott machte sich mit den Fingern über die Chips her.

«Nimm Messer und Gabel», instruierte ihn Ed.

Elliott griff zu seinem Besteck. «Davon tut mir aber der Arm weh», beklagte er sich.

«Blödsinn. Iss jetzt, Elliott.»

Tanya schnitt verbrannte Stellen vom Eiweiß ab, und Ed musste feststellen, dass sie nach einem Tag als Vegetarierin bereits höchst eigenwillige Essgewohnheiten angenommen hatte. Seit ihrer Rückkehr aus Brighton war sie außergewöhnlich still gewesen, nachdem sie die niederschmetterndste Nachricht ihres kurzen und relativ wohl behüteten fünfzehnjährigen Lebens erhalten hatte. Sie war in ihr Zimmer gegangen, hatte sich die Kopfhörer aufgesetzt und sich seither so gut wie nicht mehr sehen lassen. Er würde mit ihr reden. Wie es sich ziemte. Von Vater zu Tochter. Später. Morgen. Bald jedenfalls. Er hatte nicht geahnt, dass es ihm so schwer fallen könnte, es den Kindern zu eröffnen. Warum? Was war er denn – etwa ein emotionales Vakuum? Natürlich würden sie am Boden zerstört sein. *Er* war ja auch am Boden zerstört.

«Warum ist Mami weg?», fragte Elliott zum siebzehnten Mal, seit sie aus dem Häagen-Dazs-Eiscafé vorm Odeon-Kino in der Hill Street zurückgekommen waren und ihm die wenig beneidenswerte Aufgabe zugefallen war, die Kinder darüber zu informieren, dass Ali fort war.

Ed seufzte und legte Messer und Gabel beiseite. «Manchmal verlieren Erwachsene die Liebe zueinander.»

«Das hört sich aber nicht besonders erwachsen an», stellte sein Sohn fest.

«Ich weiß.»

«Wenn man die Liebe verliert, ist das so ähnlich, wie seinen Schlüssel zu verlieren?»

«Ja», sagte Ed. «Es ist absolut dasselbe, wie seinen Schlüssel zu verlieren.»

«Dann kommt man ja nicht mehr rein.»

«Genau», sagte Ed, «das stimmt.»

«Und muss draußen schlafen?»

«Irgendwo auf einer Bank im Park.»

Elliott schien sehr beeindruckt. Er spielte mit dem nächsten Kartoffelchip. «Bist du mit Miss Jones in Liebe verfallen?»

«Nein.» Ed war perplex. «Wie kommst du denn darauf?»

«Ich liebe sie», sagte Elliott lakonisch.

«Iss jetzt dein Spiegelei, Elliott.»

Der kleine Kerl schob seinen Teller zur Seite. «Daddy. Weißt du, woher du weißt, wenn du zu einer Frau in Liebe verfallen bist?»

«Nein.»

«Wenn du eine Erektion hast.»

Thomas spuckte einen halb durchgekauten Kartoffelchip auf seinen Teller und musste husten. «Vielen Dank, dass du uns an deinen Erkenntnissen teilhaben lässt, Elliott», sagte Ed.

Ed reichte Thomas ein Glas Coke. Dankbar bekämpfte der damit seinen Hustenanfall. Um seinen stillen und nachdenklichen Sohn machte Ed sich am meisten Sorgen. Elliott würde sich durch jede Krise plappern, Tanya in ein Stimmungstief verfallen. Aber was im wissbegierigen und lernwilligen kleinen Kopf von Thomas vorging, konnte er sich so gut wie nie zusammenreimen. «Okay?», erkundigte sich Ed mit einem teilnahmsvollen Lächeln.

Thomas nickte.

«Kriegst du eine Erektion, wenn du Miss Jones siehst?»

«Nein.» Ed seufzte. «Elliott, ich möchte es dir nicht noch einmal sagen müssen. Iss dein Abendbrot, bevor es kalt wird.»

«Kriegst du denn eine Erektion, wenn du Mami siehst?»

«Hör mal, Elliott, können wir dieses Gespräch bitte fortsetzen, wenn du fünfunddreißig bist? Oder am bestens niemals.»

«Ich wollte doch nur mal was wissen», sagte sein jüngerer Sohn eingeschnappt.

Früher hab ich sie gekriegt, dachte Ed. Früher hab ich sie immerzu gekriegt. Es gab eine Zeit, da hatte sein Penis einen ganz eigenen Willen gehabt. Inzwischen mussten die Erektionen aber aus ihm herausgekitzelt werden, brauchte es Zeit, in der er getätschelt und gehätschelt werden musste. Es war wohl kaum zu leugnen, dass die standhafte Verkörperung seiner Manneskraft seit geraumer Weile eine eher desinteressierte Grundstimmung bewiesen hatte. Er fragte sich, ob Ali eventuell deswegen ihre Blicke hatte umherschweifen lassen und letztlich gar ins Streunen geraten war. Er war nicht impotent – weit entfernt. Aber es stellte sich da zugegebenermaßen eine gewisse Trägheit bei der Schlange in seinem Hosenstall ein, die anscheinend, ohne dass er es bemerkt hatte, in den Vorruhestand getreten und zur Schnecke verkümmert war.

Er hätte wetten mögen, dass Ali jetzt gerade mit ihrem neuen Mann durchs Schlafzimmer tobte wie ein Hüpfballon auf Speed. So erging es einem doch, oder, im ersten Liebestaumel? Der «neue Mann» würde sich davon auch nicht dadurch abbringen lassen, dass es ein Wochentag war und er am nächsten Morgen ausgelaugt würde zur Arbeit gehen müssen. O nein! Wenn Sex neu war, brachte er frische Energien und befreite, versetzte jedem Schritt neuen Schwung. Wenn man ein Drittel seines Lebens mit immer nur ein und derselben Frau Liebe gemacht hat, ist man einfach durch. Am nächsten Morgen spürt man einen dumpfen Schmerz in den Eiern und lässt die Aktentasche über den Boden schleifen. Jemma hatte gesagt, dieser Christian sei ein Junge – nein, gar noch ein *Kind*! Ed erinnerte sich, wie er im zarten Alter von neunzehn gewesen war. Hätte er damals ein Pfund für jeden lüsternen Gedanken und jede spontane Erektion bekommen, würde er inzwischen in einem Anwesen mit Swimmingpool in Bel Air wohnen.

Diese Gedanken waren der Verdauung nicht zuträglich. Ed legte Messer und Gabel beiseite und starrte auf sein kaltes Spiegelei. Als er den Blick hob, stellte er fest, dass seine drei Kinder ebenfalls zu essen aufgehört hatten und ihn voller Sorge aus traurigen Augen anstarrten. Thomas schien den Tränen nahe. Wie hatte er nur so dumm sein können? Er musste dringend Kontakt mit Ali aufnehmen und in aller Vernunft mit ihr sprechen, bevor der Schaden zu groß geworden war. Er hatte sie vernachlässigt – und das nicht nur im Bett. Doch da lag die Wurzel des Übels, oder? Alles, was Ed wusste, war, dass er sie wiederhaben wollte: in seinem Leben, seinem Bett und seiner Küche – mitsamt Chicken Nuggets und allem.

– Kapitel 35 –

«Könnten alle jetzt mal still stehen, bitte!», rief Neil. Es war völlig klar, dass sie es nicht konnten. An diesem Tag fotografierte er bereits die vierzehnte Meute von Minimonstern, die allesamt die gleichen kastanienbraunen Schulpullover trugen und schlimmer zappelten als ein Sack voller zappeliger Frettchen, obwohl es doch nur darum ging, für eines der üblichen «Klassenfotos» zu posieren.

Er hatte die Schüler wie Orgelpfeifen angeordnet, und wenn es ihm dann tatsächlich auch noch gelingen sollte, diese Aufstellung für die Nachwelt festzuhalten, entstünde ein wundervolles Gruppenfoto, das zweifellos die nächsten dreißig Jahre irgendwo auf dem Dachboden damit verbringen würde, Staub anzusammeln, bis es schließlich beim Frühjahrsputz im Mülleimer entsorgt wurde. Wie grausam konnte das Leben sein.

Das Tageslicht, seine Geduld und sein Leben verrannen gnadenlos, während Neil sich mühte, die Jahrgänge Eins, Zwei und Drei der Grundschule The Bleeding Heart of Bernadette in Schnappschüssen zu bannen. Aber nicht nur Bernadettes Herz blutete. Auch seins hatte bei dieser Arbeit Tag für Tag neu zu leiden. So hatte er sich sein Leben nicht vorgestellt. Das hatte er nicht gewollt. Er hatte etwas völlig anderes im Sinn: Er wollte Fotos von Frauen machen, die in knappen Designerfummeln aus Chenille, die kaum ihren Hintern bedeckten, verführerisch auf Sofas lümmelten. Er wollte Starlets ablichten, wenn sie zu Filmpremieren am Leicester Square vorgefahren kamen oder, lieber noch, in L. A. Was er ganz und gar nicht vor der Linse haben wollte, waren Rotzlümmel in Bermondsey, Balham oder Brixton.

An Tagen wie diesem fragte er sich, warum um Himmels willen er selbst ebenfalls eine Familie gründen und noch mehr von diesen Horrorbälgern in die Welt setzen wollte. Was fand man eigentlich so reizvoll an Kindern? Egal, in welche Schule er kam, sie führten sich grässlich auf und sahen alle absolut gleich aus – schmuddelig und ungekämmt. Aber trotz aller Nachteile wünschte er sich eine eigene Familie, und das nicht nur deswegen, weil er so scharf auf den Begattungsakt war. Ed und Alicia hatte er schon immer beneidet. Sie schienen die perfekte Familie zu haben, und jetzt ging es ihm ganz fürchterlich an die Nieren, miterleben zu müssen, wie schnell das alles verloren war.

Er hatte am Tag zuvor seinen Bruder aufgesucht, nachdem dieser ihm am Telefon eröffnet hatte, dass Ali abermals gegangen war. Es hatte den Anschein, als sei ihr Techtelmechtel mit diesem Christian doch ernster, als Ed vermutet hatte. Sein Bruder sah übernächtigt und blass aus, dazu auch der Situation entsprechend beunruhigt, aber Neil konnte sich auch des Eindrucks nicht erwehren, dass sich in Eds Verhalten eine gewisse genetisch geprägte Starrköpfigkeit offenbarte, die der Situation nicht zuträglich war. Es kam ihm absurd vor, mit ansehen zu müssen, wie die beiden es anscheinend darauf anlegten, alles zu zerstören, was sie sich aufgebaut hatten. Ihre Kinder waren doch so großartig. Hatten die drei nicht Besseres verdient, als dass zwei vermeintlich intelligente Erwachsene sich unversöhnlich zerstritten und ihnen das Leben schwer machten? Neil seufzte und merkte, dass Jahrgang Zwei immer unruhiger wurde. Vielleicht war es doch angeraten, lieber Single zu bleiben.

Er hob eine Hand. «Sind alle bereit? Gerade hinstellen und auch gerade sitzen. Hübsch lächeln. Und mir nachsprechen! A-m-e-i-s-e-n-s-c-h-e-i-ß-e!»

Sämtliche Schüler von Jahrgang Zwei beugten sich leicht vor. «AMEISENSCHEISSE!»

Bevor er auf den Auslöser drücken konnte, schrillte sein Handy. «Fuck!», sagte er, wünschte sich, er hätte es abgestellt, und ignorierte das Echo *fuckfuckfuck*, das von den Schülern in der ersten Reihe ertönte, die bereits ihre Arme nicht mehr vor der Brust verschränkt hielten.

«Neil Kingston.»

«Hi, Neil. Jemma hier.»

Neil wandte sich von den Kindern ab und gab sich alle Mühe, erfreut und höflich ins Telefon zu lächeln. «Hi, Jemma.»

«Neil. Störe ich?»

«Nein. Nein. Nein. Absolut nicht.» Über die Schulter warf er einen Blick auf die Kinder. «Ich fotografiere nur gerade den Titel für ein Magazin. Wir machen ein Päuschen», sagte er gespielt beiläufig zu der Schülermeute, die vor seinem geistigen Auge kurzzeitig von Liz Hurley in Chenille auf einer Chaiselongue abgelöst worden waren. «Was kann ich für dich tun?»

«Neil, ich mache mir Sorgen wegen Ed und Ali.»

«Tu ich auch», stimmte er mitfühlend zu.

«Die beiden haben sich völlig verrannt.»

«Ich weiß. Genau das hab ich gestern auch zu Ed gesagt.»

«Und ich zu Alicia.»

«Gut. Sehr gut.»

«Was meinst du, werden sie machen?»

«Keine Ahnung. Das können nur die beiden ganz allein regeln.»

«Aber wir dürfen doch nicht untätig zuschauen, wie sie in ihr Unglück rennen.»

«Dürfen wir nicht?» Neil hielt inne. «Nein, nein. Dürfen wir wirklich nicht.»

«Wir müssen etwas tun», drängte Jemma.

«Da hast du Recht. Das müssen wir.»

«Lass uns morgen Abend zusammen essen und uns was überlegen», schlug sie vor.

Es hatte ihn diverse teure Abendessen sowie monatelange Schmeicheleien gekostet, bis es ihm endlich gelungen war, eine der hübschen Brautjungfern, die er bei einer Winterhochzeit kennen gelernt hatte, dazu zu überreden, für ihn oben ohne zu posieren. Davon versprach er sich die erste Probe in seiner Arbeitsmappe als Glamourfotograf. Seine große Chance. Der verabredete Termin, bei dem sie ihren BH ablegen wollte, war morgen Abend um acht Uhr.

«Du hast doch nicht schon etwas anderes vor, oder?»

«N-n-ein», stammelte Neil. «Ein gemeinsames Abendessen wäre sehr schön.»

«Es geht nicht darum, ob es schön wäre, Neil. Wir treffen uns, um die Ehe deines hirnlosen Bruders und meiner bescheuerten Schwester zu retten, weil die beiden wohl zu dämlich sind, es allein zu schaffen.»

«Ja», sagte Neil.

«Komm doch gegen sechs zum Laden. Wir können dann über die Straße ins Calzone gehen oder woanders in der Nähe.»

«Gut», stimmte er zu und spielte kurz mit dem Gedanken, dass er nur sein Essen in Windeseile hinunterschlingen müsste, um dann zweigleisig arbeiten zu können: eine Taube am Tisch ihm gegenüber und die andere sozusagen unter Dach und Fach in seinem Studio. Aber die Taube am Tisch war definitiv doppelt so viel wert wie die unter den Studioscheinwerfern, und seine Fotografenkarriere ließ sich ohne weiteres um einen Abend verschieben. Er würde die bereitwillige Brautjungfer anrufen und ihr von einem Familiendrama äußerster Dringlichkeit vorjammern. Dann konnte er nur hoffen, dass sie Verständnis bewies und sich einverstanden erklärte, ihren BH in der nächsten Woche abzulegen. Richtig, so würde er es machen.

«Danke, Neil», sagte Jemma. «Du bist ein Schatz.» Und sie hauchte ihm einen Kuss in den Hörer, bevor sie auflegte.

Immer noch einfältig grinsend, drehte Neil sich um. Die Gruppenaufstellung hatte sich aufgelöst, und der Jahrgang Zwei hatte eine Riesenrangelei begonnen. Die

Schuldirektorin befand sich auf dem Weg zum Schulhof, um nachzuschauen, woher all der Lärm rührte. Und er würde sich anschließend noch mit Jahrgang Drei plagen müssen.

— Kapitel 36 —

Orla sollte zum Abendessen kommen. Und das Mahl war von Marks & Spencer angerichtet worden. Ed riss die vielen Behälter auf, als hinge sein Leben davon ab. Er trank einen großen Schluck Wein und schaute auf die Uhr. Sie musste jeden Moment eintreffen.

Sie hatte zu ihm kommen müssen, da Tanya zu einer Schuldisco ging und er keinen Babysitter für die Jungs ins Haus holen wollte, damit Ali nicht etwa auf Umwegen hörte, dass er nicht einmal eine Woche lang allein zurechtkam.

Elliott, der am Tisch saß, blickte zu ihm auf und schwenkte eine Zeichnung, die allem Anschein nach einen kleinen, dicken lilafarbenen Mann mit Schnurrbart darstellen sollte. «Ich male Miss Jones», informierte er Ed.

Sein Vater betrachtete aufmerksam das Kunstwerk. «Das muss aber doch vor ihrer Geschlechtsumwandlung gewesen sein?»

«Was meinst du damit?», fragte Elliott.

«Nichts», sagte Ed und tauchte den Zeigefinger in einen Behälter mit Soße aus roten Johannisbeeren, um sie zu kosten. Der Lieferdienst von St. Michael war auch mit Lammnüsschen dienlich gewesen, die im Backofen langsam, aber sicher anbrannten, sowie einer großen Vielfalt weiterer vorgefertigter kulinarischer Leckerbissen. «Ich hab nur einen Witz gemacht.»

«Worüber?»

«Wenn ich es erklären muss, ist es kein Witz mehr.»

«Magst du die Lady, die jetzt kommen soll, mehr als Miss Jones?»

«Elliott, ich möchte keine weitere Unterhaltung wie die über ‹Erektionen›. Orla ist eine Kollegin. Jemand, mit dem ich arbeite. Sie kommt, um über unsere Arbeit zu sprechen. Ich möchte daher, dass du heute Abend ganz besonders artig bist. Das heißt, ich möchte, dass du keinen Ton sagst. Nicht einen einzigen Ton.» Ed drohte mit einem Johannisbeerfinger. «Damit du mich also richtig verstehst: Wenn du auch nur einmal den Mund aufmachst, ohne gefragt worden zu sein, schneide ich dir die Zunge raus und verfüttere sie an die Katze.»

«Wir haben doch gar keine Katze.»

«An die Katze von nebenan.»

«Auf welcher Seite?»

«Elliott, habe ich mich deutlich genug ausgedrückt?»

«Hast du.»

Es läutete an der Tür, und Ed entledigte sich schwungvoll Alis uralter und bereits recht fadenscheiniger Schürze mit dem Aufdruck *Country Diary of an Edwardian Lady*, bevor er nach vorn eilte, um zu öffnen. Unübersehbar fein gemacht, stand Orla zurückhaltend lächelnd vor der Tür. Ed hatte nicht die Zeit zum Umziehen gefunden, denn bei Marks & Sparks war die Schlange vor der Kasse mindestens zehn Meilen lang gewesen. Orla trug ein Kaschmirkleid und hochhackige Stiefeletten. Das Haar fiel ihr offen auf die Schultern. Ed strich sich eine Strähne aus den Augen. «Wow!»

«Danke», sagte sie und streckte ihm eine Flasche Wein entgegen.

Ed nahm sie ihr ab. «Treten Sie ein. Treten Sie doch ein.»

Elliott versah das Porträt von Miss Jones mit den entscheidenden Finessen: roten Knobelbechern. «Orla, das hier ist Elliott. Unser jüngstes und ungebärdigstes Kind.»

Orla versuchte es mit einem gewinnenden Lächeln. «Hallo, Elliott.»

Elliott presste die Lippen zusammen. «Mmm, mmm.»

«Elliott, sag hallo.»

Elliott schob sich den Filzschreiber ins rechte Nasenloch. «Wie soll ich denn hallo sagen, wenn ich nicht sprechen darf?»

«Katze, Elliott, Katze», ermahnte ihn Ed.

«Hallo», grummelte sein Sohn.

«Orla, darf ich Ihnen etwas zu trinken anbieten? Wein? Wäre rot recht? Oder lieber weiß?»

Orla nickte. «Rot klingt gut.»

Ed füllte ein Glas und reichte es ihr. Wie lachhaft – er war hypernervös. Vielleicht lag es daran, dass er Orla bisher noch nie in einer so privaten Situation begegnet war. Es war auch das erste Mal, dass sie in seiner Gegenwart keine Arbeitskleidung trug, und ihm war nicht ganz wohl dabei. Wenn Orla sich salopp kleidete, dann wirkte auch das höchst elegant, aber heute sah sie irgendwie sanfter aus, zurückhaltend und beinahe selbst nervös. Es war irritierend, ihr hier in der Küche gegenüberzustehen, aber es war nicht lange her, da hatte er es für eine tolle Idee gehalten, sie zu sich einzuladen.

Orla hob das Glas an die Lippen. Die waren mit scharlachrotem Lippenstift betont, voll und verführerisch. «Cheers», sagte sie. «Auf uns.»

«Sind Sie mit meinem Vater in Liebe gefallen?» Elliott brachte seinen Filzstift zum vollen Naseneinsatz, während er den weiblichen Gast genau inspizierte.

Orla spuckte den Wein ins Glas zurück, weil sie einen Hustenanfall bekam.

«Elliott!»

«Meine Lehrerin ist es», informierte er sie. «Ich hab sie gezeichnet.» Elliott hielt das eher zweifelhafte Porträt zur Begutachtung in die Höhe.

Orla warf einen Blick darauf. «Ich bin sicher, dein Daddy fühlt sich deswegen sehr geschmeichelt.» Sie bedachte Ed mit einem fast sarkastischen Lächeln.

«Es ist Bettzeit, junger Mann.»

«Ach, noch nicht», bettelte Elliott. «Ich muss noch was zeichnen.» Er sammelte eilig seine Filzschreiber zusammen, schmierte einen Popel vom Stift auf seine Hose und riss ein sauberes Stück Papier ab.

«Es ist schon spät», sagte Ed. «Ins Bett.»

Thomas schaute zur Tür herein. «Darf ich ins Bett gehen? Ich möchte noch lesen.»

«Möchtest du nicht einen kleinen Schluck Wein mit uns trinken?»

Thomas schüttelte den Kopf. Sogar für seine Verhältnisse war er die ganze Woche über ungewöhnlich still gewesen. Ed hätte ihn am liebsten in die Arme genommen und ihm versichert, dass alles gut werden würde, aber er wollte das Schicksal nicht herausfordern.

«Es ist doch noch früh», sagte Ed betont unbekümmert.

«Eben hast du gesagt, es ist schon spät!», protestierte Elliott.

«Elliott, sei jetzt still und verschwinde ins Bett!»

Der kleine Junge stand vom Tisch auf und drohte Orla

mit dem Finger: «Seien Sie vorsichtig, was Sie zu Daddy sagen. Der hat was mit Muschis.»

Orla zuckte mit den Wimpern.

«Gute Nacht», sagte Elliott eingeschnappt und schlurfte zur Tür.

«Nacht.» Thomas drehte sich um und folgte ihm.

Ed versuchte es mit einem entschuldigenden Lachen. «Tut mir Leid.»

Tanya tauchte an der Tür auf. «Ich bin weg.»

Ed blinzelte. «Du willst doch nicht etwa in dem Aufzug gehen?» Seine Tochter trug so gut wie nichts am Leib, hatte dafür aber das Gesicht hinter einer massigen Schicht Make-up verborgen.

«Will ich. Tschüss. Brauchst nicht auf mich zu warten.»

«Brauchst nicht auf mich zu warten!», rief Ed. Die Eingangstür fiel mit einem lauten Knall zu.

Als er wieder lachte, klang es recht hohl. «'schuldigung, 'schuldigung, 'schuldigung.»

«Ich glaube, domestiziert gefallen Sie mir ganz gut», sagte Orla. Sie rutschte auf einen Küchenhocker.

«Ich bin aber nicht sicher, ob ich mir selbst gefalle», gestand er.

Beide verfielen in längeres Schweigen.

«Ich werde jetzt das Abendessen servieren, wenn Sie nichts dagegen haben», sagte er und widerstand dem Drang, dazu wieder seine Schürze anzulegen. «Anderenfalls bekommen wir es nur noch mit verkohlten Lammresten zu tun.»

Er befreite das Fleisch aus dem Ofen.

Sie ließ ihn nicht aus den Augen, sondern betrachtete ihn schon fast zu intensiv. Er spürte, wie ihre Blicke jeder seiner Bewegungen folgten, und das trug nicht gerade zu deren Geschmeidigkeit bei.

«Das riecht ja himmlisch.» Orla schnupperte.

«Lamm», sagte Ed überflüssigerweise.

«Mein Lieblingsessen.»

«Ich wusste gar nicht, dass Sie Fleisch essen.» Obwohl doch die meisten Mitglieder des Teams die Meinung vertraten, dass sie es wahrscheinlich roh aß. Zum Frühstück. «Ist alles außer Haus gekauft. Ich akzeptiere daher kein Lob für die Zubereitung, nehme aber auch nicht die Schuld auf mich, sollte es Madam nicht munden.»

«Ich bin sicher, es schmeckt großartig», sagte sie.

Ed legte das Fleisch auf und trug die Teller zum Küchentisch. Miss Jones heftete er mit einem Magneten an die Kühlschranktür, damit nur keine rote Johannisbeersoße auf deren orangefarbenen Dreiecksrock kleckerte und Elliotts restliches Leben ruinierte. Hauptsächlich deswegen, weil er nicht wusste, wo Ali sie aufbewahrte, hatte er sich nicht die Mühe gemacht, eine Tischdecke aufzulegen. Auch auf Kerzen hatte er verzichtet, weil er meinte, sie hätten vielleicht einen falschen Eindruck aufkommen lassen. Er wollte nämlich nicht, dass Orla ihm romantische Anwandlungen unterstellte. Jetzt wünschte er jedoch, er hätte sich etwas mehr Mühe gegeben. Es war nicht sonderlich gemütlich, am Küchentisch zu sitzen, Fertiggerichte zu sich zu nehmen und dabei von Halogenpunkstrahlern ausgeleuchtet zu werden, mochten die auch noch so modern sein. Kerzen wären eine gute Idee gewesen. Orla setzte sich an den Tisch, und Ed gesellte sich mit einem von Herzen kommenden Seufzer zu ihr.

«Tut mir Leid, dass alles so überstürzt vonstatten geht», sagte er. «Die letzte Woche war der reine Albtraum.»

Orla hob ihr Glas. «Wollen wir wieder auf etwas trinken?»

Ed stieß mit ihr an. «Zum Wohl.»

«Auf die Zukunft», regte sie an.

«Ja. Die Zukunft», wiederholte Ed. Er schnitt das Lammfleisch an und stellte mit Erleichterung fest, dass es nicht zäh wie Leder war, sondern tatsächlich noch zartrosa, wie es sich gehörte.

«Und», sagte Orla, nachdem sie ebenfalls gekostet hatte, «wollen Sie mir jetzt eröffnen, was geschehen ist?»

Ed saugte an den Lippen. «Alicia hat mich verlassen.»

Orla lehnte sich zurück. «Nein.»

«Sie ist mit einem mittellosen jungen Künstler durchgebrannt.» Gestenreich verdeutlichte Ed seine ganze Hoffnungslosigkeit.

«Mein Gott», sagte sie. «Wie romantisch!»

Jetzt war es an Ed, sich zurückzulehnen. «Nein, Orla, nicht romantisch. Tragisch.»

«Oh, selbstverständlich. Tragisch. Tragisch.» Sie nippte an ihrem Wein. «Aber unter anderen Umständen und im Falle einer anderen Frau – romantisch.» Orla feuchtete die Lippen an und schnalzte nachdenklich. «*Sehr* romantisch sogar.»

Ed hätte Orla am liebsten einen wütenden Blick zugeworfen.

«Würden Sie etwa in Versuchung kommen, siebzehn glückliche Ehejahre hinter sich zu lassen, nur um mit jemandem zu schlafen, der noch jünger aussieht als der Milchbubi Leonardo Di Caprio?»

«Darauf können Sie Ihren süßen Hintern ...» Orla hob den Blick und verstummte. «Ich würde im Leben nicht auf eine solche Idee kommen.»

«Ich weiß nicht, was sie dazu veranlasst hat.» Ed schüttelte ratlos den Kopf. «Ich hielt uns für glücklich.»

«Tatsächlich?»

«Nun, ja. Obwohl es mir manchmal vorkam, als seien wir schon ewig und drei Tage etwas zu selbstverständlich glücklich. Wir haben uns nie große Sorgen machen müssen. Und das können heutzutage nur wenige Menschen von sich sagen.»

Orla betrachtete ihn aufmerksam. «Schon als ich Ihnen das erste Mal begegnet bin, erkannte ich in Ihnen einen Mann, der sich für andere aufopfert.»

«In mir?»

«Ja. In Ihnen, Ed», sagte sie ernsthaft, während sie sich noch eine Portion Zuckerschoten aus der Mikrowelle auftat. «Sie sind ein Mann, der in der Falle seines Pflichtbewusstseins steckt.»

«Tue ich das?» Der Gedanke war ihm auch schon das eine oder andere Mal gekommen. Besonders nach diversen Bieren.

«Na ja, meiner Ansicht nach», sagte Orla.

«Stimmt.»

Sie ließ die Finger über den Tisch gleiten und ergriff Eds Hand, die sie fest und tröstend drückte. «Wir haben eine Menge zu besprechen, Ed. Was die Zukunft betrifft. Wenn Alicia für Sie das einzige Hindernis war, mein Jobangebot für die USA anzunehmen, hat sich das Problem ja sozusagen ganz von selbst erledigt.»

Ed hätte liebend gern einen Schluck von seinem Wein getrunken, aber er wagte nicht, seine Hand aus Orlas Berührung zu lösen. Sein Mund war extrem trocken. Aus diesem Blickwinkel hatte er die gegenwärtige Situation noch gar nicht betrachtet. An der Tatsache, dass seine Frau ihn wegen eines anderen Mannes verlassen hatte, konnte er sich nämlich nicht im Geringsten erfreuen.

«Ihnen steht es jetzt frei, die eigenen Entscheidungen für Ihr Leben zu treffen», sagte sie.

Ein lähmender und äußerst beängstigender Gedanke. Ali hatte ihn ohne einen Blick zurück verlassen, um sich ihr eigenes Leben zu gestalten. Sollte es ihm möglich sein, dasselbe zu tun?

Orla sah ihn sanft, aber gleichzeitig entschlossen an, verführerisch, sinnlich und stark. «Wo viel Schatten ist, das gibt es auch Licht, Ed», sagte sie und strich mit einem Finger über den Rand ihres Weinglases. «Und vielleicht bin ich ja dieses Licht für Sie.»

Ed leckte sich nervös die Lippen. Vielleicht wären Kerzen doch keine so gute Idee gewesen.

— Kapitel 37 —

Jemma brach eine der bleistiftdünnen Grissini, die steinhart und ohne Geschmack waren, in der Mitte durch und riskierte den funkelnd weißen Schmelz ihrer Zähne, als sie davon abbiss. «Meine Schwester und dein Bruder machen mich ganz kirre», sagte sie erbost. «Die beiden sind so verdammt bescheuert.»

Es war sieben Uhr abends, und im «Calzone» herrschte bereits reger Betrieb. Die Pesto-und-Chardonnay-Fraktion war in voller Stärke auf der Piste, und ihr Krakeel übertönte die sanfte Jazzmusik. Neil hatte die Brautjungfer, die möglicherweise den BH gelockert hätte, am Tag zuvor noch angerufen, um ihre «Session» auf einen anderen Tag zu verschieben, war aber mit einem Schwall von Beschimpfungen überfallen worden, die seine Herkunft, ihn selbst und die gesamte Fotografenzunft in übelster Weise schmähten. Das ließ Neil vermuten, die junge Dame sei ganz und gar nicht die züchtige Brautjungfer, als die sie sich dargestellt hatte. Aber er war ja ebenso wenig der kultivierte und weltgewandte Gesellschaftsfotograf, als der er sich ausgab.

Das war heutzutage eben die Schwierigkeit mit einem Rendezvous oder dem Versuch, eines zu arrangieren. Man durfte absolut nicht man selbst sein, weil dann niemand mit einem auszugehen bereit war. Alle Frauen, die er kannte, waren auf der Suche nach einem dynamischen und kultivierten Multimillionär oder hatten selbst vor, dynamische und kultivierte Multimillionärinnen zu werden. Es hatte den Anschein, als seien Liebenswürdigkeit, Verantwortungsgefühl, selbstzufriedenes Phlegma und saloppes Auftreten als Eigenschaften von denjenigen, die im neuen Jahrtausend auf Partnersuche waren, ganz und gar nicht wohlgelitten. Er versuchte ja mit aller Macht, dynamisch und kultiviert zu werden, ja, es zumindest zum Einfachmillionär zu bringen, aber all das war so schrecklich mühsam.

Ed hatte nie unter der Familieneigenschaft Lethargie gelitten. Kein Opfer war ihm zu groß, wenn es darum ging, Wavelength zu der erfolgreichen und expandierenden Firma zu machen, die sie war. Aber egal, was er tat, sein Bruder schien stets von dem übermächtigen Gefühl bestimmt zu sein, dass es nicht reichte. Neil hingegen gab ihrem Vater die Schuld an seiner Apathie, die ihn dazu brachte, unentwegt alles, was er tat, als ausreichend, wenn nicht gar als übertrieben zu erachten. Daddy Kingston war den größten Teil seines Lebens Firmendirektor gewesen – gestresst, erfolgreich und uneingeschränkt egoistisch in seinem Trachten nach Erfolg. Dann kam er aber eines Tages zu der Überzeugung, dass er früh an einem Herzinfarkt sterben würde, wenn er so weitermachte, und hörte auf. Einfach so. Er legte seine Abfindung an, zog in ein kleineres, gemütlicheres Haus um, entdeckte eine bis dato schlummernde Neigung zum Altruismus und nahm einen Teilzeitjob an, in dem er die Wiedereingliederung ehemaliger Strafgefangener unterstützte, indem er ihnen half, sich selbständig zu machen. Ansonsten begaben sich seine Frau und er, wenn sie nicht jeden Nachmittag Golf spielten, auf luxuriöse Ferienreisen. Ed jedenfalls kam zweifellos nach seinem Vater, was den Einsatz im Arbeitsleben betraf. Neil wünschte sich nur, sein Bruder würde zur Rettung seiner Ehe etwas mehr Eifer entwickeln.

Alicia war eine wunderbare Frau, dachte Neil. Er wünschte nur, er könne eine wie sie finden. Er starrte Jemma an, die an ihrem Grissino lutschte, und wandte sich schnell wieder seinen Linguini zu. Seine Verabredungen mit Frauen wurden immer mehr zum Krampf, wie er feststellen musste. Er war gerade erst sechsunddreißig geworden, aber plötzlich und völlig unerwartet hatte sich der intensive Wunsch eingestellt, verheiratet zu sein und die Wochenenden damit zu verbringen, bei Ikea und Baby Gap einzukaufen wie all seine Freunde. Vielleicht lag es daran, dass ihm das Fastfood zum Mitnehmen nicht mehr so richtig schmecken wollte.

«Du hörst mir überhaupt nicht zu», sagte Jemma.

Neil riss den Kopf in die Höhe und sah, dass sie ihn recht wütend fixierte. «Ich hab nachgedacht.»

«Über was?»

Er gab sich alle Mühe, konzentriert zu wirken. «Über das, was du gesagt hast.»

«Und?»

«Und – ich finde, du hast Recht.»

«Womit?»

«Mit allem», sagte Neil voller Überzeugung. «Mit absolut allem.»

Jemma lächelte. «Gut.»

Neil lächelte zurück. «Gut.»

«Das ist es ja, was ich an dir so mag, Neil. Mit dir kann man reden.»

Bescheiden sagte er: «Danke.»

«Also findest du auch, dass wir uns regelmäßig treffen sollten, um unsere Taktik zu besprechen?»

«Ja, klar», stimmte Neil zu. «Regelmäßig.» Das hier war echt easy gewesen, und die Rechnung war auch ganz easy um die hundert Pfund.

«Gut.»

«Gut.»

«Meine Güte, ist es schon so spät?» Jemma leerte ihr Weinglas. «Ich hab eine Verabredung», sagte sie, stand auf und schlüpfte in ihren Mantel. Sie zwinkerte ihm zu. «Heißer Typ.»

Und Neil überkam die deprimierende und auf den Magen schlagende Gewissheit, dass sie ihn nicht gemeint haben konnte.

— Kapitel 38 —

Elliott klammert sich an einen der Holzpfosten, die unsere relativ elegante und von Geißblatt umrankte Veranda stützen, und kreischt aus Leibeskräften.

«Daddy soll kommen!»

Ich sehe Ed flehentlich an, aber er reagiert nur mit einem bösen Da-siehst-du-was-du-uns-eingebrockt-hast-

Blick. Ich bin zum vereinbarten Zeitpunkt gekommen, um meine Kinder abzuholen, und das ist tausendmal grausamer, als ich es mir je hätte vorstellen können.

Als ich heute Morgen aufwachte, schien die Sonne nicht, obwohl ich es doch so gehofft und mir vorgestellt hatte. Es war auch kein Vogelgezwitscher zu hören. Der Himmel hing voller gruseliger Wolken, und die Straßen waren regennass. Christian hatte einen Kater, weil er am Abend zuvor so viel Diamond White getrunken hatte, und konnte kein Ende im Bad finden. Ich hingegen konnte nicht schnell genug aus dem Haus kommen. Ich war so aufgeregt, meine Kinder wieder zu sehen, und dachte, ja, hoffte, sie würden mir in die Arme fliegen, erleichtert, dass ich wieder bei ihnen war. Aber wie das Wetter präsentierten auch sie sich allesamt grau und deprimierend.

«Ich will, dass Daddy mitkommt», wiederholt Elliott in voller Lautstärke und stemmt seine Füße in den Kies.

«Daddy kann nicht mitkommen», sage ich so gefasst und überzeugend, wie ich kann. «Daddy hat zu arbeiten.»

Ed lehnt am Türpfosten und sieht aus wie ein Mann, der sich auf die stundenlange Freizeit freut, die vor ihm liegt. Auf dem Rücksitz des Wagens angeschnallt, lassen Tanya und Thomas die Köpfe hängen und bemühen sich, von uns anderen keine Notiz zu nehmen.

«Elliott, bitte!»

«Ich will aber, dass du und Daddy wieder Mami und Papi seid!»

«Wir sind doch deine Mami und dein Papi. Was redest du denn für ein dummes Zeug?»

«Ich bin vier. Da darf ich dummes Zeug reden. Ihr seid die Erwachsenen», heult er. «Ihr dürft nicht mehr dumm sein!»

Ich hasse es, wie Kinder einem mit ihrer simplen Logik das Herz brechen können.

«Wie wär's, wenn Mami mit euch dahin fährt, wo es schön ist, und dann unterhalten wir uns weiter darüber?»

Elliott erlöst den Geißblatt aus seinem Würgegriff, sein Grimassengesicht entzerrt sich, und er zeigt, wenn auch widerwillig, Interesse. «Wohin?»

Ich lächle milde. Wenn ich meinen Sohn nicht gerade erdrosseln möchte, bin ich vor Liebe zu ihm hingerissen, und ich habe ihn in der vergangenen Woche so vermisst, dass ich ständig Magenschmerzen hatte. Ich hab sie alle vermisst. Ed eingeschlossen. «Wohin ihr möchtet.»

«McDonald's», verkündet Elliott.

Mir bleibt das Herz stehen. «Wir können fahren, wohin ihr möchtet», biete ich nochmals an, weil ich hoffe, Elliott damit anzudeuten, dass er keine gute Wahl getroffen hat. «Wohin ihr möchtet.»

«McDonald's.» Er bleibt unerbittlich bei seiner Entscheidung. Wenn ich ihn je von seinem Vater und dem Geißblattwerk loseisen möchte, dann muss es wohl McDonald's sein.

«Okay», sage ich mit einem resignierten Seufzer.

Ed knurrt nur verächtlich, und das soll garantiert heißen: «Erster Besuchstag als getrennter Elternteil, und dir fällt nichts Besseres ein, als sie zu McDonald's zu schleppen.» Recht hat er ja.

«Ich bring sie dann nachher zurück», sage ich gedemütigt. «So gegen fünf.»

«Sehr schön», antwortet er knapp und schließt die Tür.

McDonald's ist rappelvoll. Ich könnte schwören, dass Kinder aus allen Ritzen quellen, aber auf jeden Fall robben sie in Massen unter den Tischen hindurch. Ich schwenke meine Knie zur Seite, weil sich schon wieder ein mit Ketchup beschmierter Dreijähriger vorbeidrängeln will, und muss dabei feststellen, dass der Fußboden von halb verzehrten Hamburgern übersät ist. Zumindest heute scheint die Geschäftspolitik der amerikanischen Hackfleischbrater, ihre Filialen peinlich sauber zu halten, in die Binsen gegangen zu sein. Wir sitzen an einem kleinen roten Tisch auf den weltweit unbequemsten Stühlen in einem abgeteilten Bereich des Restaurants, der als Ronald McDonalds Auto gestaltet ist. Die Farbgestaltung in Orange und Pink verursacht Migräne, und alles in allem könnte es auch in der Hölle nicht übler zugehen.

Auf dem Weg hierher hatte ich mich bemüht, die Kinder mit fröhlichem Geplapper zu unterhalten, war aber mehr oder weniger ignoriert worden. Jetzt versuche ich es mit der Imitation einer überkandidelten Moderatorin des Kinderkanals, da kommt Christian zur Tür herein. Ich spüre, wie er vor Grauen innerlich verkrampft. Ich hab ihm am Telefon geraten, nicht zu kommen, aber er wollte sich nicht davon abbringen lassen. Er gibt sich große Mühe, Interesse an den Kindern aufzubringen, aber ich merke sehr wohl, dass es ihm nicht leicht fällt. Und wie sollte es auch? Als er das letzte Mal etwas mit Kindern zu tun hatte, ging er zur Schule und war selbst noch eins. Und das ist noch gar nicht lange her.

Er nähert sich unserem Tisch, und obwohl ich so gestresst bin, fühle ich mich von Liebe und Lust auf ihn überwältigt. Ich kann nicht ohne ihn sein, ich brauche ihn unbedingt, und zwar nicht an den gewöhnlichen Stellen, sondern ich brauche ihn auf der Innenseite meiner Lider und in der Beuge meines Arms und in meinen Nackenhärchen. Das hier ist ein wichtiges Zusammentreffen, und ich wünsche mir so sehr, dass es gut verläuft.

«Hi», sagt er und winkt uns dabei gespielt lässig zu. Alle meine Kinder starren ihn erwartungsvoll an. Tanya bekommt ihren Mund gar nicht wieder zu. Für sie ist es wahrscheinlich so, als würde sie ihre Mutter in den Armen eines Mitglieds von Boyzone sehen. Leicht verkatert und blass sieht Christian heute tatsächlich aus wie ein angesagter Popstar.

«Ich möchte, dass ihr jemanden kennen lernt», sage ich mit überdrehter Singsangstimme. «Das ist Christian.»

Christian setzt sich unter einigen Verrenkungen auf einen der Stühle, die für seine langen Beine viel zu klein sind.

«Bist du jetzt unser neuer Daddy?» Elliott hat es schon immer vorgezogen, ohne Umschweife zur Sache zu kommen.

Christian sieht zu Tode erschrocken aus. «Nein.» Hilfe suchend sieht er mich an.

«Er ist nur ein Freund», erläutere ich.

«Hast du es schon getan?», fragt Elliott.

«Elliott!»

Christian ist kreidebleich geworden. «Was?»

«Meine Mami geküsst?»

Christian wirkt höchst erleichtert. «Oh ...»

«Elliott!»

Mein Sohn entscheidet sich fürs Schmollen. «Ich hab ja nur gefragt.»

«Genau das verkneif dir bitte», ermahne ich ihn.

«Ich dachte, er ist mein neuer Daddy, denn eine neue Mami haben wir ja schon», verrät mir Elliott freudestrahlend.

Ich bin froh, dass ich bis jetzt noch keine Hamburger geholt habe, denn ich hätte meinen garantiert ausgespuckt. «Ach ja?», frage ich. So hört es sich jedenfalls an.

«Sie heißt Orville.»

«Orla, du Blödmann», faucht Tanya ihn an. «Sie heißt Orla. Orville war eine grüne Ente.»

«Wollen alle das Happy Meal?», kreische ich und krieg mich nicht wieder ein.

«Für Vegetarier haben die hier ja nichts», mault Tanya.

«Nimm doch einen Chicken McSonstwas», schlage ich vor.

«Dann werde ich meinen Prinzipien eben untreu», verkündet sie hochtrabend. «Aber nur heute. Ich nehme dieses Fischzeug.»

«Gut», sage ich. «Thomas? Happy Meal?»

Thomas nickt. Er ist der Einzige hier, dem klar ist, dass es angezeigt ist, mir nicht zu widersprechen. «Und was möchtest du, Christian?»

Er scheint verblüfft darüber, dass ich ihn wie einen Fünfjährigen anspreche, aber das sollte er nicht sein, denn ich bin nur in den Kommandoton meiner Mutterrolle verfallen, und der trifft auch ihn, weil er eben da ist. «Einen Big Mac», sagt er leicht verwirrt. «Ich komme mit dir.»

«Nein», sage oder vielmehr kreische ich. «Du bleibst hier. Freunde dich mit den Kindern an. Ich bin ja gleich wieder da.»

Der Horror steht in seinem Gesicht, aber ich kann es auch nicht ändern. Er muss damit fertig werden. Meine Nerven liegen blank. Ich kann spüren, wie sie sich langsam von den Muskeln lösen, aufbröseln und zu reißen beginnen. Ich brauche dringend Valium. Und ich brauche auch fünf Minuten ganz für mich allein, in denen ich darauf warte, unser Essen zu holen, und darüber nachdenken kann, dass es Ed offenbar bereits nach knapp einer Woche meiner Abwesenheit gelungen ist, Ersatz für mich zu finden.

Ich scharre nervös mit dem Fuß, während ich darauf warte, dass der picklige Teenager, der mich bedient, unsere Bestellung beim dritten Anlauf geschnallt hat. Haben sie allesamt Pickel, weil sie zu viele kostenlose Hamburger futtern? Kein Wunder, dass mein Ehemann so blasiert an unserer Haustür stand. Ich hätte dieser Orla-Orville-Dame mehr Aufmerksamkeit schenken sollen. Vielleicht hätte ich dann bemerkt, wie oft Ed in unseren Gesprächen wie beiläufig ihren Namen hatte fallen lassen. Orla-hier. Orla-da. Und jetzt Orla, die andere! Mein Gott, und er bastelt daran, *mir* die Schurkenrolle in diesem Stück zuzuweisen. Ich soll ganz allein dafür verantwortlich sein, dass diese Familie auseinander bricht, obwohl er doch in aller Stille dazu beigetragen hat, ohne dass ich es wusste. Und ich war mir so beschissen vorgekommen. Echt beschissen. Ich hatte ganz im Ernst gedacht, dies alles sei ein großer Sieg der bösen Fee, die mich verhext hatte, und ich wollte wirklich daran arbeiten, irgendwie alles wieder ins Lot zu bringen. Um meinetwillen, um Eds willen, um der Kinder willen. Und jetzt fand ich heraus, dass ich noch nicht einmal alle Fakten kannte. Na ja, man sagt ja auch, die Ehefrau erfährt es immer als Letzte. Und ich weiß, dass ich bei all meiner Empörung nicht selbstgerecht werden darf, aber ich werde es dennoch. Obwohl nicht zu bestreiten ist, dass auch mir kleine Sünden auf der Seele brennen.

Eine unbehagliche Stille erfasst uns, während wir essen, und ich tue mein Bestes, mir nicht bewusst zu machen, dass wir in einem Cartoon-Auto sitzen. Warum, warum hatte ich nur hoffen können, dass dies alles gut gehen könnte? Christian lächelt mir zu. Er versucht, verständnisvoll zu sein, aber so stocksteif, wie er dasitzt, ist unschwer zu erkennen, dass er nicht gerade entspannt ist. Ich spüre, wie sich seine Finger unter dem Kindertisch in meinen Oberschenkel krallen.

«Und», sagt Christian vertrauensvoll, «was möchtest du werden, wenn du mal groß bist, Thomas?»

Thomas reagiert irritiert darauf, auf diese Weise angesprochen zu werden, aber ist zu höflich, um die Frage zu ignorieren. «Paläontologe», sagt er ganz ruhig und vergräbt sich wieder in seinem Happy-Meal-Karton.

«Thomas liebt Dinosaurier, nicht wahr?», sage ich.

Thomas nickt.

«Und du, Elliott?» Christian hat Mut gefasst. «Was möchtest du werden, wenn du mal groß bist?»

«Einbrecher», sagt Elliott voller Überzeugung. Damit ist die Unterhaltung dann auch am Ende, und Christian wendet sich mit verschämter Miene seinen Pommes zu.

«Ich muss mal aufs Klo», verkündet Elliott mit vollem Mund.

«Das musst du jetzt nicht, Elliott», sage ich geduldig. «Du warst vor fünf Minuten Pipi machen. Iss jetzt deinen Burger.»

Elliott rutscht demonstrativ auf seinem Stuhl hin und her.

«Sitz still.»

«Ich muss aber aufs Klo», beharrt er.

«Das musst du nicht!»

«Muss ich wohl!», schreit Elliott. «Ich mach schon Pupuuh. Es kommt aus meinem Poloch raus!»

Sämtliche Gäste von McDonald's drehen sich zu uns um.

Elliott ist inzwischen lila angelaufen. «Ich kann es gar nicht mehr länger anhalten, auch wenn ich's versuche!»

Ich weiß genau, wie er sich fühlt. Christian legt seinen Hamburger aus der Hand. «Dann geh auf die Toilette, Elliot», flüstere ich. «Mach schnell.»

Elliott rast mit halsbrecherischer Geschwindigkeit davon. Der Geräuschpegel im Restaurant wird wieder normal. Wir hingegen sitzen stumm am Kindertisch.

«Nun», sage ich fröhlich, «es läuft doch alles wunderbar, oder?»

Christian, Tanya und auch Thomas sehen mich an, als sei ich total ausgeflippt. Ich starre auf mein Happy Meal und möchte losheulen. Und ich überlege ernsthaft, ob man sich mit der Kante von Pommes Frites wohl die Pulsadern aufschneiden kann.

— Kapitel 39 —

Ich sitze in Jemmas Wohnung, und wir weinen beide. Jemma verteilt Papiertaschentücher und Pralinen, die ich in gleichen Mengen konsumiere.

«Ich kann es nicht ertragen, dich so unglücklich zu sehen.» Jemma schnieft. «Kannst du nicht einfach zu Ed zurückkehren und alles bereinigen?»

«Er hat eine andere», kläre ich sie auf. «Deswegen sitze ich ja hier und heule.»

«Wenigstens empfindest du noch etwas für ihn.»

«Man kann nicht so viele Ehejahre einfach hinter sich lassen. Natürlich liebe ich ihn noch immer.» Bei dem Wort ‹liebe› komm ich ein wenig ins Stottern, als ob dessen Bedeutung mir inzwischen fremd geworden ist. Und ich muss tatsächlich gestehen, dass meine überkommene Vorstellung von jenem Schwindel erregenden Zustand, den wir gemeinhin Liebe nennen, sich in jüngster Zeit ein wenig verändert hat.

«Und er liebt dich noch immer. Er hat doch niemals so schnell eine neue gefunden.»

«Meine Kinder sind eine verlässliche Informationsquelle.»

«Sind sie nicht. Da tust du ihnen zu viel der Ehre an. Du solltest doch am besten wissen, wie Kinder sind. Sie zählen zwei und zwei zusammen und kriegen vier Millionen raus.»

«Ich hätte viel argwöhnischer sein sollen, was diese Orville betrifft. In letzter Zeit hat Ed viel von ihr gesprochen, und das deutet ganz klar auf Ehebruch.»

«Er macht das wahrscheinlich absichtlich, damit du eifersüchtig wirst», sagt Jemma.

Schon verbessert sich meine Stimmung erheblich. «Meinst du wirklich?»

«Ach, Alicia», seufzt Jemma. «Du bist so grenzenlos dämlich.»

Genau das mag ich an meiner Schwester. Sie stärkt einem stets den Rücken.

«Es dürfte dir vielleicht entgangen sein, aber du hast dir doch gerade erst was Knackiges und Junges als Spielzeug aufgerissen. Wie soll sich Ed da fühlen?»

Ich spüre, dass ich unwillkürlich eine Flunsch ziehe. «Das weiß ich nicht.»

«Dann überleg mal, Alicia. Denk doch einmal nicht nur an dich.»

Ich denke, diese Bemerkung ist sehr unfair. Denke ich wirklich.

«Ich nehme an, all das geht auf die Tatsache zurück, dass du schon immer unter dem Unerwiderte-Liebe-Syndrom gelitten hast», sagt Jemma, die offenbar mehr Zeit zum Denken hat, als ihr gut tut. Was garantiert daran liegt, dass sie nur mit verheirateten Männern ausgeht und daher den größten Teil ihrer Zeit damit verbringt, darauf zu warten, dass die Kerle sie mit ihrer Gesellschaft beehren. Aber ich fühle mich bei weitem nicht mutig genug, ihr das rundheraus zu sagen. Man sollte nicht annehmen, dass sie zu ihrer älteren und weiseren Schwester spricht, die bereits die schwere Bürde dreier Geburten hinter sich hat und über einen wohl ausgestatteten Fundus weltlicher Erfahrungen verfügt. «Du hast dich schon immer in jüngere und unerreichbare Männer verguckt», fährt sie vergnügt fort, ohne zu merken, dass mir langsam die Spucke wegbleibt. «Jetzt, da du dir tatsächlich einen aufgerissen hast, weißt du nicht so recht, wie du damit umgehen sollst.»

«Heutzutage sind massenhaft Frauen mit jüngeren Männern zusammen», protestiere ich.

«Wer?»

«Barbara Windsor, Tina Turner. Vivienne Westwood wahrscheinlich. Ganz zu schweigen von Cher. Die haben sich alle jüngere Männer gekrallt.»

Jemma schnalzt abfällig.

Ich befinde mich also an vorderster Front und in bester Gesellschaft unter Fernsehstars und alternden Rockdiven. Toll. Aber mit einem so blutjungen und hübsch anzuschauenden Mann wie Christian ins Bett zu gehen hat auch seine Schattenseiten. Zwar gibt es mir das Gefühl, äußerst attraktiv und sexy zu sein, aber es macht mir auch gnadenlos bewusst, dass mein Körper langsam aus dem Leim geht.

«Scheiße», sagt Jemma, «ich werde uns mal eine Pulle Kribbelwasser aufmachen, damit wir nicht in Depression versinken. Das Zeug bewährt sich in Krisenzeiten mindestens so gut wie bei Festlichkeiten.»

«Ich muss zurück.» Ich glaube, ich möchte wieder losheulen. «Ich muss Christian entgegentreten», sage ich verzagt und greife nach meiner Handtasche.

Mein Exemplar des Ratgebers *Wie Sie in jedem Alter als Sexkätzchen Erfolg haben können* fällt mit einem peinlichen Poltern auf den Laminatboden, Holzsorte weiße Esche. Mir steigt die Röte zu Kopf. Jemma hebt das Buch auf und blickt konsterniert auf dessen Titel. «Also, Alicia!»

Ich senke den Kopf.

Meine Schwester schwenkt das Buch vor meiner Nase hin und her. «Seit wann liest du solchen Schund?»

«Ich hab's nur mal durchgeblättert.»

«Und welche nützlichen Ratschläge hast du, wenn überhaupt, darin gefunden?»

«Zum Beispiel, dass ich abends gefrorene Rosenblätter übers Bett streuen soll, wenn ich eine sinnliche Atmosphäre schaffen möchte», murmele ich kleinlaut mit auf die Brust gesenktem Kopf.

«Genau. Das ist also der Trick, mit dem du sie dir gefügig machst.»

Jemma hat das Buch aufgeschlagen. «Dekoriere bei einem intimen Essen den Tisch mit parfümierten Dessous.» Ihre Augen weiten sich vor Empörung. «Ali!»

«Das hatte ich absolut nicht vor!» McDonald's ist ja wohl kaum das geeignete Ambiente für Höschen, die in Estée Lauder gebadet haben.

«Du bist nicht mehr die Schwester, die ich kenne und liebe», sagt sie streng.

Ich wünsche mir, Jemmas Sofa würde mich verschlingen.

«Würdest du solchen Schwachsinn lesen, wenn du noch mit Ed zusammen wärest?»

«Nein», antworte ich schuldbewusst. Jemma würde die perfekte Schuldirektorin abgeben.

«Du bist offenkundig von dieser neuen Beziehung nicht überzeugt», verkündet sie. «Sie schadet deiner Selbstachtung. Ich verstehe dich nicht, Alicia. Du und Ed passt perfekt zueinander. Ich hab gerade noch zu Neil ...»

«Neil?» Ich hebe den Kopf. Jemma ist rot geworden. Ein höchst seltener Anblick, denn eigentlich gibt es nichts, das meine Schwester vor Scham erröten ließe. Sie versteckt ihr Gesicht zwischen den Seiten von *Wie Sie in jedem Alter als Sexkätzchen Erfolg haben können.* «Eds Neil? Mein Schwager Neil?»

«Ja.»

«Was hast du denn mit Neil zu schaffen?»

«Wir waren zusammen essen.»

«Warum denn das?»

«Weil er nett ist.»

«Hat er es vorgeschlagen?»

«Nein. Ich hab ihn gefragt. Das ist heutzutage doch nicht ungewöhnlich.»

Ich schaue sie argwöhnisch an. «Und hat es dir gefallen?»

«Ja», sagt sie. «Und wir werden es demnächst wiederholen.»

«Wann?»

«Ich weiß noch nicht.»

«Aha.» Das ist ja alles sehr interessant. «Und? Was hast du so zu Neil gesagt?»

«Nichts», sagt sie, und ihre rosa Gesichtsfarbe nimmt eine dunklere Färbung an: Erdbeeren, Rote Beete und Tomatenketchup gemischt.

Ich glaube, das gefällt mir.

— Kapitel 40 —

Robbie lud seinen Rucksack auf dem Tisch ab. «Du siehst ja heute völlig fertig aus, mein Alter.» Er öffnete den Kühlschrank und griff sich ein Bier. Der Kühlschrank roch inzwischen nach Meister Proper statt nach Schimmelpilz, denn Ali putzte für sie, aber er enthielt dennoch nichts auch nur annähernd Gesundes, es sei denn, man zählte Budweiser und Toblerone dazu. Oh, außerdem war noch eine Ecke für Rebeccas Magerjoghurt reserviert, von dem sie die Finger zu lassen hatten. Robbie fläzte sich neben Christian aufs Sofa.

Christian öffnete ansatzweise die Augen und sah kritisch an sich hinunter. Er schien an diversen Stellen, die dafür nicht vorgesehen waren, mit Ketchup beschmiert zu sein.

«Ich habe den Nachmittag im Fegefeuer verbracht. Es nennt sich McDonald's.»

«Soso.»

«Und ich bin total fertig.»

«So siehst du leider auch aus.»

«Das liegt aber auch daran, dass ich Kinder kennen gelernt hab, die direkt aus der Hölle kommen.» Christian stieß mit Robbie an und nahm einen Schluck.

«Alis Blagen?»

Christian nickte.

Rebecca öffnete die Tür und stolzierte ins Zimmer. «Die hat Kinder?»

Christian und Robbie tauschten Blicke aus.

«Warum hat mir das niemand gesagt?»

Christian und Robbie tauschten abermals Blicke aus.

«Ich hab nicht gelauscht», fauchte Rebecca. «Ihr wisst ja gar nicht, wie laut ihr redet. Oder auch noch was anderes macht.» Sie warf Christian einen anzüglichen Blick zu.

«Wenn du nicht ständig das Zimmer verlassen würdest, sobald Ali eintritt, hättest du dich vielleicht mal mit ihr darüber unterhalten können.»

Rebecca grummelte etwas, das nach «klasse Idee» klang. Sie ging an den Ausguss und machte sich einen Tee. «Wie viele hat sie denn?»

«Drei.»

«Drei? Ist das nicht etwas übertrieben?»

Robbie lachte. «Erst hat man gar keins, und plötzlich kommen drei gleichzeitig. Wie Busse.»

«Und Frauen», fügte Rebecca hinzu. Robbie kicherte. Sie brachte ihren Tee mit an den Tisch und setzte sich ihnen gegenüber.

«Und wie alt?»

«Fünfzehn, zwölf, und der Kleine ist vier, aber er könnte auch hundertvier sein. Der ist wie Yoda. Nichts entgeht ihm.»

«Sagen sie Onkel Christian zu dir?»

«Lass gut sein, Becs», warnte er. «Ich muss mir mehr Mühe geben. Die haben mich spüren lassen, dass sie nichts mit mir zu tun haben wollen.»

«Natürlich nicht. Du stiehlst ihnen die Mutter.»

«Ich stehle sie doch nicht.»

«Oh.» Rebecca zog die Augenbrauen hoch. «Willst du sie etwa zurückgeben, wenn du mit ihr durch bist?»

«Ich möchte, dass sie zu meinem Leben gehört, Becs. Und zwar auf Dauer. Und wenn das bedeutet, dass ich zurückstecken muss, dann stecke ich eben zurück.»

«Du würdest doch noch nicht einmal zurückstecken, wenn es darum geht, auf welcher Seite des Betts du schläfst, Christian. Dabei fällt mir ein ...» Rebecca zog einen Zettel aus der Tasche. «Diese Sharon hat heute angerufen.»

Die beiden sahen sie verblüfft an.

«Ihr wisst schon, die Kleine, die eine Nacht mit Robbie verbracht hat, kurz bevor Mutter Erde hier eingezogen ist.» Sie bedachte die beiden mit einem wissenden Blick. «Komisch ist nur, dass sie mit dir sprechen wollte, Christian.»

Robbie und Christian vermieden es, einander anzusehen.

«Was wollte sie denn?», fragte Christian.

«Mein Gott, was wird sie schon gewollt haben?»

«Ich möchte wetten, dass sie wieder mal hergenommen werden will», sagte Robbie.

Sein Freund warf ihm einen bösen Blick zu.

Rebecca hielt den Zettel in die Höhe, und Christian nahm ihn ihr ab. Er knüllte ihn zusammen und steckte ihn in die Tasche, ohne einen Blick darauf geworfen zu haben. «Ich befinde mich in einer festen Beziehung», sagte er. «Das ändert alles.»

«Plus ca change, plus c'est la même chose.»

«Und was hat das nun wieder zu bedeuten?»

«Es bedeutet, dass du nur Scheiße redest, Christian», sagte Rebecca. Danach ging sie mit ihrem Tee hinaus und knallte die Tür hinter sich zu. Christian und Robbie sahen einander an. «Jawollja», sagten sie wie aus einem Munde und ließen die Bierflaschen gegeneinander klirren.

Robbie machte es sich auf dem Sofa bequem. «Du glaubst also, du bleibst mit der Taube zusammen?»

Christian nickte. «Sie beflügelt mich.»

«Hast du etwa wieder Gras geraucht, Alter?»

«Nein.» Christians Augen blitzten auf. «Hast du etwa was?»

Robbie grinste. «Ist der Papst katholisch?»

«Das kriegst selbst du raus», sagte Christian.

«Dann bin ich gleich wieder da», sagte Robbie und sprang auf. «Ich schätze, wir haben beide nach einem besonders stressigen Tag ein bisschen rauchtechnisch bewirkte Entspannung verdient.»

Christian gab sich alle Mühe, einen Rauchring zu blasen, schaffte es aber nicht. Der Joint hatte ihm die Verspannung um die Schulterpartie genommen und dafür gesorgt, dass die Konturen des Zimmers verschwammen. Er wurde eins mit dem Sofa, und die weichen Kissen umfingen ihn wie flauschige Wolken. Er kniff die Augen zusammen und spähte durch die Nebelschwaden.

«Ich will keinen Fehler machen», sagte er schläfrig.

«Genau», pflichtete Robbie ihm bei. Seine Beine hatte er über Christians Schoß gestreckt und die Füße auf der Lehne ablegt. Robbies Füße waren weder wohlriechend noch besonders liebreizend geformt, aber ihr Besitzer war Christians allerbester Freund auf der ganzen Welt, und deswegen würde er ihn niemals bitten, sie woanders hinzulegen. Außerdem balancierte Robbie den Aschenbecher auf den Knien.

«Recht so», schloss Christian sich an.

«Was?»

«Dass man zu einer Beziehung, also sagen wir mal – steht.»

«Genau.»

Christian zog tief und entspannt an der Tüte. «Ich werde mir einen Job suchen.»

«Nein, nein, nein.»

«Doch», beharrte Christian. «Doch, doch.»

«Nein, nein, nein.»

«Ein netter kleiner Acht-Stunden-Job, der massenhaft Kohle abwirft.»

«Nein, nein, nein.»

«Ich will für Ali sorgen. Ich will für ihre Kinder sorgen.»

«Nein, nein, nein.»

«Doch. Alle Menschen lieben Kinder.» Christian breitete überschwänglich die Arme aus.

«Ich nicht», sagte Robbie.

«Ich auch nicht. Aber es wird schon werden.»

«Becca auch nicht.»

«Okay. Gut, nicht alle. Aber *fast* alle.»

Nachdem er nochmals einen genüsslichen Zug genommen hatte, reichte Christian seinem Freund mit einem leichten Tatterich den Joint.

Robbie nahm ihn behutsam an, als handelte es sich um eine chinesische Vase. «Meinst du, wir sollten Becca einen Zug gönnen?»

Christian schüttelte vehement den Kopf.

«Sie ist irgendwie verbohrt», bemerkte Robbie.

«Ich glaube, sie mag Ali nicht», vermutete Christian.

«Ich mag sie.»

«Ich mag sie auch.» Christian seufzte. «Ich liebe sie.»

Robbie grinste blöd. «Oach.»

«Ich möchte mit ihr fortgehen.»

«Oha.»

«Ich will mit ihr Urlaub machen und hemmungslos Sonne, See und Sex genießen.»

Robbies Beine trafen mit einem dumpfen Geräusch auf den Fußboden, nachdem Christian sie von seinem Schoß gestoßen hatte. «Ich zieh das verdammt nochmal durch», sagte er.

Robbie fiel es schwer, ihn zu erkennen. «Das mit dem Job?»

«Welcher Job?»

«Weiß ich doch auch nicht. Ich dachte, du willst dir einen Job suchen.»

«Nein, nein, nein. Ich will Urlaub machen.»

«Aber dafür hast du doch kein Geld.»

Christian stand auf und schwankte leicht wie ein Betrunkener. Er tippte sich an die Nase und kicherte dann in die hohle Hand. «Aber ich weiß genau, wo ich was auftreiben kann.»

Robbie fuhr sich mit der Zunge über die Lippen und fuchtelte mit dem Joint in Richtung Christian. «Was hast du vor, du Arschloch?»

«Warte nur ab.» Christian wanderte zur Tür.

«Worauf wollte Rebecca hinaus, als sie gesagt hat, du redest nur Scheiße?», versuchte Robbie ihn zu provozieren.

«Je mehr sich alles ändert, desto mehr bleibt es gleich.»

«Ist das ein ähnlicher Spruch wie: Ein Leopard mit Flecken bleibt immer ein Leopard mit Flecken?»

«Könnte schon sein», sagte Christian. Und gemeinsam mit seinem Freund bekam er einen Lachkrampf.

— Kapitel 41 —

Das Telefon läutete am anderen Ende der Leitung. Ed rutschte nervös auf dem Küchenhocker hin und her und strich sich übers Haar. Es musste dringend geschnitten werden. Normalerweise vereinbarte Ali seine Frisörtermine, und er trabte gehorsam hin, wenn der Zeitpunkt gekommen war. Die Visitenkarte des Salons hatte er schon gefunden, nicht aber die Zeit, hinzugehen. Elliotts Haar glich auch der von einer Sturmbö zerzausten Wolle auf dem Kopf eines lange nicht geschorenen Schafes, und es war wohl angezeigt, den Kleinen zum Figaro mitzuschleppen.

Endlich nahm Nicola Jones ab. «Hallo.» Ihre sanfte Stimme streichelte sein Ohr.

Ed zupfte den Kragen seines Polohemds zurecht. «Hi, Nicola. Hier ist Kingston. Ed Kingston.» Wie in: Bond. James Bond. Smart. Ed lächelte in den Hörer.

«Ed. Wie schön, von Ihnen zu hören.»

«Ich weiß, es kommt ein wenig kurzfristig, aber ...» Jetzt wurde es heikel. Eds Herz tanzte Salsa. «Na ja ... ich wollte fragen, ob Sie heute Abend etwas vorhaben?»

«Heute Abend. Äh ... nein. Nein, hab ich nicht.»

«Prima. Prima. Nein, ich meine nicht, dass es prima ist, dass Sie nichts vorhaben. Oder ja. Prima.»

Elliott ging vorbei. «Daddy, du Quasselstrippe.»

Ed bedeckte die Sprechmuschel mit der Hand. «Halt den Mund, Elliott.»

Elliott griff sich einen Mars-Riegel und ging.

«Elliott, du ruinierst dir den Appetit!» Aber sein Sohn war bereits verschwunden. Ed wandte sich wieder dem Telefongespräch zu. «Entschuldigung.»

«Keine Ursache. Wie kommen Sie zurecht?»

«Nur schlecht», gab Ed zu. «Aber deswegen rufe ich nicht an. Ich hab nur gedacht, na ja, ob Sie nicht vielleicht Lust hätten, heute Abend zum Essen vorbeizukommen.»

«Das wäre ganz reizend.»

«Finden Sie? Ja, ja. Ja, natürlich, das wäre es.» Er spürte, wie sich die Schweißtropfen auf seiner Stirn sammelten. Wie albern stellte er sich eigentlich an? Er hatte in seinem Leben doch schon andere Frauen eingeladen. Oder nicht? Das musste er getan haben. Wie hätte es sonst dazu kommen können, dass er mit Ali zusammengeblieben war? Jetzt lag es gewiss nur daran, dass es ihm an Übung fehlte. «So gegen acht?»

«Acht wäre gut.»

Acht müsste gut sein, hoffte er, denn dann wären die Kinder aus dem Weg. Es war schon seltsam, wenn man sein gesamtes Gesellschaftsleben innerhalb der eigenen vier Wände führen musste, aber es ging eben nicht anders. «Bis später dann», sagte er.

«Ich freue mich», erwiderte Nicola.

Ed legte auf. Elliott schaute um die Ecke. Er hatte sich den halben Mars-Riegel ins Gesicht geschmiert. «Darf ich aufbleiben?»

«Nein», sagte Ed. «Und wisch dir den Mund ab, bevor du die Schokolade auf der Couch verteilst.» Er wählte eine weitere Nummer. «Neil!»

«Bruderherz!»

«Was geht ab?»

«Nicht viel.»

«Magst du heute Abend zum Essen kommen? Nichts Ausgefallenes.»

«Seit wann hast du schon mal was Ausgefallenes aufgetischt?»

«Ich bin ein neuer Mensch.» Das war er eigentlich nicht, aber zumindest riss er sich zusammen, um nicht an der Trennung zu zerbrechen und auch nicht zur Flasche zu greifen, wie so manch armer Teufel es in solchem Fall tat. Der Groucho Club hatte ihn in den letzten Wochen so gut wie gar nicht begrüßen dürfen, und er hatte auch nur begrenzt Freude daran, bei einem Glas Wein vor dem Fernseher zu hocken. Also war es im Grunde nur die Langeweile, die ihn dazu trieb, sich in das Liebesleben seines Bruders einzumischen. «Gegen halb acht?» Weil er es anscheinend für modern hielt, kam Neil stets zu spät, und Ed wollte nicht mit Nicola rumsitzen und auf ihn warten müssen.

«Yeah. Okay.»

«Super.» Ed grinste in sich hinein und rieb sich befriedigt die Hände. Das klappte ja wie geschmiert.

Ed hatte sowohl eine Tischdecke als auch einige Kerzen gefunden und war gegenwärtig angestrengt damit beschäftigt, diese Utensilien auf eine ästhetisch ansprechende Weise zu arrangieren.

«Matchmaker, matchmaker, make me a match … la, la, la, la … la, la, la, la.»

Und dann ging es in dem Song weiter mit *finding a find* oder *catching a catch*. Oder so ähnlich. Mit diesen Hollywood-Musicals hatte er nie war im Sinn gehabt, das war Alis Abteilung. Er stand eher auf Bach oder Bruce Springsteen.

Elliott lehnte am Türrahmen. Er war bereits im Pyjama und kaute an Barneys Ohr. «Komm her zu mir», sagte Ed, und Elliott rannte in seine Arme. Ed spürte, wie sehr er seinen Sohn liebte, wenngleich er ihn zuzeiten am liebsten erwürgen würde.

«Willst du nachher Miss Jones abknutschen?»

Jetzt zum Beispiel war ein Zeitpunkt zum Würgen. «Elliott, wenn du deinen achtzehnten Geburtstag erleben möchtest, solltest du langsam lernen, dich zu benehmen.»

«Also willst du Miss Jones in echt abknutschen.»

«Nein. Nein. Ich werde niemanden abknutschen. Was hast du bloß immer mit Knutschen?»

«Ich hab Angst», gestand Elliott. In seinen Augen standen Tränen, als er fortfuhr: «Ich finde, wir haben in letzter Zeit so viele neue Mamis.»

Ed ging in die Hocke und nahm seinen Sohn fest in die Arme. «Das stimmt doch gar nicht», sagte er. «Du hast nur eine Mami, und deren Stelle kann niemand einnehmen.» Plötzlich zuckte ein brennender Schmerz durch seine Eingeweide. Als hätte er aus einer Flasche Abflussreiniger getrunken. Am Tag zuvor, als besagte Mami die Kinder wieder nach Hause gebracht hatte, war ihm schon danach gewesen, ihr zu sagen, alles sei ein schlimmer, schlimmer Fehler gewesen und er wolle sie unbedingt zurückhaben. Zu ihren Bedingungen. Er würde alles tun, wenn er sich nur nicht mehr mit dem wahren Leben abplagen müsste. Er würde bis zu seinem Tode Chicken Nuggets essen, wenn es denn sein musste. Das hatte er ihr sagen wollen. All das. Aber sie war blass hereingestürzt, nervös und erschöpft, und sie war gleich wieder zur Tür hinausgestürzt, zurück zu ihrem Betthupferl. Bevor er dazu gekommen war, auch nur ein Wort zu sagen. Ali fehlte ihm. Sie fehlte ihm so sehr, dass er bis drei Uhr morgens hellwach im Bett lag und irgendwann völlig erschöpft einschlief. Aber er schien ihr nicht zu fehlen. Ed schob diese Gedanken beiseite. «Ich hab Miss Jones eingeladen, deine Nicola, damit sie Onkel Neil kennen lernt.»

«Warum?»

«Weil ich denke, dass sie ihn mag.»

«Mag sie dich denn nicht?»

«Ich glaube schon.»

«Und magst du sie auch?»

«Ja. Sie ist sehr nett.»

«Und wird Onkel Neil sie auch mögen?»

«Das hoffe ich.» Ed legte einen Finger auf die Lippen. «Aber das muss unser Geheimnis bleiben. Wir dürfen Onkel Neil nichts sagen.»

«Warum nicht?»

«Äh ...» Ed war überfordert. «Das erkläre ich dir, wenn du älter bist.»

«Du sollst es aber jetzt erklären.»

«Geh und tu was Nützliches, Elliott.»

«Was denn?»

«Weiß ich auch nicht.»

Sein Sohn stapfte zur Küchentür. «Warum müssen Erwachsene immer alles durcheinander bringen?», maulte er missmutig.

Ja, warum eigentlich?, fragte sich Ed.

Neil und Miss Nicola Jones amüsierten sich köstlich über die Scherze, die sie machten, was ja immer ein gutes Zeichen ist. Neil war in Bestform, parlierte charmant und wirkte glücklich und entspannter als gewöhnlich – und das wollte etwas heißen. Dazu kam, dass er der eigenen Konvention zum Trotz tatsächlich einmal überpünktlich gewesen war. Und das hieß, sie hatten sämtliche Gespräche, in denen das Wort «Alicia» vorkam, erledigt, bevor Nicola eintraf.

Nicola Jones sah heute Abend überwältigend aus. Ihre Wangen schimmerten zartrosa vom Wein, und ihre Augen leuchteten. Ihr leises Lachen kam von Herzen, und wenn sie lächelte, musste man ganz einfach mitlächeln. Obwohl sie anfänglich leicht irritiert reagiert hatte, dass Eds Bruder anwesend war, lachte sie jetzt herzlich über die abenteuerlichen Geschichten, die Neil zum Besten gab. Ed schmunzelte zufrieden. Es lief doch alles ziemlich gut.

«Nachtisch?», fragte Ed. Hier hatte er geschummelt. Eingeschüchtert von der Überfülle an Kochbüchern, die Alicia besaß, und den verklausulierten Texten, in denen beschrieben war, wie man einen ganz simplen Pudding herstellen konnte, war er aus dem Haus geeilt und hatte in der kleinen Konditorei in der High Street gekauft, was noch übrig war: eine leckere Kalorienbombe aus Schokolade und Kirschen. Glück gehabt.

Nicola nickte. «Mmm.»

Neil lehnte sich zurück und rieb seinen Bauch. «Nichts lieber als das, Bruderherz, aber ich muss los.»

Ed hätte beinahe den Stapel Teller fallen gelassen. «Was?

«Ich muss wirklich weg.»

Miss Nicola Jones neigte den Kopf. «Oh.»

«Hab was zu tun», entschuldigte sich Neil.

Ed spürte, dass er bleich wurde. «Du hast doch sonst nie was zu tun.»

Neil reagierte gekränkt. «Diese Bemerkung hättest du dir sparen können.» Er stand auf und stieß seinen Stuhl weg. «Heute Abend hab ich echt was vor.»

«Glaub ich niemals», sagte Ed.

«Hör zu – so ist es. Kapiert?»

«Aber du hast doch noch keinen Nachtisch gehabt.»

Neil tätschelte Eds Bauch. «Dir würden ein paar Kalorien auch nicht wehtun. Also hau rein für mich.» Er lächelte Nicola an. «Es war mir ein Vergnügen, Sie kennen gelernt zu haben, Nicola.»

«Mir auch.»

«Noch einen Kaffee?», drängte Ed. «Brandy? Oder vielleicht ein After Eight?»

«Wiedersehen!» Neil winkte Nicola zu und hastete zur Tür.

Ed lächelte gequält. «Bin gleich wieder da», sagte er zu Nicola.

Er drängelte Neil auf den Flur und schloss die Tür hinter ihnen beiden. «Was denkst du dir eigentlich dabei?», zischte er seinen Bruder an.

«Ich gehe», zischte Neil zurück.

«Und wieso?»

«Gibt es ein Problem?»

«Du kannst doch Nicola nicht einfach so zurücklassen.»

«Ihr macht das bestimmt nichts aus.»

Ed stieg das Blut ins Gesicht. «Mir aber.»

«Hab ich hier irgendwas nicht geschnallt, Bruderherz? Ich bin sicher, als Gouvernante brauchst du mich nicht.» Neil zwinkerte ihm zu. «Scheint doch alles gut zu laufen.»

«Das hab ich auch gedacht!» Ed merkte, dass er recht laut gezischt hatte, und versicherte sich, dass die Tür hinter ihnen geschlossen war. Dann ergriff er Neils Ellbogen und steuerte seinen Bruder zur Eingangstür. «Nicola ist doch eine süße Frau.»

«Bin ich derselben Meinung», sagte Neil. «Schönes Haar, klasse Titten.»

«Ist das alles, was dich interessiert?»

«Nein, aber ist doch schon mal ein guter Anfang.»

«Ich hab das alles nur für dich arrangiert.»

«Für mich?»

«Ich wollte, dass du Nicola kennen lernst.»

«Du brauchst doch aber nicht meine Zustimmung. Du kannst frei für dich entscheiden.»

«Ich bin ein verheirateter Mann.»

«Es schmerzt mich sehr, darauf hinweisen zu müssen, aber im Moment fehlt dir zum verheirateten Mann etwas ganz Wesentliches. Eine Ehefrau.»

«Sie kommt zurück», fauchte Ed.

«Hör zu, wenn du zum Kuscheln mehr möchtest als eine Wärmflasche, wie sollte ich daran was auszusetzen haben?»

Ed sah ihn verblüfft an. «Glaubst du, dass es mir darum geht?»

«Etwa nicht?»

«Nein. Könntest du nicht doch etwas bleiben?»

«Nein. Ich hab was vor.»

«Und das wäre?»

Neil zierte sich und klimperte mit den Autoschlüsseln. «Das geht dich nichts an.»

«Ich bin dein Bruder.»

«Und seit wann hast du deswegen uneingeschränkten Zugriff auf mein Privatleben?»

Ed hätte am liebsten das Geschirrhandtuch genommen und seinem Bruder um den Hals geschlungen: «Ich hatte gedacht, du und Nicola würdet, na ja ... gut miteinander auskommen, auf einander abfahren, Scheiße, was auch immer man heutzutage dazu sagt ...»

«Du wolltest mich mit ihr verkuppeln?» Endlich ging Neil ein Licht auf.

«Wenn du's so vulgär ausdrücken willst – ja!»

«Hast du den Eindruck, dass ich's so nötig habe?», fragte er konsterniert.

«Gelegentlich.»

«Irrtum!»

«Immerhin leidest du unter einer ungesunden Obsession, was Kylie Minogue betrifft.»

«Deswegen bin ich noch lange nicht verzweifelt auf Brautschau», sagte Neil ärgerlich. «Außerdem scheint Miss Nicola Jones nur Augen für eine Person zu haben, und diese Person bin ich ganz bestimmt nicht.»

«Ich weiß nicht, was du meinst.»

Neil legte seinem Bruder den Arm um die Schultern. «Edward, geh jetzt da wieder rein, sauf dir einen an und lass dich flachlegen.»

«Flachlegen!» Ed senkte die Stimme. «*Mich flachlegen lassen?*»

«Die ist doch ganz scharf darauf.»

«Wir reden hier von Elliotts Vorschullehrerin.»

«Ich wünschte nur, ich wäre nochmal in seinem Alter. Mrs. ‹Warzenschwein› Warburton schlägt sie jedenfalls um Längen, stimmt's?» Neil zwinkerte ihm zu. «Lass mich jetzt nicht allein», flehte Ed.

«Entspann dich und lass dich einfach treiben», riet Neil.

«Ich hab nicht die geringste Ahnung, wie ich das machen sollte.»

«Es ist wie Fahrrad fahren», sagte Neil. «Wenn du erst mal auf den Sattel gesprungen bist, kommt alles von ganz allein.» Nach einem aufmunternden Klaps auf Eds Arm spazierte er zur Eingangstür hinaus und ließ seinen schockierten Bruder mit offenem Mund stehen.

Nicola Jones hatte die Schuhe von den Füßen gestreift, als Ed schließlich genügend Mut gesammelt hatte, um in die Küche zurückzukehren. Ein Träger ihres Kleids war ihr von der Schulter gerutscht, und dadurch wurde die elfenbeinerne Transparenz ihrer Haut noch augenfälliger. Er hätte schwören können, dass sie ein wenig ... verwuschelter aussah als vorher. Sie feuchtete die niedlichen rosaroten Lippen an und zog einen Schmollmund über dem Rand ihres Weinglases, bevor sie die Zungenspitze aufreizend daran entlanggleiten ließ.

Eds Körper schien nur noch mit ruckartigen Frankenstein-Bewegungen reagieren zu können, und es kostete ihn größte Mühe, sich lässig wieder auf seinen Stuhl gleiten zu lassen, ohne den Eindruck zu erwecken, gerade einen Stromstoß von 50 000 Volt in den Hintern bekommen zu haben. «Tut mir Leid, dass Neil schon gehen musste», sagte Ed. Das Quieksen in seiner Stimme war nicht zu überhören.

«Macht doch gar nichts», säuselte Nicola Jones. Ed war sicher, dass sie bis jetzt noch nie gesäuselt hatte. Das wäre ihm aufgefallen. Ganz bestimmt. «Es heißt doch nur, dass wir es uns ein wenig behaglicher machen können.»

Behaglicher. Das Kerzenlicht tanzte schelmisch in ihren kühlen grauen Augen, deren Blick auf einmal sanft und verklärt und warm wirkte. Feuer und Eis.

«Ich glaub, ich lauf lieber mal kurz nach oben und seh nach den Kindern.» Ungelenk löste sich Ed wieder von seinem Stuhl.

Nicolas Lippen öffneten sich. Sie glänzten feucht vom Wein. «Soll ich mit Ihnen kommen?»

«Nein. Nein», sagte Ed. «Das mach ich schon allein. Aber danke. Trotzdem danke.»

«Hab ich Ihnen eigentlich schon mal gesagt, dass Kinder mein Ein und Alles sind?», fragte Nicola.

«Ich glaube, Sie haben es erwähnt, ja», sagte Ed. Er

ging rückwärts zur Tür hinaus und fand, dass behaglich mit einem Mal höchst beängstigend klang.

— Kapitel 42 —

Älter zu werden ist schrecklich deprimierend. Aber auch eine äußerst subjektive Wahrnehmung. Ich habe ganz und gar nicht das Gefühl, älter als fünfundzwanzig zu sein, aber gelegentlich erblicke ich das Ebenbild dieser mir nicht unbekannten Frau, die zudem noch meiner Mutter sehr ähnelt, in einem großen Spiegel bei Marks & Spencer, und dann weiß ich, dass ich älter bin. Und daran ist nichts zu deuteln.

Ich möchte, dass meine Kinder mich für eine Mutter halten, die Pep hat und hip ist, aber das tun sie nicht. Sie finden, ich bin ein armes Würstchen. Und alt dazu. Manchmal vermittelt mir Christian dasselbe Gefühl, und das wurmt mich sehr. Wie große Mühe ich mir auch gebe – die Unterschiede zwischen den Musikrichtungen Jungle, Underground und Drum 'n' Bass kriege ich nicht auf die Reihe. Er sagt, er hat noch nie von Donny Osmond gehört, aber ich hoffe, er will mich nur foppen. Ich hab nämlich dasselbe mit meiner Mutter gemacht, als sie von Roy Orbison sprach.

Ich hingegen erinnere mich an die Jeansmarke Brutus, an die Zeit, als George Michael noch nicht schwul war, obwohl er langes Lockenhaar hatte und schwul aussah, und auch daran, dass es eine Zeit gab, in der Leute, die in Sozialwohnungen hausten, ihre Töchter noch nicht Nike nannten.

Ich habe Zeit, über diese Dinge zu sinnieren, weil ich wieder arbeite – wenn ich es so nennen darf. Ich sitze schon den ganzen Morgen hier und kämpfe mich durch auszustellende Rechnungen, die sich im Laufe meiner unerlaubten Abwesenheit auf Everest-Höhe gestapelt haben. Ich hatte bei Kath Brown angerufen und war zu Kreuze gekrochen, bevor ich aufzutauchen wagte. Ich hatte ihr feierlich geschworen, dass ich niemals, wirklich niemals, wieder desertieren würde. Sie reagierte überaus verhalten und ließ mich betteln. Sehr sogar. Aber wenn ich sehe, wie sehr sie im Rückstand ist, verstehe ich, warum sie einlenkte. Obwohl sie doch keinen sonderlich bekannten Namen hat, scheint sie das Geld zu scheffeln.

Wie die verlorene Tochter schloss sie mich aber nicht in die Arme, sondern sie macht hartnäckig auf betont kühle Distanz, ja, die Atmosphäre ist derartig frostig, dass die Stoffproben zu Eisklumpen gefrieren. Und wenn sie mich ansieht, scheint sie jedes Mal die Zähne zu fletschen. Zweimal hat sie sich Kräutertee gemacht und mir keine Tasse angeboten. Das allein spricht doch Bände, oder?

Meine Finger haben einen Tippkrampf, und ich sage, dass ich nur mal in den Ausstellungsraum gehe, um einen Preis zu überprüfen, obwohl ich etwas anderes im Sinn habe. Ich will mich nämlich durch einen Blick in den großen Spiegel dort überzeugen, dass ich mich noch nicht in meine eigene Mutter verwandelt habe.

Ich stehe schon vor dem Regal mit Decken und Kissen, als die Vordertür mit überschwänglichem Läuten aufgeht. Christian streckt seinen Kopf herein, und mir bleibt fast das Herz stehen. Nicht, weil ich Christian sehe, sondern weil mir die Eröffnungstakte von «There

May Be Trouble Ahead ...» spontan im Ohr klingen. Christian grinst übers ganze Gesicht. Die Sachen, die er trägt, sind so weit und ausgebeult, dass ohne weiteres noch jemand mehr hineingepasst hätte – vorzugsweise ich. Er ist unrasiert und trägt überdies noch ein winziges Ziegenbärtchen à la Brad Pitt zur Schau.

«Hi», flüstert er lautstark. «Ist die Luft rein?»

«Nein. Verschwinde», sag ich und winke ihn aus dem Laden. «Deinetwegen stecke ich sowieso schon tief in der Tinte! Also los – mach dich davon! Ssscht! Ich seh dich zum Mittag.» Ich sehe mich nervös zu unserem Büro um. «Wenn ich hier weg kann.» Ich hab das Gefühl, mein Schicksal herauszufordern.

«Es kann aber nicht warten», sagt er. «Ich muss dir einfach was zeigen!» Er schwenkt einen Umschlag und trompetet: «Tätärä!»

In zwei Sekunden wird Kath Brown auftauchen. Er reicht mir den Umschlag. «Tickets!»

«Und wofür?»

Christian ist so aufgeregt, dass er kaum still stehen kann. «Sieh rein!»

Ich öffne den Umschlag. Es befinden sich zwei Flugtickets darin. Zusammen mit einer gepfefferten Rechnung. «Wo, zum Teufel, sind denn die Malediven?»

«Im Indischen Ozean», sagt Christian triumphierend. «Wir machen Urlaub.»

«Ich kann aber keinen Urlaub machen», sage ich. «Ich musste zu Kreuze kriechen, um nicht meinen Job zu verlieren. Kath Brown würde explodieren.»

Chrisian lässt sich von dieser Horrorvision nicht beeindrucken. «Es ist aber gebucht.»

«Christian, du hättest das mit mir absprechen sollen.»

Jetzt verschränkt er die Arme und gibt sich alle Mühe,

unnachgiebig auszusehen. «Du hättest doch nur gesagt, dass du nicht kannst.»

«Ich kann nicht!»

«Natürlich kannst du. Sie hat bestimmt nichts dagegen!» Wie ein kleiner Junge scheint er zu meinen, dass er immer seinen Willen bekommt. Meine Schwester würde ein solches Verhalten unreif nennen. «Du musst einfach mal raus.»

Das möchte ich nicht bestreiten. «Aber gleich zwei Wochen, Christian?»

«Es wird dir gut tun.»

Auch gegen das Argument kann ich nichts einwenden. Ich sehe auf die Endsumme der Rechnung und muss Luft holen. «Woher hast du denn das viele Geld?»

Einen Moment lang verdüstert sich seine Miene. «Das lass nur meine Sorge sein», sagt er.

«Hast du es dir geliehen?»

Christians rechter Schuh misshandelt Kath Browns Designerteppich. «Kann man sagen.» Er stemmt die Hände in die Taschen, und ganz kurz kommt er mir vor wie Elliott. «Ich zahl es zurück.»

«Ach, Christian.» Ich seufze und lächle.

Er strahlt wieder. «Also kommst du mit?»

«Natürlich komme ich mit. Es ist doch gebucht», erinnere ich ihn.

Er kommt zu mir und nimmt mich in die Arme. «Ich liebe dich, Alicia, Ali Kingston», flüstert er mir ins Ohr. In eben dem Moment, als Kath Brown in der Bürotür erscheint. Ich wusste es.

Christian lässt mich los, und ich streiche meinen Rock gerade und zupfe an meinem Haar, obwohl es immer gleich zerzaust aussieht, ob nun ein junger Mann drin gewühlt hat oder nicht. «Ich seh dich dann zum Lunch», sage ich leise zu Christian, und er ist schneller zur Tür hinaus, als man «in flagranti» sagen kann.

Ich drehe mich zu Kath Brown um, die nicht gerade erfreut aussieht.

Ich feuchte mir die Lippen an und kann nur hoffen, dass ich hinreichend reumütig aussehe. «Ich muss Sie um einen Gefallen bitten.»

Kath Brown verschränkt die Arme und stützt ihren Busen. «Fragen Sie nur.»

«Christian hat eine Urlaubsreise für uns gebucht», sage ich und stelle fest, dass meine Stimme von Wort zu Wort matter klingt. «Wäre es möglich, dass ich nochmals zwei Wochen frei bekomme?»

«Kein Problem», sagt Kath Brown.

Ich lächle erleichtert. Ich hätte ihr aber auch keinen Vorwurf gemacht, wenn sie gezickt hätte.

«Sie können so lange wegbleiben, wie Sie möchten, Alicia.» Kath Brown zeigt mir die Zähne. Sie sehen aus wie winzige Eiszapfen. «Sie sind nämlich gefeuert.»

– Kapitel 43 –

Ein Betonklotz aus den siebziger Jahren beherbergte die Büroräume von Wavelength. In dem Vorführraum, der dazugehörte, standen ein Dutzend Stühle, die fast alle eher auf den Sperrmüll gehörten, eine Kaffeemaschine, in der sich normalerweise höchstens warmer schwarzer Sirup befand, und der größte Fernsehapparat, der momentan auf dem Markt war. Die Büros kosteten sündhaft viel Miete und lagen eingequetscht zwischen einem Sexshop und einem italienischen Feinkostgeschäft. Eines dieser beiden Geschäfte suchte Ed fast täglich auf. Wavelength war eine von einem Dutzend oder mehr kleinen Filmproduktionen, die sich alle in dieser Straße zwischen Sexshops und Feinkostläden quetschten und dafür mit einer sehr angesagten Adresse auf dem Briefkopf auftrumpfen konnten. Ihre Büros durfte man sich jedoch nicht genauer anschauen.

Neben Ed posierte Orla in ihrem Clubsessel aus schwarzem Leder, die Beine auf Knöchelhöhe elegant gekreuzt. An ihrer Bluse war ein Knopf zu viel offen, und es war nicht zu übersehen, dass sie einen mit Spitze besetzten schwarzen BH trug. Dieser Anblick hatte Ed trockene Lippen beschert und es ihm schwer gemacht, sich auf das fertig gestellte Promovideo für Auto-Choppers zu konzentrieren, ein Gerät zum Schreddern und Schneiden, das in keiner modern ausgestatteten Küche fehlen durfte.

Der Hersteller hatte einen ausreichend großen Geldbetrag zur Verfügung gestellt, um eine Schauspielerin aus der zweiten Garnitur der Vorabendserien einzukaufen. Die hübsche junge Dame hatte sich hervorragend bewährt und eine rote Paprikaschote mit der Grandezza eines angehenden Popstars in salatgerechte Stücke zerkleinert. Orla gab immer wieder durch beifällige Geräusche zu verstehen, dass sie beeindruckt war. Zumindest hoffte Ed, dass es sich um Beifallskundgebungen handelte, denn im Raum war es stockdunkel und stickig, und es bestand auch die Möglichkeit, dass die Managementberaterin schnarchte. Die Abspannmusik signalisierte das Ende des Werbefilms und trällerte lustig vor sich hin, bis das Video anhielt und automatisch wieder zurückspulte. Ed stand auf und schaltete das Licht ein.

Orla reckte sich und streckte die Arme über dem Kopf aus, um zu testen, ob sie mit den Brüsten ihre Bluse sprengen konnte. «Sehr gute Arbeit, Ed», sagte sie, als er sich wieder gesetzt hatte.

Ed zuckte mit den Achseln. «Setzt aber, was Kreativität betrifft, wohl keine neuen Maßstäbe.»

«Zerbrechen Sie sich nicht den Kopf, Ed», riet sie und legte ihm wie von ungefähr die Hand auf den Arm. «Es tut sich was. So wie jetzt bleibt es nicht für alle Zeiten. Es gibt einen Weg, der uns hinausführt.»

«Ich weiß», erwiderte Ed. Orla und er hatten sich weiter über ihre Projekte und Pläne unterhalten, als sie zum Essen bei ihm gewesen war, aber noch hatte sie ihn nicht gedrängt, eine Entscheidung zu fällen. Und sie hatte auch noch nicht ihre Kalkulation dargelegt und ihm eröffnet, was die Vereinbarung an Geld bringen würde. Zweifellos müssten sie beide aber ziemlich bald die Karten auf den Tisch legen.

«Wie geht es zu Hause?» Orla hatte ihre Hand noch nicht bewegt.

Eds Lippen wurden schmal. «Nicht gerade toll.» Er inspizierte einen Fingernagel und sah dann zu seiner Kollegin auf. «Alicia fliegt auf die Malediven – mit ihrem jungen Lover.»

«Ich dachte, er wäre nur ein armer Künstler.»

«Habe ich auch gedacht. Oder vielleicht auch nur gehofft.»

«Das ist verständlich», sagte Orla mitfühlend. «Aber vielleicht bringt er ja auch demnächst ein paar Meisterwerke fertig.»

«Ein verdammter David Hockney ist er garantiert nicht. Er macht doch nur Zeichnungen von Frauen mittleren Alters, die nichts Besseres zu tun haben, als in Covent Garden rumzuhängen. Passable Zeichnungen vielleicht. Aber um Kunst handelt es sich wohl kaum.»

«Saatchi hat gerade Tausende Pfund für eine baufällige Strandbude hingeblättert, nur weil Tracey Emin an deren Tür eine Notiz geheftet hat. Dieselbe Frau schiebt tatsächlich ein fieses, ungemachtes Bett in die Tate Gallery, und das wird als triumphales Werk gefeiert. Wie definiert man also Kunst?»

«Wenn man dazu masturbieren kann, ist es Pornographie. Wenn nicht, ist es Kunst.»

Orla bedachte ihn mit einem gönnerhaften Lächeln. «Sie sind sehr verbittert, Ed. Das könnte sich als Hemmnis erweisen. Zorn behindert den kreativen Prozess», dozierte sie.

«Ja», erwiderte Ed müde. Als hätte er nicht schon genügend Probleme.

«Sie gibt kein Zeichen, dass sie zurückkommen möchte?»

«Nein.» Aber Neil hatte ihn ja auch schon darauf verwiesen, dass er sie nicht darum gebeten hatte. Stattdessen war er mehrere Male um Christians Haus herumgeschlichen. Dabei war er sich nicht sicher gewesen, wen er lieber zu Gesicht gekommen hätte – Ali oder Christian.

Ed hatte Adresse und Telefonnummer notiert, als er die Karte in Alis Handtasche fand. Es war sehr dumm gewesen, in Alis Handtasche zu kramen, und stolz darauf war er gewiss nicht. Seither hatte er sich ständig mit Gewissensbissen gequält.

«Wissen Sie, was Sie machen sollten?» Orla unterbrach seine Grübelei.

«Nein.»

«Zahlen Sie es ihr mit denselben Mitteln heim.»

«Großartige Idee.» Eds Gesicht hellte sich auf. «Ich

kenne nur keine Dreiundzwanzigjährige, die mir gefügig wäre.»

«Wie wär's denn mit einer gefügigen Mittdreißigerin?»

Orla hatte schon seit geraumer Zeit an der Sexfalle gebastelt, und jetzt war er wohl hineingetappt.

«Wenn wir Partner werden wollen, wäre es bestimmt hilfreich, einander besser kennen zu lernen. Außerhalb des Arbeitsplatzes.»

Partner? Das waren ja ganz neue Töne. Ed hatte angenommen, dass Orla sich als Boss sah und ihm die Rolle des Lakaien zugedacht war. Aber das war eine interessante Wendung.

«Ja», sagte er zögerlich.

Orla lehnte sich im Sessel zurück und stützte den Kopf in die Hand. Eine ihrer Augenbrauen hob sich fast unmerklich. «Jedenfalls heißt es doch: Was dem einen recht ist, ist dem anderen billig ...»

Und da im Moment keine bessere Idee lockte, entschied Ed, dass es wohl so sei.

— Kapitel 44 —

Ich lege den Hörer ab und drehe mich zu Christian um. «Ed möchte, dass wir übers Wochenende die Kinder nehmen.»

«Übers ganze Wochenende?» Christians Stimme ist um eine Oktave geklettert. Er liegt in der Küche auf dem Sofa, schwingt aber jetzt seine Beine herum und sitzt auf einmal kerzengerade wie ein Mann, der einen Höllenschreck bekommen hat.

«Ja. Ist das nicht toll?»

«Nein, ist es nicht», jammert er. «Es ist grauenvoll.»

«Nein, nein», versuche ich ihn zu beruhigen. «Es ist gut. Weil es bedeutet, dass Ed die Situation langsam akzeptiert.» Noch während ich es ausspreche, wird mir klar, dass ich gar nicht so sicher bin.

«Warum können sie denn nicht bei ihm bleiben?»

«Er fährt weg», sage ich geistesabwesend. «Eine Geschäftsreise.»

«Aber gleich das ganze Wochenende, Ali?» Christian wirft seine Musikzeitschrift beiseite. «Die beiden Stunden bei McDonald's waren schon schlimm genug.»

«Du brauchst ja nicht dabei zu sein», sage ich und mache dazu das Gesicht, das ausdrückt: «Wenn du mich liebst, dann bist du dabei!»

«Wo wollen wir mit ihnen hin? Was sollen wir denn bloß machen?»

«Das lass mal meine Sorge sein», sage ich großspurig und denke dabei: Wo wollen wir mit ihnen hin? Was sollen wir denn bloß machen?

«Wir müssen doch packen und allerhand vorbereiten.»

«Wie lange brauchen wir denn schon, um unsere Shorts in einen Koffer zu werfen? Da unten erwartet uns doch nichts als Sand, wie du selbst gesagt hast. Meine Ferien mussten bis jetzt wie Feldzüge geplant werden», sage ich. «Du vergisst, dass ich für fünf packen musste.»

«Hätte er uns nicht früher darum bitten können?»

«Damit du Zeit gehabt hättest, das Land zu verlassen?»

Wir lachen beide. «Du bist eine biestige Frau, Ali Kingston.»

Ich ziehe meine überzeugendste Schnute. «Ich möchte,

dass du sie magst», sag ich. «Ich möchte auch, dass sie dich mögen.»

«Ich werde mir Mühe geben», verspricht Christian, und mehr will ich ja gar nicht.

«Ich weiß, dass es nicht leicht ist.» Ich küsse seine Nasenspitze. «Aber du hast sie dir mit eingekauft.»

«Vielleicht hätte ich vor meiner Unterschrift zuerst das Kleingedruckte lesen sollen?», sagt er mit einem Lächeln, das kaum seine Lippen, geschweige denn seine Augen, erreicht. Meine Nackenhärchen sträuben sich. Er küsst mich. Und sämtliche Zweifel in Bezug auf die Zukunft oder das Wochenende, das wir mit meinen Kindern verbringen müssen, lösen sich in der Leidenschaft seiner Umarmung auf.

«Du fährst mit einer anderen Frau weg!?», rief Neil voller Überraschung und pustete dabei den Schaum von seinem Bier.

«Pssst!» Ed sah sich um. Die Bardame hatte sich genähert. Es war Mittagszeit, und der Groucho Club war überfüllt. «Es ist geschäftlich.»

«Dummes Zeug», sagte Neil.

«Ehrlich.»

«Binde mir doch keinen Bären auf.»

«Orla hielt es für eine gute Idee.»

«Das will ich gern glauben.»

«Hör mal, Neil», gab Ed zu bedenken, «du hast doch selbst gesagt, ich sei ein freier Mensch.»

Neil runzelte die Stirn. «Edward, seit wann hörst du denn auf das, was ich sage?»

«Ich höre auf deinen Rat. Ich entspann mich und lass mich einfach treiben.»

«Treiben lassen solltest du dich auf dem sanft dahinfließenden Bächlein Miss Nicola Vorschullehrerin Jones, nicht aber, wenn der Sturzbach Miss Emanze Orla die Schreckliche dich in seinen Strudel reißen will.»

«Jetzt nützen deine guten Ratschläge auch nichts mehr», sagte Ed. «Und außerdem ist Orla ganz okay, wenn man sie näher kennen lernt.»

«Was du zweifellos tun wirst, wenn du das Wochenende mit ihr verbringst.» Neil schaute nachdenklich in sein Bier. «Und was sagt Ali zu dieser neuen Entwicklung?»

«Sie weiß nichts davon», gestand Ed. «Ich hab ihr gesagt, es ist eine Geschäftsreise. Aber ich finde auch nicht, dass ich auf Alis Gefühle sonderlich Rücksicht nehmen muss, nachdem sie mir eröffnet hat, dass sie mit ihrem Bettjüngelchen auf die andere Seite der Erde fliegt.» Er nahm einen großen Schluck Bier.

«Tatsächlich?»

Ed wischte sich den Schaum von den Lippen. «Malediven.»

«Wirklich? Dort soll es ja sehr romantisch sein ...»

«Komm nicht auf den Gedanken, dorthin zu reisen, Neil», warnte Ed.

«... wenn man Sand liebt», fügte sein Bruder schnell hinzu.

«Alicia hasst Sand», sagte Ed nachdenklich.

«Na siehst du, Alter.» Neil schlug seinem Bruder launig auf die Schulter. «Sie wird es beschissen finden.»

Ed gab eine klägliche Gestalt ab. «Und ich?»

«Sag es ab, Ed. Deine Ehe steht auf dem Spiel.»

«Ich bin mir nicht sicher, dass es in Orlas Interesse ist, dass sie weiter besteht.»

«Und wie ist es mit deinem Interesse?»

Wenn sich mit Ali nicht alles wieder einrenkte, und im

Moment sah es ganz und gar nicht danach aus, dann war Orla der Ausweg, ein Rettungsanker, sein Fluchtpunkt. Er könnte all das hier hinter sich lassen und einen Neuanfang versuchen, ein anderes Leben führen, eines mit mehr Glamour. Ein Leben, in dem jeden Tag die Sonne schien und die Leute nicht maulten, wenn er von Harrison Ford erzählte.

«Es ist wirklich unfair, Edward. Ich finde einfach keine vernünftige Frau, und dir, der du offiziell doch noch verheiratet bist, rennen sie die Bude ein.» Neil schüttelte sich ein paar Erdnüsse in die Hand und warf sie sich in den Mund. «Das Leben kann so grausam sein», stöhnte er.

Da konnte Ed nur zustimmen. Die einzige Frau, die er wollte, packte gerade Eimer, Schaufel und Förmchen für den Strand zusammen und war dabei, die Entfernung zwischen ihnen noch weiter zu vergrößern.

— Kapitel 45 —

Ich stehe in meiner eigenen Küche und komme mir vor wie eine Fremde. Eine Fremde, die zudem soeben noch einen üblen Geruch hinterlassen hat. Die Kinder sitzen still am Tisch – sogar Elliott. Aber es können gar nicht meine Kinder sein, denn die würden niemals still am Tisch sitzen. Ed hingegen hampelt nervös umher, und ich merke, dass ich immer ungehaltener werde. Er hat schon seine Jacke an, und die Reisetasche steht zu seinen Füßen. Ich widerstehe gerade noch der Versuchung, ihn zu fragen, ob er auch nichts vergessen hat. Er knabbert an seinen Fingernägeln, was mich auf die Palme bringt, und er knabbert bereits seit einer Viertelstunde.

«Ich dachte ja, ich wäre schon weg, bevor du hier ankommst», sagt er zum millionsten Mal.

«Macht doch nichts», sage ich. «Oder?»

Ed späht aus dem Fenster. Er wirkt höchst beunruhigt.

«Es ist doch sonst nicht deine Art, am Wochenende zu arbeiten.»

«Nein», sagt Ed und weicht meinem Blick aus.

«Soll ich einen Tee machen?»

«Vielleicht bleibt mir nicht die Zeit, ihn zu trinken.»

«Oh», sage ich. Ich gebe mir alle Mühe, vergnügt und munter zu wirken, aber niemand unterstützt mich dabei, und die Stimmung in der Küche ist zum Zerreißen gespannt. «Hast du etwas dagegen, wenn ich mir einen Tee mache?»

«Nein. Nein. Nur zu.»

Dies hier ist mein Heim. Meine Küche. Mein Kessel. Meine Teebeutel. Und ich frage, ob ich mir eine Tasse Tee machen darf! Nur dass es ja gar nicht mehr wirklich mein Heim ist. Es ist viel schmuddeliger, als es bei meinem Weggang war, und auf den Arbeitsflächen stehen überall Dinge, die schon längst hätten weggeräumt sein sollen. Irgendwie fühle ich mich nirgends mehr heimisch.

Christian ist besorgt, dass ich mich bei ihm nicht heimisch fühle. Aber keiner von den dreien scheint sich dort besonders heimisch zu fühlen. Sie haben nicht die geringste Ahnung, wie ein Haushalt funktioniert – und es interessiert sie auch nicht. Sie machen nicht sauber. Sie hätscheln ihr Heim nicht. Robbie entfernt sich eigentlich so gut wie nie vom Sofa in der Küche, und Rebecca rührt sich in den seltenen Stunden, die sie daheim ist, nicht aus ihrem Zimmer. Es kostet mich all meine Zeit, hinter den

Jungs herzuräumen – und so ist manches geblieben, wie es zu Hause auch schon war.

Man sieht Christians Küche auf den ersten Blick an, dass sich niemand um sie kümmert. Doch als ich gestern dort ankam, hatte er auf eine Küchenwand ein überlebensgroßes Bild von Lara Croft gemalt und strahlte vor Stolz unter der Farbschicht, die er selbst abbekommen hatte. Das Bild ist toll, aber warum er gedacht haben mag, dass das Bild einer schwer bewaffneten, großbrüstigen und nur notdürftig bekleideten Cartoongöttin die Küche gemütlicher machen würde, ist mir schleierhaft. Ich fühle mich eher zu Blumenmustern und Pastellfarben hingezogen. Schuld daran ist zweifellos Kath Brown.

Hauptsächlich um etwas zu tun zu haben und nicht, weil ich dringend einen Tee brauche, fülle ich den Kessel und nehme einen Becher aus dem Schrank. «Warum fährst du denn nicht mit deinem Wagen?», frage ich Ed, auch eigentlich nur, um etwas zu sagen.

«Ich ... äh ...», sagt er, verstummt und starrt ins Leere.

«Wer holt dich denn ab?»

«Ich ... äh ...», sagt er abermals, und in dem Augenblick fährt ein großer blitzender Wagen in die Auffahrt.

Eine wahnsinnig tolle Frau steigt aus und steht auf meinem Kies. Sie ist formvollendet wie ihr Wagen und gertenschlank. Sie trägt schwarze Jeans, eine braune Lederjacke, die laut kreischt, dass sie schrecklich teuer war, und darunter einen beigefarbenen Seidenrolli. Ihr Haar ist hochgesteckt, und auf der Nase trägt sie eine hochmoderne *Man-in-Black*-Sonnenbrille.

Ed rührt sich nicht. Niemand rührt sich. Nur Elliott. Er sieht auf und durchs Fenster auf die Frau, die näher kommt. «Da kommt Orville», informiert er mich.

«Orla!», berichtigen alle anderen im Chor.

Ed und ich sehen einander an. Orla klopft an die Hintertür und kommt dann direkt herein – was nicht einmal ich ohne Hemmungen getan habe. Sie nimmt die Sonnenbrille ab, und ihre Augen sind ebenfalls wahnsinnig toll. Sie gleichen den geschwärzten Scheiben einer Luxuslimousine, die den Insassen die Möglichkeit geben, hinauszusehen, aber viel zu dunkel sind, als dass man von draußen erkennen könnte, was sich hinter ihnen abspielt. Ich hasse diese Frau schon jetzt, und dabei hat sie noch nicht einmal den Mund aufgemacht.

Ich sehe Ed an. Ed sieht Orla an. Orla sieht mich an. Ich sehe Orla an. Die dann Ed ansieht. Ed wird rot. «Das hier ist Alicia», murmelt er.

«Hi», sagt sie und verschränkt die Arme über der üppigen Brust.

«Wann beginnt denn die Konferenz?», frage ich und sehe dabei Ed an.

Ed sieht Orla an. Orla sieht mich an. Ich sehe Orla an. Die dann Ed ansieht. Ed wird dunkelrot. Wenn es so weitergeht, platzen ihm noch einige Adern. Hoffentlich. «Ich ... äh ...»

«Du möchtest doch gewiss nicht zu spät kommen», sage ich.

Ich sehe Ed an. Er sieht mich an. Ich sehe ihn an. Wir brauchen nicht zu reden – dazu sind wir viel zu lange verheiratet. Mit meinen Augen kann ich ihm sagen, was ich möchte, und jetzt sagen sie ihm: Geschäftsreise? Scheißlüge!

«Nein.» Er schnappt sich die Reisetasche.

«Ich nehme an, du hast nichts dagegen, dass Christian hier vorbeikommt, während du auf Reisen bist? Geschäftlich», füge ich hinzu.

«Nein», sagt er mit einem Blick, der lautet: Fände ich total beschissen!

«Gut.» Ich lächle ihm großmütig zu und widme mich meinem Tee. «War nett, Sie kennen zu lernen, Orville», sage ich.

«Orla», zischt Ed.

Er gibt den Kindern flüchtige Küsse und eilt an Orlas Seite, ergreift ihren Ellbogen und steuert sie in Richtung Hinterausgang. «Was soll ich denn Nicola sagen, wenn sie während deiner Abwesenheit anruft?», rufe ich ihm noch hinterher. Er macht ein finsteres und gehetztes Gesicht.

«Sag ihr, dass ich morgen wieder zurück bin.»

Bevor die Tür hinter den beiden zufällt, höre ich Orla fragen: «Wer, zum Teufel, ist denn Nicola?»

Ich verdecke mein boshaftes Grinsen mit der Hand. Ich weiß sehr wohl, dass ich mich kindisch aufführe. Wie soll Orla denn wissen, dass Nicola nur einem Wesen in diesem Haus in Liebe zugetan ist: Elliott? Aber das gibt der Dame vielleicht etwas zum Nachdenken, während sie mit meinem Mann «Geschäfte» macht.

«Alle haben sich so angeguckt», merkt Elliott an.

«Findest du?», sage ich.

«Ich will schnell älter werden, damit ich auch so angucken kann.» Er schmunzelt bei dem Gedanken.

«Du schaffst es nicht, älter zu werden und so anzugucken, Elliott», sage ich. «Denn wenn du so weitermachst, hab ich dich bis dahin schon längst umgebracht.»

«Du machst doch Daddy immer diesen Ärger», wirft er mir vor.

«Tatsächlich?», frage ich. «Und wieso?»

Er beugt sich verschwörerisch zu mir und senkt die

Stimme. «Ich glaube, Miss Jones ist die ganze Nacht hier geblieben.» Elliott legt die Hand auf die Lippen und kichert. «In Daddys Bett.»

Tanya reißt sich von ihrer Zeitschrift los. «Elliott, du kleine Petze. Das wissen wir doch nicht genau!»

Das Gute daran, einen Sohn mit einer großen Klappe und ohne das geringste Gespür für Diskretion zu haben, liegt darin, dass mir alles zu Ohren kommt.

«Aber es könnte so gewesen sein?» Meine Stimme bebt.

Tanya reagiert mit einem Achselzucken und vergräbt sich wieder in ihrem Magazin.

«Ich glaub, Orville weiß das nicht», sagt Elliott. «Sonst wär sie bestimmt sauer.»

Meine Hände sind eiskalt, und da hilft auch die Wärme der Teetasse nichts. «Da ist sie nicht die Einzige», erwidere ich.

— Kapitel 46 —

Wir haben beschlossen, mit den Kindern auf den Rummelplatz zu gehen, Christian und ich. Und im ersten Moment hielten wir das auch für eine blendende Idee. Aber machen wir uns nichts vor: Wenn der Tag damit beginnt, dass man sich die Mascarabürste ins Auge rammt, muss man ja wohl damit rechnen, dass er noch schlimmer endet.

Außerdem konnte ich heute Morgen meine Ringe nicht finden. Nicht dass ich sie etwa hätte tragen wollen, aber sie glänzten geradezu durch ihre Abwesenheit, und das staubige Donald-Duck-Tellerchen auf dem Nachttisch war leer. Ich hab keine Ahnung, wo sie sein könnten, und Christian geht es ebenso. Aber Männer wissen ja eh niemals, wo etwas geblieben ist, oder? Ich denke, ich hab sie an einen sicheren Ort gelegt und dann, wie es einem mit sicheren Orten geht, total vergessen, wo sich dieser Ort befindet.

Und als Krönung finde ich auch noch heraus, dass mein Gatte, den man ja beinahe schon als meinen Ex-Gatten bezeichnen könnte, nicht nur mit einer, sondern gleich mit zwei jungen Schönheiten techtelmechtelt, und das dürfte doch ein wenig über das Tragbare hinausgehen. Glauben Sie mir, unter diesen Umständen bedarf es mehr als nur einer großen Portion Zuckerwatte, um meine Stimmung aufzuheitern.

Als Kind hab ich Rummelplätze geliebt. Alles, was mit ihnen zu tun hat. Ich liebte die Gerüche und den Lärm und die bunten Lichter. Sie waren aufregende und abenteuerliche Orte, exotisch und verzaubernd. Davon bin ich jedenfalls überzeugt. Aber die Erinnerung kann einem auch grausame Streiche spielen.

Es hat die letzten Tage unentwegt geregnet. Was zur Folge hat, dass die bis dahin grüne und gepflegte Spielwiese, auf der sich der Rummel breit gemacht hat, jetzt nur noch ein Meer aus braunem Matsch ist, in dem sich hier und dort ein Büschel platt getretenes Gras zeigt. Der Himmel ist düster und ähnlich missgelaunt wie ich. Die fröhlichen Farben des Jahrmarkttrubels, Rot, Gelb und alle Neontöne, setzen sich tapfer dagegen zur Wehr, aber haben so gut wie keinen Erfolg. Es ist die Sorte Tag, an dem man zu Hause bleibt, die Lammfellhausschuhe anzieht, sich einen Glühwein macht und einen Kitschfilm auf Video ansieht. Aber mit drei Kindern? Dass ich nicht lache. Ich glaube, zum letzten Mal habe ich mir eine solche Auszeit ungefähr 1980 gegönnt, als ich eine schlimme Grippe hatte und der Glühwein kein Glühwein war, sondern eine heiße Zitrone mit Honig. Aber man darf doch wohl träumen, oder?

Es steht ungefähr ein halbes Dutzend halsbrecherischer Karussells zur Auswahl, auf denen man es mit der Angst kriegt, und an einige davon erinnere ich mich noch genau von früher, aber andere sind neumodischer Art und rasen weitaus länger kopfüber, als ich es ertragen könnte. Die Kinder, na ja, die Jungs, sind hin und weg. Tanya hingegen ist viel zu cool, um hin oder gar weg zu sein. Sie stakst auf ihren zehn Zentimeter hohen Plateausohlen durch den Modder und tut so, als hätte sie damit nicht das geringste Problem. Haben Sie jemals versucht, etwas zu finden, an dem sowohl ein fünfzehnjähriges Mädchen als auch ein vierjähriger Junge Spaß haben? Versuchen Sie es gar nicht erst. Es ist unmöglich. Völlig unmöglich. Tanya möchte lieber mit ihren Freundinnen zusammen sein, und das hat sie unverblümt zum Ausdruck gebracht, aber wenn ich nicht darauf bestehe, dass sie mit uns kommt, sehe ich sie überhaupt nicht mehr.

Ich frage mich, ob Kinder die Fähigkeit besitzen, die überall abblätternde Farbe zu übersehen, die präparierten Gewehre der Schießbuden zu ignorieren, sich nicht darum zu scheren, dass die verbogenen und stumpfen Wurfpfeile absolut keine Chance haben, in den Spielkarten stecken zu bleiben, und dass die Reifen allesamt zu klein sind, um über die Ränder der Glasgefäße zu passen, in denen die kleinen Fische jeden Lebenswillen aufgegeben haben.

Thomas grinst übers ganze Gesicht, und das macht mich glücklich, denn er wirkte in letzter Zeit so niedergeschlagen. Und das ist auch verständlich, wie ich sehr wohl weiß. Ich nehme ihn fest in den Arm. «Okay?», frage ich.

Er nickt. Mir fehlen die Kinder ganz furchtbar. Wenn ich sie nicht bei mir habe, fühle ich eine große Leere in mir, und Christian mag sich noch so sehr anstrengen, er kann diese Leere nicht ausfüllen. Niemand außer ihnen kann es.

Elliott ist außer sich vor Begeisterung. Alles, was möglicherweise lebensgefährlich, extrem schmutzig ist oder massenhaft Geld kostet, steht ganz oben auf Elliotts Wunschliste. Jede der Bahnen, an denen wir vorbeigekommen sind, musste Elliott unbedingt ausprobieren, ob er darin auf den Kopf gestellt oder zur Seite katapultiert wurde oder ob der einzige Sinn einer Fahrt darin bestand, ihn zu Tode zu erschrecken. Was das Bedürfnis betrifft, verschreckt und durchgerüttelt zu werden, ist mein Sohn nicht wählerisch. Aber nicht nur er wird strapaziert, sondern mein Geldbeutel nicht minder.

«Laufen wir zum Autoscooter», schlägt Christian vor. Er ist kein Spielverderber, sondern gibt sich alle Mühe, gute Miene zum Kirmesspiel zu machen. Dafür liebe ich ihn umso mehr. «Komm mit, Elliott», sagt er. Und bevor ich etwas einwenden kann, hat er schon die Hand meines jüngeren Sohns ergriffen, und gemeinsam rennen sie zu den Scootern, die ungeduldig darauf warten, wieder zur großen Karambolage anzufahren.

«Komm mit, Tom!» Thomas und ich rennen hinter den beiden her, und Tanya schwankt in unserem Kielwasser. Thomas schnappt sich einen Scooter und tauscht die Pfundnote, die ich ihm gegeben habe, gegen eine Plastikmarke bei dem mürrischen Mann, der so flink zwischen den Wagen umherturnt, wie es nur einer fertig bringt, der es seit vielen Jahren gewohnt ist. «Willst du mit Tom fahren?», frage ich meine Tochter. Sie schüttelt den Kopf und lehnt sich auf der Seitenplattform der Bahn trotzig an einen der grell bemalten Stützpfeiler und verkriecht sich in ihre Lederjacke.

Ich springe neben Thomas in das kleine Fahrzeug, und mit der Klarheit eines Bahnhofsansagers der British Rail nuschelt jemand: «Jetzt geht's ab.» Und dann fahren wir, kreischen und schreien in Richtung der anderen Scooter, wobei ich unentwegt Thomas Anweisungen gebe, so viele von ihnen anzurempeln, wie wir erwischen können. Noch nie habe ich als Beifahrerin derartigen Spaß gehabt. Einen Augenblick lang vergesse ich, wo ich bin und wer ich bin, und wappne mich gegen den Schmerz, den die nächste Rempelei unweigerlich mit sich bringt. Ungestraft Zusammenstöße mit anderen Wagen zu verursachen hat einen therapeutischen Effekt. Und dann sehe ich Tanya aus dem Augenwinkel. Sie betrachtet Christian und macht dabei ein seltsames Gesicht, und ebenso, wie der Scooter meines Lovers uns mit voller Wucht seitlich rammt, trifft mich plötzlich die Erkenntnis, dass Teenager Tanya auf ihre Weise mit demselben Gefühl auf Christian reagiert wie ich. Der Mann, der das Geld einsammelt, beobachtet Tanya, aber sie bemerkt es gar nicht. Ihre Blicke folgen nur einem Gesicht. Einem lachenden Gesicht, einem Gesicht, das lächelt und Elliott aufmunternde Worte zuruft, das Triumphgeheul ausstößt und von ihr keine Notiz nimmt. Und ich kann nicht ausdrücken, was ich empfinde, wenn ich mir bewusst mache, dass Christian ihr vom Alter her näher steht als mir. Wie würde ich reagieren, wenn sie jemanden wie Christian mit nach Hause brächte? Seien wir ehrlich – das wäre doch sehr gut möglich.

Die Scooter kommen abrupt zum Stillstand, und wir kraxeln aus den engen Wagen. Unversehrt – zumindest physisch.

«Jetzt in die Geisterbahn», krakeelt Elliott, und wir plantschen durch den Morast auf einige Plastikgespenster zu, die hier und da bereits Risse haben und im Dämmerlicht gelb glühen. «Kommst du mit, Tanya?», rufe ich, als wir alle in einen der klapprigen Wagen springen, die wie Särge aussehen.

«Ich warte hier draußen», sagt sie. Und ich hoffe, es ist nur die Furcht, von ihren Freundinnen an einem so uncoolen Ort gesehen zu werden, die sie veranlasst, nicht mitzumachen. Wir zockeln in einen Tunnel, der mit giftgrünem Kunstfell ausgeschlagen ist und mit Tüchern, die nach alten Bettlaken aussehen. Ohne dass auch nur das Geringste geschehen ist, bricht Elliott bereits in ohrenbetäubendes Geschrei aus. Und ich versuche die Ahnung zu verdrängen, dass diese heruntergekommene und kitschige Geisterbahn mit ihren lauernden Lurexgespenstern und den ebenso makaber wie billig ausgestatteten Schreckensszenen unendlich viel weniger Schrecken für mich bereithält als mein Alltagsleben.

Ich bin pleite. Absolut und hoffnungslos pleite. Ich nehme an, das würde mir nicht sonderlich viel ausmachen, wenn ich nicht gerade dafür gesorgt hätte, erwerbslos zu werden. Wir haben Liebesäpfel gegessen, Zuckerwatte und Hot Dogs. In dieser Reihenfolge. Wir sind Scooter gefahren, wir waren im Twister, im Sky Rocket, in der Wild Mouse und dem Thunder Racer.

Ich halte mich an meinem Styroporbecher mit warmem und extrem starkem Tee fest und versuche krampfhaft, meinen Körperschwerpunkt wieder an die richtige

Stelle zurückzuverlegen. Die Jungs trinken Coke, haben rote Wangen und grinsen gut gelaunt. Und der Regen hat aufgehört. So gut wie. Mit einer Einschränkung könnte man diesen Tag durchaus als gelungen bezeichnen.

«Jetzt will ich zur Walzerbahn!», kräht Elliott.

«Du bist schon genug gefahren», bedeute ich ihm, wie immer die Stimme der Vernunft.

«Oach, nur noch einmal.» Mein Söhnchen macht einen Schmollmund wie Marilyn Monroe.

«Elliott, dir wird noch schlecht.»

«Wird mir nicht.»

«Doch. Du hast gerade Coke getrunken und Hot Dogs gegessen.»

«Nur noch einmal», bettelt er.

«Ich geh mit ihm», bietet Christian an.

«Dir wird auch schlecht», warne ich.

Er grinst. «Ich verspreche, dass mir nicht schlecht wird.»

«OK.» Elliott nimmt Christians Hand, und die beiden lächeln einander an. Das bedeutet mir ungeheuer viel. «Möchtest du auch mit, Thomas?» Aber mein älterer Sohn schüttelt nur den Kopf. Er hat mehr Sinn und Verstand als wir alle zusammen.

«Aber nur eine Fahrt!», ermahne ich streng. Dieser Versuch, meine Autorität zu beweisen, kommt zu spät: Ich gelte ganz sicher bereits als jemand, mit dem man machen kann, was man will.

«Wollen wir ihnen zuschauen?» Wir folgen ihnen, und als wir die Walzerbahn erreichen, sitzen Christian und Elliott bereits unter einer dicken Metallstange eingeklemmt in einer der Gondeln, die sich langsam auf der großen Platte drehen, die von Sekunde zu Sekunde schneller wird. Elliotts Knöchel sind weiß, so krampfhaft klammert er sich bereits jetzt fest. Christian hat den Arm um ihn gelegt, und mein Sohn schmiegt sich mit beinahe schon ekstatischem Gesichtsausdruck an ihn. Wir lehnen uns an das Geländer und spüren die Schwingungen unter den Schuhsohlen. Alles rattert und scheppert noch weitaus mehr als die Zugketten der Geisterbahn, und ich frage mich, wie oft diese Karussells wohl auf ihre Sicherheit überprüft werden.

Die Fahrt wird schneller. Stampfende Musik dröhnt in grausamer Lautstärke aus den Lautsprechern über uns. «WOLLT IHR ES SCHNELLER HABEN?», ruft der Mann in der Kabine. Die Lichter gehen an und aus, schneller und schneller. Ich höre Elliott schreien. Sein «Ja!» übertönt alles. Ihre Gondel rast an uns vorbei, und wir sehen sie nur verschwommen, in eine Ecke gepresst und sich mit letzter Kraft festklammernd. Mir dreht es den Magen um. «WOLLT IHR ES NOCH SCHNELLER HABEN?» Elliott liegt jetzt schon fast auf dem Sitz, und die Gondel scheint den kleinen Wicht aufsaugen zu wollen. Christian hält ihn an der Jacke fest. «*Jaaaaaaaaa!*», ruft er, als er an uns vorbeikommt. Die Fahrt scheint endlos zu dauern, und als ich denke, dass ich es nicht mehr ertragen kann, hören die Lichter auf, wild zu flackern, verebbt das aberwitzige Geratter zu einer Reihe beunruhigender metallischer Bremsgeräusche und verlangsamt sich das Tempo. Statt sich wie die wirbelnden Derwische aufzuführen, drehen sich die Gondeln sanft zum Halt.

Die beiden kommen direkt vor uns zum Stehen. Thomas rennt hin, um die Sicherheitsstange zu lösen. Christian lacht und setzt Elliott auf. Mein kleiner Junge steigt aus der Gondel, hält sich an ihrer Seite fest, als sie sich wieder in Bewegung setzt, und kommt mir schließlich entgegengetorkelt. Seine Beine zittern, und sein Gesicht ist kreideweiß. Man hat den Eindruck, dass seine Augen rotieren. «*Das*», sagt er, «war echt spitze.»

Christian steigt auch aus und tritt hinter ihn. Er grinst übers ganze Gesicht. Ich lächle ihn an, auch um ihn wissen zu lassen, wie sehr ich es zu schätzen weiß, dass er sich so große Mühe gibt, meine Kinder kennen zu lernen. Christian lächelt zurück, denn er weiß, wie viel mir das hier bedeutet. Und mit einem Mal weiß ich, dass alles ein gutes Ende finden wird. Und in eben dem Moment dreht sich Elliott um, lächelt ebenso käsig wie kläglich und kotzt dann inbrünstig über Christians Hosenbeine.

— Kapitel 47 —

Ed und Orla fuhren nach Bath. Ed hatte irgendwie das Gefühl, Orla würde es dort gefallen, als Amerikanerin und überhaupt. Wenn es zwischen ihnen nicht lief, dann gab es zumindest jede Menge römische Ruinen und schmucke Gebäude, an denen sie sich würde ergötzen können. Und Ali sagte immer, man könne dort prima einkaufen – etwas, das zu beurteilen er sich nicht qualifiziert fühlte. Aber wenn es darum ging, die Qualität toller Geschäfte zu schätzen, war es wohl unerheblich, von welcher Seite des Atlantiks man stammte.

Sie stiegen in einem Hotel am Stadtrand ab. Ein komfortables Gutshaus aus dem 13. Jahrhundert aus blassgoldenem Bath-Stein, auf einem weitläufigen Grundstück errichtet. Orla war vor Verzückung fast in Ohnmacht gefallen, als sie in die Auffahrt aus Kies eingebogen waren und dann auf einem kurvigen Weg eine

Koppel voller übel gelaunter Kühe durchquerten, die sich im Regen dicht aneinander drängten. Schließlich fuhren sie an einem dicht bevölkerten Ententeich vorbei und gelangten zu einem mit Eisen beschlagenen Eingangstor. Sie hätten vor Schreck beinahe schlapp gemacht, als sie sich gezwungen sahen, vom Parkplatz aus über Bohlen zum Haus zu balancieren, weil alles überflutet war. Aber sie hatten ja auch den regenreichsten Winter seit Menschengedenken hinter sich, und das Menschengedenken reichte ziemlich weit zurück.

Sie meldeten sich an und stiegen dann die mit typischem Hotelteppich belegte Treppe hinauf in den ersten Stock, wo sich ihr Zimmer befand. Überzeugt, dass die Menschen des 13. Jahrhunderts samt und sonders zwergenwüchsig gewesen sein mussten, bückte sich Ed tief, um durch die niedrige Tür in ihr Schlafgemach zu gelangen. Ein prasselndes Kaminfeuer empfing sie, und jenseits davon schmückte ein Bett mit vier Pfosten und schweren Seidenvorhängen ihren Schlafraum. Der einzige Haken war, dass dieses Zimmer, soweit Ed sehen konnte, ganz eindeutig mit einem Doppelbett ausgestattet und daher kein Zwei-Bett-Zimmer war, wie Ed bei seiner Reservierung ausdrücklich verlangt hatte. Aber wenn er es sich überlegte, war es doch wohl absurd anzunehmen, dass zwei erwachsene, emotional gefestigte und ungebundene Personen die Nacht getrennt verbringen würden, nur weil ein Nachttischchen und ein Stück Teppich, ob gruselig gemustert oder nicht, sie voneinander trennten. Doch der Gedanke machte ihm auch zu schaffen. Wie verbringt man die Nacht, besonders in fleischlicher Hinsicht, mit einer Person, mit der man noch nicht einmal Händchen gehalten hat und die man natürlich auch noch nie nackt gesehen hat? Wohl nichts als ein weiteres Rätsel, mit dem wir uns in diesen Zeiten abquälen müssen. Und zudem auch eines, mit dem er bis jetzt nur ein einziges Mal konfrontiert worden war und das er dank einer großzügigen Menge Fusels auch gelöst hatte. Dem Fusel war es jedoch auch zu verdanken, dass die Erinnerung an das Ereignis so gut wie gelöscht war. Eds Mund fühlte sich plötzlich trocken an. Also vielleicht keine schlechte Idee, auch jetzt zu einem Drink zu greifen.

Er hatte es nur mit großer Mühe verhindern können, die liebreizende Nicola Jones nackt zu Gesicht zu bekommen. Sie war in der Küche weitaus mehr darauf erpicht gewesen, sich zu entkleiden, als es sich seiner Ansicht nach für eine Vorschullehrerin gehörte. Nicht dass er kein Vergnügen daran gefunden hätte, sie ohne ihre Laura-Ashley-Klamotten zu bestaunen, aber er war absolut unvorbereitet gewesen. Spontane sexuelle Handlungen waren definitiv ausgeschlossen, seit es die Kinder gab, und es fiel ihm schwer, den Kopf sowie andere wichtige Körperteile von einem Moment zum anderen in Stimmung für Matratzensport zu bringen. Und da war auch noch etwas anderes. Da es bereits schwierig genug war, Gelegenheit zu sexuellen Handlungen mit der eigenen Frau zu finden, weil man Gefahr lief, von einem oder mehreren gelangweilten und/oder weinenden Kindern unterbrochen zu werden, musste man sich vergegenwärtigen, wie sehr sich die Chancen auf einen befriedigenden Vollzug verringerten, sobald eine fremde Person ins Spiel kam. Der Küchentisch kam für ihn einfach nicht infrage. Er hatte sich Mühe gegeben, diesen misslichen Umstand auf höfliche Weise verständlich zu machen, aber Nicola war in den frühen Morgenstunden mit dem Gefühl nach Hause gegangen, nach der Jagd um den Küchentisch ganz klar abgewiesen worden zu sein. Zumindest war die kinderfreie Situation hier in Bath der Möglichkeit, sich unter mündigen Erwachsenen – wenn es sich dann anbot – ein wenig Spaß zu gönnen, wesentlich zuträglicher.

Seine Begleiterin ließ ihre kleine Reisetasche zu Boden fallen. «Wie englisch das hier alles ist», sagte sie. Ob das in diesen Tagen noch als Kompliment galt, wusste Ed wirklich nicht. «Ich bin begeistert!»

Orla rauschte an ihm vorbei ins Zimmer und warf sich aufs Bett, wo sie prompt in der Tagesdecke aus Spitzen versank. «Und so romantisch!», hauchte sie verzückt.

Auf dem Couchtisch ruhte eine Flasche Champagner in einem Kübel mit Eis, das in Reichweite des lodernden Kaminfeuers sehr bald aufzutauen drohte. Ed war nicht vorausschauend genug gewesen, das Begrüßungsgetränk zu bestellen, freute sich aber, dass jemand anders Umsicht bewiesen hatte.

«Champagner?», bot er an.

Orla machte es sich an einem Wall aus kleinen seidenen Kissen bequem. «Sie sind ein wunderbarer Mann, Ed», flüsterte sie. «Liebend gern.»

Orla streifte die Schuhe ab.

Ed nahm den Champagner mit einer gekonnt dramatischen Geste aus dem Kübel und wischte mit einem Tuch das Eiswasser ab. Vielleicht waren es ein paar graue Haare und ein gewisses Flair weltmännischer Reife, was sich die Frauen heutzutage wünschten. Er lächelte ein verführerisches Roger-Moore-Lächeln zum Bett hinüber.

Orla zog den Mantel aus und ließ ihn zu Boden gleiten. Sie schürzte ihre roten Lippen und nestelte an den Knöpfen ihrer Bluse. «Bring ihn zu mir ins Bett», instruierte sie mit belegter Stimme.

Eds flinke Finger umklammerten die Flasche, als der Korken vorzeitig knallte, quer durchs Zimmer schoss und einen grinsenden Porzellanhund vom Kaminsims holte.

Sie waren spät zum Abendessen nach unten gegangen, nachdem sie auf die Wonnen des römischen Bath im Dauerregen verzichtet hatten, um sich stattdessen im Himmelbett den brennend heißen Freuden des Fleisches hinzugeben.

Der Speisesaal war gut besucht, und zwar vornehmlich von Pärchen, dic an Zweiertischen turtelten und Händchen hielten. Das Restaurant wurde unter Feinschmeckern gerühmt, und in der Tat waren die Speisen exzellent, aber keiner der Anwesenden schien sich sonderlich für das Essen zu interessieren. Die Beleuchtung war so gedämpft, dass man sogar in einer Kohlengrube besser hätte sehen können, aber auf den Tischen standen Kerzen, Kerzen leuchteten in den Alkoven, Kerzen leuchteten mit den Kaminfeuern zu beiden Seiten des Raums um die Wette. Ein tropischer Wintergarten mit azurblauem Swimmingpool schloss sich direkt an den Speisesaal an, und wie Lotusblüten geformte brennende Kerzen trieben auf der glatten Wasseroberfläche.

Orla lächelte ihn an. Sie sah sehr hübsch aus. Und kein bisschen flatterig.

«Hast du Alicia gesagt, dies sei eine Geschäftsreise?», fragte sie.

«Eigentlich nicht. Ich hab ihr nur nicht gesagt, dass es keine ist.» Er genoss seinen Wein. «Außerdem», gestand er, «war ich mir ja selbst nicht sicher.»

Orla ließ ihre Finger zwischen seine gleiten. «Aber jetzt bist du es?»

«Ja», sagte er. Na ja, es wäre ja wohl ungehörig, die

Frage zu verneinen, aber in Wahrheit war er sich immer noch nicht sicher. Orla war sehr schön. Sie war außerdem clever, sah im Business-Kostüm toll aus und hatte ihre Arbeit und ihr Leben im Griff. Was könnte sich ein Mann mehr von einer Frau wünschen?

Ed wusste es nicht, aber er wusste sehr wohl, dass er keine Schmetterlinge im Bauch spürte, wie es hätte sein sollen. In seinen Lenden rührte sich nichts. Ein selbstgefälliges Grinsen spielte jedoch um seinen Mund. Schließlich hatte er ja gerade zum ersten Mal seit Wochen Sex gehabt – ziemlich guten Sex sogar –, und er war ja auch nur ein Mensch. Bei Nicola Jones hatte er ein ähnliches Gefühl gehabt, aber letztlich war Ali doch die einzige Frau gewesen, die ihn je wirklich umgehauen hatte – und das nicht nur mit den Mahlzeiten, die sie auf den Tisch zu bringen wusste. Ed wandte seine Aufmerksamkeit wieder der Seezunge auf seinem Teller zu.

«Wirst du ihr sagen, dass wir beide ein Paar sind?»

Ed verschluckte sich und musste einen großen Schluck Mineralwasser hinterhergießen. Die anderen Gäste hörten zu speisen auf und starrten ihn an. «Gräte», krächzte er und schickte ein schwaches Lächeln zu den benachbarten Tischen.

«Sie muss es aber erfahren.»

«Meinst du?», sagte er und tupfte seine Lippen mit der Serviette ab. «Ich möchte nur nichts übereilen.»

«Sie wird es schon sehr bald herausbekommen», gab Orla zu bedenken.

«Wahrscheinlich erfährt sie es von Elliott.»

«Ich meine, wenn du mit mir in die Staaten gehst.»

Ed hätte sich am liebsten nochmals verschluckt, wusste aber, dass er es nicht ein zweites Mal auf eine Gräte schieben konnte.

«Du kommst doch mit, oder?»

Gehörte das zur Abmachung?, fragte er sich. War es von Anfang an so gewesen? Und wenn es so war, gab es daran etwas zu mäkeln? Gab es den geringsten Grund, warum er und Orla nicht aus diesen Anfängen eine großartige Beziehung aufbauen konnten? Aber war es eigentlich auch klug, gleich ins erstbeste Schuhgeschäft zu rennen und das erstbeste Paar Schuhe zu kaufen, ohne noch diverse andere anzuprobieren?

«Harrison Ford wartet, Ed», sagte sie. «Und ich auch.»

Ed nahm sich vor, Trevor umzulegen, und hob sein Glas, um mit ihr anzustoßen. Orlas Augen funkelten im Kerzenlicht. Ein triumphierendes Lächeln lag auf ihren Lippen.

«Auf Harrison Ford», sagte sie. «Und uns.»

— Kapitel 48 —

Ich war eigentlich immer mit mir zufrieden gewesen, aber jetzt gibt es alle möglichen Kleinigkeiten, an denen ich zu knabbern habe. Jeden Morgen untersuche ich mein Gesicht, um festzustellen, ob eine der Myriaden von Falten es gewagt hat, sich auch nur einen Millimeter weiter auf meinem Gesicht auszubreiten. Sollte ich jemals wieder einen Job finden – nochmals vielen Dank, Kath Brown –, werde ich mich, bevor ich fünfzig bin, liften lassen. Oder vielleicht sogar noch, bevor ich vierzig bin. Je nachdem, wie übel ich bereits aussehe.

Man sagt, dass Stress alt macht, und wenn das stimmt,

dann bin ich bereits vierundneunzig. Ich leide sozusagen an kontinuierlichen Bauchschmerzen und einem steifen Hals, wie auch Ed es immer tat. Meine Periode ist ständig zu spät, und ich habe immerzu Angst, schwanger zu werden. Nach intensiver Überredung hat Ed sich tatsächlich sterilisieren lassen – hauptsächlich deswegen, weil ich ihm die Nummer mit den beiden Ziegelsteinen im Gartenschuppen angedroht hatte, wenn er sich nicht unters Messer begab. Wir haben uns nie mit Kondomen anfreunden können – dafür müsste uns Elliott eigentlich ewig dankbar sein. Man sollte nicht glauben, dass allzu viel schief gehen könnte, aber wir haben es immer geschafft, es zu vermasseln!

Christian und ich lassen im Hinblick auf Kondome eine gewisse Nachlässigkeit walten, was mich eigentlich überrascht, weil er doch nicht müde wird zu betonen, dass er Kinder nicht ausstehen kann. Aber hat ihn denn niemand darüber aufgeklärt, dass die Geschichte vom Klapperstorch nur ein Märchen ist? Ich mache mir auch Sorgen wegen AIDS, aber ich habe nichts gesagt, denn das würde doch darauf deuten, dass man seinem Partner nicht vertraut ... Ich weiß, es ist dumm, aber ich krieg's eben nicht fertig. Ich hoffe nur, dass Christians kurze Vergangenheit weniger farbenfroh ist als seine Bilder.

Ich sitze in meinem Wohnzimmer, brüte über diese Dinge und sehe mir – in der Hoffnung auf ein Wunder – die Ziehung der Lottozahlen im Fernsehen an. Und es müsste in der Tat ein ganz außergewöhnliches Wunder geschehen, denn ich finde niemals die Zeit, einen Lottoschein auszufüllen oder gar auch noch abzugeben. Ich halte einen Drink in der Hand, und meine Füße ruhen auf einem Hocker. Und – man höre und staune – trotz seiner Bekundungen, kleine Wadenbeißer niemals in seine unmittelbare Nähe lassen zu wollen, ist Christian oben damit beschäftigt, Elliott zu baden. Ich glaube, das ist es wert, wiederholt zu werden: *Christian* badet *Elliott*! Ein nicht minder großes Wunder, als wenn ich im Lotto gewinnen würde, ohne überhaupt getippt zu haben.

Immer wieder dringt vergnügtes Lachen zur mir herunter, und das macht mich froh. Ich hab genug vom harten Alltag, mehr als genug. Nach einem großen Schluck Gin lasse ich die Ereignisse des Tages Revue passieren. Ich hatte mir so viel davon versprochen. Aber wieder einmal war es Elliott, der die Regie an sich riss. Ich glaube, ich biete das Kind als Organspender an, und dann sollen sie gleich mal mit seinem Kopf loslegen.

Ich bedauere ihn nicht, dass ihm so schlecht geworden ist. Nein, er hat hundertprozentig selbst Schuld und ist daher in meinen Augen nichts als verachtenswert. Hätte ich ihn selbst baden müssen, hätte ich ihn mit Kernseife abgeschrubbt, damit er noch lange an die Walzerbahnfahrt zurückdachte.

Füße trampeln die Treppe hinunter, und zwei Gesichter erscheinen in der Tür. Christian ist zweifellos ein Mann, der zu seinem Wort steht. Er hat versprochen, dass ihm nicht übel würde, und wenigstens er hat dann auch all das Junkfood bei sich behalten. Jetzt aber ist er buchstäblich klitschnass bis auf die Haut. «Ich hab hier jemanden, der gute Nacht wünschen möchte», sagt er und schiebt Elliott ins Zimmer.

Elliotts feuchtes Haar ringelt sich um sein blitzsauberes Gesicht, und er sieht aus wie ein bezaubernder kleiner Engel. Christian hat ihm den niedlichsten Pyjama angezogen, und der Rest von Barney ist auch mit von der Partie. Er schlingt mir die Ärmchen um den Hals und kuschelt sich an mich. «Tut mir Leid, dass ich gekotzt habe, Mami», sagt er, und ich mache mir derartige Vorwürfe, nicht besser auf ihn geachtet zu haben, dass ich unbedingt noch etwas Gin trinken muss, um drüber wegzukommen.

«Ist schon gut, mein kleiner Liebling», gurre ich – ja, wirklich, ich gurre! «War ja gar nicht deine Schuld.»

«Ich denke, es war meine Schuld», sagt Christian zerknirscht.

«Christian liest mir noch eine Geschichte vor», sagt mein wunderschönes Kulleraugenkind.

«Bist du sicher, dass er nicht gesagt hat, er wird dir dein Buch um die Ohren hauen?»

«Nein.» Elliott rutscht von meinen Knien. «Christian mag mich.»

Christian schmunzelt nachsichtig. Elliott legt die Hand an die Lippen, um zu flüstern, und sagt dann mit einer Stimme, die alle hätte wecken können, die das Pech haben, auf einem der diversen Friedhöfe der Gegend zu liegen: «Und ich mag Christian!»

Viel später, als Christian sich anscheinend durch den Gesamtbestand von Elliotts Büchern gearbeitet hat und zudem gewiss auch noch durch einige, die mein Jüngster sich bei Thomas gemopst hat, taucht mein junger Liebhaber endlich wieder auf. Es ist neun Uhr, und er haut sich neben mich hin. Ich reiche ihm die Flasche Gin und ein Glas. Er stellt das Glas zur Seite und trinkt aus der Flasche. Ich mache ihm das nicht zum Vorwurf.

«Du hast überlebt», sage ich.

Christian sieht mich an. «Es ist Schwerstarbeit, nicht?»

«Versuch das mal jeden Tag zu machen.» Ich ziehe meine Augenbrauen überheblich in die Höhe, wie es nur

Menschen machen, die Kinder haben. «Und es wird Jahre dauern, bis wir Elliott aus dem Haus jagen können.»

Christian nimmt meine Hand und fummelt an meinen Nägeln. «Ich kann verstehen, warum sie dir so fehlen.»

«Tatsächlich?» Ganz so ungläubig wollte ich eigentlich nicht klingen.

«Aber natürlich. Elliott ist fabelhaft. Auf seine Weise ist er bereits eine kleine Persönlichkeit», sagt er.

«Ein Balg aus der Hölle, meinst du.»

«Du wärst ohne ihn verloren.» Vielleicht ist es ja der Gin, aber plötzlich schnürt sich mir die Kehle zu, und mir kommen die Tränen.

«Nicht weinen.» Christian zieht mich an sich. «Ich könnte mich bestimmt an dieses Elternding gewöhnen», sagt er munter.

Ich schniefe. «Wer Erbrochenes beseitigt, wird dadurch nicht gleich zum Vater.»

«Ich geb mir aber Mühe.» Und obwohl er neunzehn Jahre älter ist als Elliott, ist er nicht weniger süß.

«Du hast dich phantastisch geschlagen», sage ich und drücke seine Hand. «Und bei Thomas bist du auch bestens angekommen.»

Christian legt die Nase in Falten. «Ich fürchte aber, Tanya mag mich nicht.»

Was soll ich dazu sagen? Ich darf ja wohl kaum die Furcht äußern, dass mein Töchterchen ihn eventuell ein ganz klein wenig zu sehr mögen könnte. Ohnehin habe ich ja bereits in Ed einen Rivalen, wenn es um ihre Gunst geht. Von diesem Thema möchte ich im Moment aber verschont bleiben.

«Das wird sich schon einrenken», murmele ich.

«Soll ich über Nacht hier bleiben?», fragt Christian.

Ich schüttele den Kopf. «Ich glaube, damit würde ich

nicht zurechtkommen. Obgleich es auch mein Haus ist, komme ich mir im Moment hier ganz komisch vor. Es wird schon eigenartig genug sein, wieder in meinem eigenen Bett zu schlafen. Und ich denke nicht, dass ich es teilen könnte», gestehe ich. «Obwohl ich gern möchte.»

«Wir trinken noch einen Schluck», sagt er und schenkt mir nach. Er setzt wieder die Flasche an den Hals. «Und dann fahr ich nach Hause.»

«Kommst du morgen wieder?»

«Ich hab Elliott versprochen, ihm beizubringen, wie man Skateboard fährt.»

«Dann reserviere ich schon mal Zeit für einen Besuch in der Notaufnahme …»

Christian lacht. Offensichtlich denkt er, dass ich scherze.

— Kapitel 49 —

Christian saß vor dem Fernseher, eine Tasse heiße Schokolade zwischen den Oberschenkeln, und zappte auf der Suche nach einer Spätsendung mit Sex oder Fußball durch die Kanäle. Im Moment fehlte ihm nämlich das eine wie das andere. Er sehnte sich nach Ali, und ihm war spürbar unbehaglich bei dem Gedanken, dass sie die Nacht wieder in ihrem eigenen Bett und im Schoß der Familie verbrachte und er diese traute Enklave nur von außen betrachten durfte, mit platt gedrückter Nase an der kalten Scheibe. Die heiße Schokolade und ein Dokumentarfilm auf Channel 4 spendeten ihm nicht den benötigten Trost.

Rebecca kam herein. Sie trug ein minimalistisches Röckchen und ein Top, das aussah, als bestünde es aus zwei Etiketten von Käseecken, die mit einem Stück glitzernder Zahnseide aneinander befestigt waren. Sie blieb unvermittelt stehen.

«Du bleibst doch nicht etwa an einem Samstagabend zu Hause?», fragte sie kopfschüttelnd. Dann fischte sie Geld aus ihrer Handtasche, die auf dem Tisch lag.

«Und wenn mir danach ist?» Christian versuchte den Eindruck zu machen, dass er in die Dokumentation versunken war. «Ich warte jetzt auf das *Spiel des Tages* in der Sportschau.»

Das wurde mit einem ungläubigen Lachanfall quittiert.

Rebecca stützte eine Hand auf den schmalen Hüftknochen. «Und wer spielt?»

«Äh ...»

Rebecca drohte ihm mit dem Finger. «Diese Mutter macht ja einen langweiligen Stubenhocker aus dir», sagte sie.

«Nur weil ich nicht mehr jedes Wochenende auf den Putz hauen will? Das nennt man erwachsen werden, Becs. Solltest du auch mal versuchen.»

«Und wo ist deine Angebetete Lady Bountiful denn heute Abend?»

«Zu Hause. Bei ihren Kindern.»

«Und deine Anwesenheit war nicht erwünscht?»

Christian hätte liebend gern eine Flasche Wodka in der Hand gehabt, denn mit heißer Schokolade ließ sich nur sehr schwer der übel gelaunte Macker markieren.

«Muss ein ganz neues Gefühl für dich sein, nach der Pfeife einer Frau zu tanzen», fuhr Rebecca fort, als er nicht antwortete. «Ich muss es ihr ja lassen, sie hat dich unbestreitbar da hinbekommen, wo sie dich wollte.»

Christian versank tiefer im Sofa.

«Komm doch mit uns», sagte Rebecca.

«Ich hab keine Kohle.»

«Das hat dich noch nie abgehalten.» Rebecca setzte sich auf die Sofalehne und spielte mit einer von Christians Locken. «Schlachte das Sparschwein.»

«Das Schweinchen hat uns aus unserer letzten Notlage gerettet, schon vergessen?»

Rebecca wiegelte mit einem Schnalzen ab. «Ich greif dir unter die Arme», sagte sie. «Oder vielmehr – ich lade dich ein. Betrachte es als Beweis dafür, dass ich dir verziehen hab, dass du mich abserviert hast, weil du keine Bindung wolltest, und du dir dann eine Tussi ins Haus holst, die alt genug ist, um meine Mutter zu sein, und obendrein noch drei Bälger im Schlepptau hat.»

«Was bist du nur für ein großherziger Mensch, Becs.» Christian seufzte.

«Komm schon. Ich will nur mal in die ‹Ratte›, um Robbie und ein paar Kumpel zu treffen.»

«Und warum hast du dich so aufgebrettert?»

«Weil ich in der ewig unerfüllten Hoffnung lebe, dass dort jemand sein könnte, der es wert wäre, abgeschleppt zu werden», sagte sie. «Na, komm. Wir können es gerade noch zur letzten Bestellung schaffen. Du kriegst da bestimmt bessere Laune.»

«Ich bin ja gar nicht trübselig.»

«Es ist doch Ewigkeiten her, dass wir drei um die Häuser gezogen sind. Als Freunde.»

«Nicht mehr, seit Ali aufgetaucht ist», sagte Christian provozierend.

«Also, jetzt, wo du es sagst …» Rebecca riskierte ein Grinsen.

Christian stellte seine heiße Schokolade ab. «Ich muss

wohl schon mitkommen, damit du endlich still bist, was?»

«Da gibt es noch eine andere Möglichkeit, Chris», sagte sie. «Küss mich.» Sie beugte sich vor, drohte aus den Dreiecksetiketten zu platzen und presste ihre Lippen auf seinen Mund. Der Kuss war lang und fordernd und auf angenehme Weise vertraut.

Rebecca löste sich von ihm, kniff die Lippen zusammen und fuhr dann mit der Zungenspitze an deren Konturen entlang. Sie sah Christian wehmütig an. «Aber ich schätze, das hast du nicht auf dem Zettel.»

Christian stand auf. «Gehen wir in die ‹Ratte›», sagte er forsch.

Die «Ratte» war der Pub, der stets zu schließen vergaß. Christian erinnerte sich an seinen letzten Drink. Oder zumindest kam es ihm so vor. Robbie hatte ihn ausgegeben und wahrscheinlich die zehn vorangegangenen auch. Es war ein Tequila Stuntman gewesen, Robbies Erfindung, bei der es sich um eine sadistische Weiterentwicklung des Tequila Slammer handelte. Statt das Salz vom Handrücken zu lecken, den Tequila mit einem Zug runterzukippen und sich danach Limonensaft in den Mund zu spritzen, hatte sein «Freund» – und es war angezeigt, das Wort in Anführungszeichen zu setzen – ihn überredet, das Salz zu schniefen, zwei Schuss Tequila wegzuhauen und sich zum Schluss den Limonensaft ins Auge zu spritzen. Im Nachhinein betrachtet, war das wahrscheinlich der Grund dafür, dass er vom Tisch gefallen war.

Jetzt war es unchristlich früh am Morgen, und er stützte, so gut es ging, die Mauer neben der Eingangstür ihres Hauses. Wie sie es angestellt hatten, vom Pub hierher zurückzukommen, war ihm schleierhaft. Seine Augen brannten noch immer vom Limonensaft, und das Salz hatte das Innere seiner Nase so ausgetrocknet, dass er nur noch durch den Mund atmen konnte. Robbie stand mitten auf der Straße und sang aus vollem Hals «Land of Hope and Glory», wobei er immer noch an einem Stück durchgekauter Limone saugte. Weiter unten an der Straße wurde ein Fenster geöffnet, und eine Stimme forderte: «Halt verflucht noch mal die Klappe!» Und so verblüffend es klingen mag, Robbie verstummte.

Rebecca stöberte in ihren sämtlichen Taschen nach dem Hausschlüssel, und Robbie nutzte die Gelegenheit, einen laut plätschernden Urinstrahl gegen den schwarzen Müllbeutel abzulassen, den die Nachbarn unklugerweise auf ihrem Weg vergessen hatten.

Als es Rebecca endlich gelungen war, die Tür zu öffnen, fielen sie allesamt nach innen auf die Veranda und streckten auf der Kokosmatte und den schwarzweißen viktorianischen Fliesen alle viere von sich. Christian kicherte laut.

«Toast», krächzte Robbie. «Ich brauche Toast.» Und er taumelte in Richtung Küche, wobei er sich mühselig an der Wand entlangtastete.

«Ohne mich, Alter», lallte Christian. «Ich brauch nur noch mein Bett.»

«Ich auch», sagte Rebecca. Christian legte den Arm um sie und schaffte es irgendwie, sie hochzuhieven, ohne selbst wieder lang hinzuschlagen. Sie torkelten die Treppe hinauf, stolperten übereinander, lachten, fielen hin und krochen schließlich auf allen vieren auf den Treppenabsatz.

Rebecca richtete sich auf, lehnte sich an den Türrahmen, um nicht mehr so stark zu schwanken. Sie zog Christian hoch und an sich. Er blieb stehen, den Arm um ihre Taille gelegt. In der plötzlichen Stille war beider Atem laut zu hören. Rebeccas Haar roch nach Zigarettenrauch und ihr Mund nach Alkohol und Käse/Zwiebel-Chips. Die Dreiecke ihres Tops waren völlig verrutscht.

Rebecca zeichnete auf seiner Wange mit dem Finger eine Linie, die jedoch nicht ganz gerade ausfiel. «Heute Abend war es wie in alten Zeiten», sagte sie mit einem schiefen Lächeln, betrunken und traurig zugleich. Schüchtern, mädchenhaft, frech.

«Yeah», sagte Christian. Er hätte seine Hände von ihrer Taille lösen sollen, aber er hatte vergessen, wie es sich anfühlte, wenn sich seine Fingerspitzen auf ihrem Rücken trafen. Und weil er das wohl unbedingt noch einmal spüren wollte, klebten seine Hände an ihr.

Standhafte Reste von Rebeccas Lippenstift ließen ihre Lippen immer noch rot leuchten. Der verschmierte schwarze Eyeliner zeichnete schwarze Schatten unter ihre Augen und ließ sie wie eine Heroinsüchtige aussehen, verletzlich und irgendwie ungesund. Sie hielt sich an Christians Schultern fest, und auf seinem T-Shirt sahen ihre Hände winzig aus, schmal und schlank wie alles an ihr, die Nägel scharlachrot lackiert. Versuchung. «Hängt über deinem Bett noch immer die Zeichnung, die du von mir gemacht hast?»

«Hm, hm.»

«Was sagt denn Ali dazu?»

Christian antwortete achselzuckend: «Hat noch nie was dazu gesagt.»

Rebecca feuchtete sich die Lippen an und sah ihm unverwandt in die Augen. «Darf ich reinkommen und sie mir ansehen?»

«Ich soll dir meine Briefmarkensammlung zeigen?» Christian sah sie ernst an. Wenn er von irgendwo ein Lachen hätte herholen können, wäre der Bann vielleicht gebrochen worden, aber er fand nicht den richtigen Ton. «Der Spruch ist doch wirklich uralt, Becs.»

«Ein besserer ist mir eben nicht eingefallen», sagte sie, nahm Christians Hand und folgte ihm in sein Zimmer.

— Kapitel 50 —

Neil parkte seinen alternden Citroën halb auf der Straße, halb auf dem Gehsteig vor Jemmas Laden. Er hatte den ganzen Tag versucht, sie telefonisch zu erreichen, war dann aber durch die Jahrgänge Fünf bis Acht der St.-Apsley-Mittelschule abgelenkt worden.

Immer wenn er es tatsächlich geschafft hatte, Jemmas Nummer zu wählen, war besetzt gewesen. Oder es war nicht besetzt, und wenn es dann bei ihr läutete, hüpfte sein Herz vor Freude, nur um dann immer wieder vom Anrufbeantworter frustriert zu werden. In der letzten Woche, als er sich bei Ed und der reizenden Miss Jones abgesetzt hatte, war er zu Jemma gefahren, um in einem neuerlichen «Strategietreffen» die Wiedervereinigung von Alicia und Ed einzuleiten. Auf halbem Weg zu ihr hatte das Handy geläutet, und Jemma hatte abgesagt. Als Grund nannte sie eine furchtbare Erkältung. Und schniefte dazu sehr überzeugend. Seither hatte er nichts mehr von ihr gehört.

Es mochte lächerlich klingen, aber Neil hatte ernsthaft das Gefühl, sich sozusagen schon halb in sie verliebt zu haben. Er hatte sie während der gesamten Woche extrem vermisst und außerdem festgestellt, dass sich sein Blick bereits verklärte, wenn er das Volleyball-Team von St. Apsley zu Gesicht bekam. Tickte die biologische Uhr denn etwa nur bei Frauen? Er zumindest hatte das Gefühl, dass seine Uhr sich demnächst mit einem deutlichen Weckruf melden würde.

Notting Hill lag nicht wirklich «auf dem Weg» nach Camden. Aber was lag schon wirklich auf dem Weg? Er würde Jemma ganz beiläufig sagen, dass er auf gut Glück vorbeigekommen war, weil er sich Gedanken über die Ehe seines Bruders machte. Was ja auch wirklich nicht eine Million Meilen von der Wahrheit entfernt war.

Das Licht in ihrer Wohnung im oberen Stockwerk brannte, und die Vorhänge waren offen. Ein gutes Zeichen. Jemma war eine unternehmungslustige junge Frau, und als er die Zündung abgeschaltet hatte, war ihm klar geworden, dass sie an einem Sonnabend durchaus ausgegangen sein könnte.

Im Rückspiegel prüfte Neil seine Frisur, spuckte in die Hände und strich vergebens die Haare glatt. Er bedachte sein Ebenbild mit einem abfälligen Schnalzen, stieg aus dem Wagen und rieb sich die Hände in der Kälte der Nacht. Er klingelte bei Jemma. Das Restaurant «Calzone» auf der anderen Straßenseite war noch hell erleuchtet, und die Fenster waren beschlagen. Er hätte nochmals versuchen sollen, sie anzurufen, bevor er losgefahren war, und dann hätten sie vielleicht wieder essen gehen können.

Er konnte sich nicht entscheiden, ob er noch einmal klingeln oder aufgeben sollte. Neil trat von der Tür zurück und schaute zu Jemmas Fenster hinauf. Sie spähte angestrengt hinaus, um zu sehen, wer unten stand. Er winkte ihr zu und meinte erkennen zu können, dass sie ein ungnädiges Gesicht machte. Doch gleich darauf kam sie schon die Treppe hinuntergetrippelt und öffnete die Tür.

Sie sah fabelhaft aus. Sie trug einen kurzen beigen Seidenkimono und sonst so gut wie nichts. Sie hatte bloße Füße, und ihre winzigen Zehennägel waren perlmuttfarben lackiert, was ihn auf seltsame Weise anrührte. Ihr Haar war zerzaust, und sie versuchte vergeblich, es irgendwie zu glätten. Sie sah heute Alicia noch ähnlicher als sonst.

«Hi», sagte er.

Jemma zog den Kimono fester um sich. Neil entging nicht, dass ihr auch kalt sein musste. «Was machst du denn hier?»

«Hab ich dich aus dem Bett geholt?»

Jemma sah sich um. «Kann man so sagen.»

«Hast also immer noch deine Erkältung?»

«Was?»

«Deine Erkältung.»

«Oh – ja», sagte Jemma und schniefte.

«Ich wollte noch etwas über Ed und Alicia reden.»

«Jetzt?»

«Besser jetzt als nie», sagte Neil hoffnungsvoll.

Jemma sah aus, als sei sie anderer Meinung. Lieber nie als gerade *jetzt*.

«Ed will mit einer anderen Frau fortgehen», sagte er. «Und Ali will mit ihrem Schuljungen auf die Malediven. Ich glaube, das erfordert ein Krisengespräch.»

«Aber nicht jetzt», sagte sie. «Ich kann jetzt nicht. Dem fühl ich mich nicht gewachsen.»

«Oh.» Neil versuchte es mit seinem herzallerliebsten Prinzessin-Diana-Blick. «Ich mach mir solche Sorgen um die beiden.»

«Das tue ich auch», sagte sie. «Aber in diesem Moment kann ich auch nichts ändern. Ich ruf dich an.»

Nicht zu glauben! Er wurde abgewimmelt! Er war bei

Schnee und Regen meilenweit gefahren, und jetzt bat sie ihn nicht mal auf eine Tasse Tee herein. «Wann denn?», fragte er kläglich.

«Bald», versprach sie, aber die Art, wie sie über die Schulter blickte, als sie das sagte, gefiel ihm gar nicht.

«Es ist mir sehr wichtig, Jemma.»

«Mir doch auch», erwiderte sie. «Wir treffen uns sehr bald. Gute Nacht, Neil.» Für seinen Geschmack schloss sie die Tür ein wenig zu hastig.

Er zog die Schultern hoch und trollte sich zu seinem Wagen. So war es eigentlich nicht gedacht gewesen. Er hätte hineingebeten werden sollen, damit sie gemeinsam ein paar Drinks genossen, dann hätten sie sich kurz darüber unterhalten, was für Dummbeutel ihre jeweiligen Geschwister doch waren – und inzwischen hätte er dann viel zu viel getrunken, um noch fahren zu können, und wo sollte man so spät noch ein Taxi bekommen, war es nicht immer wieder dasselbe Problem, und dann wäre es an Jemma gewesen, ihm anzubieten, für den Rest der Nacht ihr Bett zu teilen. War etwas dagegen einzuwenden, dass man Träume hatte? Nichts, außer dass Träume nur sehr selten wahr wurden.

Er seufzte und wollte den Wagen anlassen. In ebendiesem Moment kam Jemma ans Fenster und schaute hinaus. Vielleicht hatte sie es sich anders überlegt? Neil wollte schon frohlocken. Dann bemerkte er einen blonden Haarschopf hinter ihr und holte unwillkürlich tief Luft. Da war noch jemand anders in ihrer Wohnung. Kein Wunder, dass sie so zerzaust aussah – sie hatte einen Kerl bei sich! Einen anderen Kerl! War all das Flirten, das Klimpern mit den Augenlidern nur ein Ablenkungsmanöver gewesen? Und er hatte gedacht, es bestünde eine Chance, dass Jemma seine Gefühle erwiderte. Vielleicht war es ja nur ein Kumpel, den sie da bei sich hatte. Aber wenn es nur ein Kumpel war, warum durfte er sich dann nicht dazugesellen? So peinlich konnte ihr seine Bekanntschaft doch nicht sein, auch wenn er in Sachen Mode nicht immer ganz auf der Höhe war.

Es gab nur eine Möglichkeit herauszufinden, ob die potenzielle Liebe seines Lebens tatsächlich mit einem anderen rummachte. Überwachung! Neil drehte den Zündschlüssel, stellte den Radiosender Virgin FM ein und kauerte sich in seinen Sitz. Nicht zum ersten Mal wünschte er sich, er hätte einen warmen Mantel mitgebracht.

Irgendwas klopfte in seinem Kopf. Neil schoss in die Höhe und stieß sich die Knie am Lenkrad. Er hatte größte Mühe, die Augen zu öffnen und etwas zu erkennen. Gleißender Sonnenschein fiel zur Windschutzscheibe herein und ließ ihn zusammenzucken. Wieder klopfte es. Doch nicht in seinem Kopf, sondern an der Scheibe seines Wagens. Mit einer Tasse Tee in der Hand stand Jemma auf der Straße.

Neil kurbelte die Scheibe hinunter.

«Ich hab dir was mitgebracht», sagte sie.

Neil sah sie dankbar an. Er war steif wie ein Brett und hatte das Gefühl, über Nacht sei ein Wellensittich in seinem Mund eingeschlafen.

«Danke», krächzte er und streckte die Hand nach der Tasse aus. Doch Jemma war anscheinend nicht erpicht darauf, sie ihm zu geben.

«Warum bist du noch immer hier?», fragte sie.

«Äh ...», sagte Neil, der es selbst nicht genau wusste.

«Wollte dein Wagen nicht anspringen?»

«Äh ... ja. Äh ... nein.»

«Oder hast du mir nachspioniert, Neil?»

«Äh ... ja», gab er zaghaft zu.

«Glaubst du denn, dass du dazu das Recht hast?»

«Äh ... wahrscheinlich nicht.»

«Definitiv nicht, würde ich sagen.»

«Lass mich erklären», bat Neil.

Jemma trug Jeans und eine mit Perlen bestickte Jacke, und die Perlen reflektierten ihr flammend rotes Haar ebenso wie ihre zornesroten Wangen. «Kannst du das denn?»

«Nein. Eigentlich nicht», sagte er kleinlaut.

«Sitz niemals wieder vor meiner Wohnung rum, Neil», sagte sie. «Egal, ob du meinst, einen Grund zu haben!»

Jemma kippte ihm den Tee ins Gesicht und reichte ihm Tasse und Teller durchs Fenster.

«Klar», sagte er. Tee tropfte ihm auf den Schoß. Dann stolzierte Jemma davon und stieg in einen riesigen silbernen Mercedes, der am Straßenrand parkte. Als der Wagen davonfuhr, spürte Neil, dass in seinem Herzen ein kleines Licht ausging.

— Kapitel 51 —

Christian ist sehr still. Und sehr blass.

«Kater?»

Er nickt und sieht aus, als bedauere er seine Antwort.

«Bist du noch losgezogen?»

«Nein.» Er vermeidet ein Kopfschütteln. «Hab mir mit Rob das *Spiel des Tages* angesehen.»

«Wer hat denn gespielt?»

«Äh …»

Ich lächle nachsichtig. «Muss ja ein tolles Spiel gewesen sein.»

«Äh …»

«Ist sowieso unwichtig», sage ich. «Ich hab sowieso keinen Schimmer vom Fußball. Möchtest du Tee?»

Mit einer kaum wahrnehmbaren Bewegung signalisiert er seine Zustimmung. Seine Augen sind schmerzhaft gerötet, und immer wenn er blinzelt, erkenne ich deutlich, dass die Lider wie raues Sandpapier über die Pupillen scheuern. Seine Nase läuft, und er schnieft müde.

«Lass mich einen Augenblick», bittet Christian heiser. «Es wird schon wieder.»

«Du musst deine Favoriten aber sehr angefeuert haben.»

Christian sinkt noch mehr in sich zusammen. «Ja.»

Elliott kommt in die Küche und lehnt sich an Christians Stuhl. «Fahren wir jetzt Skateboard?»

«In einer Minute.» Sonderlich überzeugend wirkt Christian nicht. Ich drehe mich zur Seite, damit sie mich nicht grinsen sehen.

«Möchtest du was essen? Eier und Speck?»

Christian reagiert mit einem unwillkürlichen Schaudern. «Nein. Bloß keinen Speck.»

«Nur Eier?»

«Nein. Bloß keine Eier.»

«Die Minute ist vorbei», sagt Elliott.

Ich glaube, Christian ahnt langsam, dass man durch einen Kater nicht von elterlichen Pflichten verschont bleibt. Ein Kind, das unterhalten sein will, kümmert es nicht, ob man konditionell nicht ganz auf der Höhe ist. Ich wette, er wünscht sich jetzt, zu Hause gemütlich im Bett geblieben zu sein, statt in aller Frühe hier aufzukreuzen.

Wenn Christian den größten Teil der Nacht damit verbracht haben sollte, sich volllaufen zu lassen, habe ich den größten Teil der Nacht wach gelegen und gegrübelt. Über alles Mögliche. Ich habe es sogar geschafft, mir darüber Gedanken zu machen, warum ich in meiner Matheprüfung keine Eins bekommen habe, und das war vor ungefähr hundert Jahren und hat auch nicht die allergeringste Auswirkung auf irgendetwas gehabt, das seither geschehen ist. Ich glaube, ich habe es bewusst vermieden, mir über die wirklichen Probleme Gedanken zu machen, zum Beispiel darüber, wie meine Kinder damit umgehen, dass wir zu einer dysfunktionalen Familie geworden sind, und wie ich jetzt meine Rechnungen bezahlen soll, nachdem Kath Brown mich abgeschossen hat. Beinahe, ganz beinahe, hätte ich Christian angerufen, aber ich wollte ihn nicht wecken, damit er nicht wach lag und sich darüber Sorgen machte, dass ich wach lag und mir Sorgen machte.

«Ich komme und sehe dir zu, wie du übst, was ich dir gestern beigebracht hab, und dann, wenn es mir ein bisschen besser geht» – Christian wirft mir einen reumütigen Seitenblick zu –, «zeige ich dir noch mehr. Geh erst mal und zieh dir die Knieschoner an.» Mir wäre es eigentlich lieber, wenn mein Sohn am ganzen Körper gepanzert wäre. Für den Augenblick beschwichtigt, eilt Elliott zur Tür.

«Wie viel Zeit hab ich mir damit erkauft?», fragt Christian.

«Wie ich Elliott kenne, nicht viel. Er ist viel zu schlau, um sich von einem Erwachsenen erpressen zu lassen.» Insgeheim bin ich höchst erfreut, wie schnell mein Liebhaber lernt, auf dem Minenfeld Kinderbetreuung zu navigieren.

«Dann sollte ich wohl lieber rausgehen.» Recht wacklig entfernt sich Christian vom Tisch.

Als er mit tief gesenktem Kopf an mir vorbeischleicht, berühre ich seinen Arm. «Du hast mir letzte Nacht gefehlt», gestehe ich ihm.

«Du mir auch.» Und er sieht so erbarmungswürdig aus, dass ich schon wieder schmunzeln muss. «Ich liebe dich, Ali», sagt er, und der ganze Jammer verkehrt sich in Ernsthaftigkeit. «Das weißt du doch?»

«Ja.» Ich nicke beruhigend, aber mein Herz klopft. Er nimmt meine Hände und führt sie an seine Lippen. Sein Mund ist trocken, seine Lippen sind rau, und er hat eine Fahne.

«Tut mir Leid, dass ich mich betrunken habe.»

«Macht doch nichts», sage ich. «Du hast jedes Anrecht auf deinen Spaß. Du bist jung. Und manchmal unklug.»

«Das stimmt», sagt er und folgt Elliott hinaus in die Sonne. Und ich stehe in der Küche und frage mich, warum ich am liebsten in Tränen ausbrechen würde. Wie ein Roboter mache ich mich daran, das Essen vorzubereiten, und bewege mich in meiner Küche mit einer Selbstverständlichkeit, die angesichts der Tatsache, dass ich schon seit geraumer Zeit nicht mehr meinen ständigen Wohnsitz hier habe, recht verwunderlich ist.

Ich kann Elliotts Gekicher hören, das sorgenfreie Lachen der Kindheit, und ich habe ein schlechtes Gewissen bei dem Gedanken, dass wir grausamen Erwachsenen ihm so viel zumuten, ihm seine Kindheitserinnerungen vermiesen und die Tage verleiden, die eigentlich lauter Sonnenschein sein sollten. Werde ich je den richtigen Zeitpunkt finden und dann auch die richtigen Worte, um ihn zu überzeugen, dass Ed und ich dies alles nie gewollt haben? Es stand nicht in unserem Lebensplan. Überall verlassen Väter und manchmal auch Mütter ihre Kinder. Die Scheidungsrate ist heutzutage so hoch, dass ich mich manchmal frage, wieso wir nicht dabei zusehen können, wie die Leute scharenweise in ihren Ford Mondeos die Eigenheime in den Vorstädten verlassen – ein Massenexodus verwirrter, entwurzelter Erwachsener. Was sagen die Statistiken dieser Tage? Ein Drittel aller Ehen zerbricht?

Ich rufe die Jungs zum Mittagessen herein, und obwohl ich mich gedanklich mit der Gesamtproblematik des heutigen Familienlebens beschäftige, finde ich dennoch die Zeit, mir Vorhaltungen zu machen, dass ich eine so lausige Köchin bin.

Christian gibt sich große Mühe mit seiner Pizza, aber mir entgeht nicht, dass er weder mit dem Herzen noch mit dem Magen bei der Sache ist. Elliotts Skateboard-Unterricht ist abermals ohne Zwischenfall vonstatten gegangen, und ich halte das für eine ziemliche Leistung. Elliott hat für sich entschieden, dass Christian total cool ist, und die beiden sind ein Herz und eine Seele.

Ich habe Thomas von Harry Potter weggelockt, damit er sich zu uns gesellt. Zusätzlich zu allen anderen Problemen sehe ich voller Sorge, dass er immer stiller wird. Tanya beehrt uns ebenfalls mit ihrer Anwesenheit. Sie hat viel Make-up im Gesicht und wenig Kleidung am Körper. Meine Tochter reagiert auf Christian demonstrativ gleichgültig und gibt damit deutlich zu erkennen, dass auch sie ihn total cool findet.

«Ich will mal kurz zu Tante Jemma fahren», sage ich. «Möchte jemand mit?» Meine Kinder starren mich ausdruckslos an. «Schreit bitte nicht alle auf einmal!»

«Ich will hier bei Christian bleiben», verkündet Elliott.

«Ich auch», sagt Thomas, was mich dann doch überrascht.

«Tanya?»

Sie zuckt die Achseln.

«Ist das ein Ja-Zucken oder ein Nein-Zucken?»

Sie zuckt nochmals, jetzt aber nachdrücklicher.

«Muss ich also allein fahren?»

«Ja», sagt Elliott, pult einen Pilz aus der bis jetzt beiseite geschobenen Pizzakruste und leckt daran. «Wir kümmern uns um Christian.»

«Wie nett.» Ich sehe Christian an, dem es anscheinend nichts ausmacht, im Schoß meiner Familie zurückgelassen zu werden. «Bist du damit einverstanden?»

«Ja», sagt er, und ich frage mich, ob er nicht vielleicht noch ein wenig betrunken ist.

«Ich bleib nicht lange weg. Ich will nur ein paar Bikinis und Kleinigkeiten für unseren Urlaub ausleihen.»

«Alles klar.» Über seinen Teller mit Pepperoniresten hinweg deutet Christian ein Lächeln an.

Ich hetze zu Jemma, aufgeregt und fast panisch. Und als ich bei ihr ankomme, muss ich feststellen, dass sie keine Lust hat, zu reden. Sie ist distanziert und mürrisch, aber will mir offenbar auch nicht sagen, was los ist. Ich sehe immer wieder auf die Uhr, und das verärgert sie noch mehr.

«Ich krieg dich ja gar nicht mehr zu Gesicht, Alicia», nörgelt sie.

«Komm doch jetzt mit», schlage ich vor. «Ich möchte Christian nicht allzu lange mit den Kindern allein lassen.»

«Wieso nicht? Meinst du, die könnten ihn abschrecken?»

Der Gedanke war mir tatsächlich gekommen. «Er ist doch noch nicht an sie gewöhnt.»

«Na ja, das sollte er so schnell wie möglich nachholen, meinst du nicht?»

Das Verständnisbarometer meiner Schwester ist heute anscheinend auf dem Tiefststand. Jemma hat einige ihrer schärfsten Bikinis für mich herausgesucht, was sehr aufmerksam ist, aber wie ich darin meinen Hintern verstauen soll, ist mir ein Rätsel. Aber ich bin nicht in Stimmung, sie mit der ganzen Pracht meiner bloßen Backen zu erfreuen, damit sie sich lustig machen kann, und daher stopfe ich die Bikinis in meine Tasche, murmele ein Dankeschön und nehme mir vor, in der kommenden Woche noch mehr von dem Geld, das ich nicht habe, bei Marks & Spencers in einen Bikini zu investieren, der so geschnitten ist, dass er ein absackendes Hinterteil stützen kann. Ich will schließlich nicht für Christians Mutter gehalten werden. Ein Bikini ist immer eine gefährliche Waffe, die auch nach hinten losgehen kann.

«Würdest du den Laden hüten, wenn ich in Urlaub gehe?», fragt sie. «Wo du doch jetzt keinen Job mehr hast.»

Danke, dass du mich daran erinnerst, Jemma. «Ja, natürlich.»

«Gut.»

«Wann willst du denn weg?»

«Weiß ich noch nicht.»

«Und wohin soll es gehen?»

«Was soll das sein, Alicia?», faucht sie mich an. «Die spanische Inquisition?»

Er ist also verheiratet, und sie warten darauf, dass sie seine Frau loswerden können. Wie gehabt. Ich sondere meine Entschuldigungsfloskeln ab, und dann rase ich durch London, ohne auf die lauernden Überwachungskameras zu achten. Ich merke, dass ich auch noch den Kiesweg zur Garage hinaufrase, und daher bleibe ich sitzen und zähle bis zehn, als ich vorm Haus angekommen bin. Der knirschende Kies kündigt immer einen vorfahrenden Wagen an, aber niemand kommt heraus, um mich zu begrüßen. Nicht einmal Elliott.

Nachdem ich meine Geduldsprobe bestanden habe, muss ich feststellen, dass die Küche bis auf ein paar schmutzige Pizzateller verlassen ist. Und als ich das Wohnzimmer betrete, sehe ich, warum.

Christian schläft fest auf dem Sofa. Elliott hat sich der Länge nach an ihn geschmiegt und nuckelt zufrieden am Daumen. Thomas liegt auf dem Teppich vorm Feuer, den Kopf auf einem Kissen. Tanya ist auf dem Sessel eingepennt und zeigt bedenklich viel Bein. Ich habe meine Kinder an einem Sonntagnachmittag noch nie so verschlafen erlebt. Normalerweise toben sie mit der Energie von Tigern, die man aus dem Käfig befreit hat. Mein Herz überschlägt sich, und ich bin nicht sicher, ob es wegen der Familie geschieht, die ich verloren habe, oder wegen der, die ich soeben gefunden habe.

— Kapitel 52 —

Wie es sich für eine Ferienreise gehört, haben wir einen typisch schlachtschiffgrauen britischen Himmel hinter uns gelassen, das Fegefeuer Gatwick Airport durchgestanden und sind jetzt einer gnadenlos gleißenden Sonne ausgesetzt, in die man nicht direkt sehen kann, ohne den Augen bleibende Schäden zuzufügen. Auch hinter einer Sonnenbrille kann man nur blinzeln, und man tut gut daran, die Wimpern als zusätzliche Schutzgardine einzusetzen. Ich wusste gar nicht, dass es ein so tiefes und reines Blau überhaupt gibt.

Ich liege auf einem Sandstreifen, der fünfundzwanzig Meter breit und hundert Meter lang ist und platt wie die sprichwörtliche Flunder. Mehr ist hier nicht. Bei unserem Urlaubsort handelt es sich um Veligandu, was so viel wie «Sandbank» bedeutet. Und dieses Veligandu ist eine von den Myriaden ähnlicher Sandbänke, aus denen die Inselgruppe der Malediven besteht – ein Ort, von dem ich noch nie gehört hatte, bis Christian mit den Tickets auftauchte. Jenseits des gefährlichen Korallenriffs, das unsere Sandbank einfasst, stürzt der Ozean in unergründliche Tiefen, die weiter hinabreichen, als unsere höchsten Berge in den Himmel ragen. Also darf ich mit Recht sagen, dass ich auf einer Sandbank liege, die so hoch ist wie ein vom Ozean umschlossener Mount Everest.

Über meine Ehe werde ich hier nicht nachdenken. Schließlich bin ich allein deswegen hier, um nicht über meine Ehe nachzudenken. Dies sind die ersten Ferien, die ich je ohne meine Kinder verbracht habe, und das bedeutet, ich kann mich auf besagter Sandbank in der Gewissheit entspannen, dass ich nicht bis zum Hals in dem Material eingegraben werde, aus dem sie besteht. Ich habe noch nie viel für Sand übrig gehabt, aber ich kenne ja auch nur unseren schweren, nassen, orangefarbenen britischen Sand. Sand, der einem feucht auf der Haut klebt, sie braun färbt und sich den Weg in deine Sandwiches sucht, um schließlich irgendwo im Verdauungssystem seine reinigende Wirkung auszuüben, wie der Volksmund gern behauptet. Der Sand hier ist ein feines weißes Pulver,

Korallenmehl, so betäubend und verführerisch wie Kokain. Er rinnt einem zwischen den Fingern hindurch, ohne eine Spur zu hinterlassen, und speichert trotz der sengenden Sonne keine Hitze. Wer keinen Sand ausstehen kann, wäre hier zweifellos am falschen Ort. In der zwanglosen Ansammlung strohgedeckter Gebäude, die sich Hotel nennt, gibt es keine normalen Fußböden, sondern nur noch mehr Sand. Große Krebse laufen auf Schlängelwegen ziellos durch den Speiseraum, und niemand, nicht einmal ich, was höchst erstaunlich ist, nimmt davon auch nur die geringste Notiz.

Dies sind keine Ferien, die für Kinder geeignet wären. Elliott wäre innerhalb von zehn Minuten die Wände hochgegangen. Es gibt hier keine professionell fröhlichen Animateure in T-Shirts, keine Wasserrutschen, keine Spaßpools, keinen Wassersport, keine Frisbees, keine Discos für 10- bis 14-Jährige, keinen Hüttenkiosk, in dem überteuertes Eis verkauft wird. Christian ist der Einzige unter dreißig. Einen Urlaub wie diesen machen nur Paare. Paare, die gut bei Kasse sind, eben weil sie keine Kinder haben. Glückliche Paare. Man stelle sich nur vor, vierzehn Tage auf einer Sandbank mit einer Person gestrandet zu sein, die man nicht ausstehen kann.

Ich kann es nicht fassen, dass Christian und ich wirklich hier sind. Wir haben die Straßen und den Stress Londons hinter uns gelassen, Ed, Kath Brown, meine Schwester, die liebreizende und ständig schmollende Rebecca, den Nieselregen, die Abgase, die Rechnungen, absolut alles. Wir leben hier selbstzufrieden wie in einem kleinen Kokon, abgeschirmt von allem, bis auf die gelegentlichen sintflutartigen Regengüsse. Zum ersten Mal seit langer, langer Zeit, vielleicht sogar zum ersten Mal in meinem Leben, fühle ich mich durch und durch entspannt. Ich hatte absolut keine Vorstellung, wie angespannt ich war, und jetzt, da ich aus der Tretmühle raus bin, frage ich mich, wie ich es schaffen soll, mich je wieder in sie hineinzubegeben.

Ich stütze mich auf die Ellbogen und schaue auf den Ozean hinaus, der blau ist und betörend und überhaupt nicht bedrohlich. Christian schnorchelt. Der Junge – Mann – hat mehr Energie, als ihm gut tut. Das Wort müde kommt ihm einfach nicht in den Sinn. Ich sehe die silbern schimmernde Spitze seines Schnorchels direkt in der Schnittlinie zwischen dem Türkis des Wassers und dem Azur des Himmels. Seine Flossen durchbrechen gemächlich paddelnd die Wasseroberfläche, und er trägt ein T-Shirt, weil ich nicht wollte, dass er sich den Rücken verbrennt. Er sagt, dass ich mit ihm rede wie mit einem Vierjährigen, aber er kann so aufmüpfig reagieren, wie ich es noch nie erlebt habe, nicht einmal von Elliott. Ich umsorge ihn wie ein Kind – ist ihm zu heiß, zu kalt, hat er genug gegessen, hat er sich auch genügend mit Sonnenschutzmittel eingerieben, damit seine wunderbar zarte Haut keinen Schaden nimmt? Nur des Nachts, wenn wir allein in der Hitze unseres Bungalows sind und er sich in der Dunkelheit über mir bewegt und ich nicht das jugendliche Strahlen seines Gesichts erkennen kann, nur dann ist er für mich nichts als ein Mann, mein Liebhaber, und nichts als mein Liebhaber.

Christian kommt aus dem Wasser gestapft und lässt sich neben mir auf den Strand fallen. «Das Wasser ist so warm, Ali», sagt er atemlos. «Du kommst dir vor wie in der Badewanne.»

Ich reiche ihm ein Handtuch, und er legte es beiseite, ohne es zu benutzen. «Hast du schon mal im Ozean Liebe gemacht?»

Ich denke, das kann ich guten Gewissens verneinen. Aber wir haben ja unsere Ferien auch immer in Cornwall oder Devon verbracht, und dort kommt man nicht so leicht auf derartige Ideen. Außerdem wären die Kinder am Strand garantiert ungeduldig geworden. «Nein», sage ich.

Christian rollt sich zu mir und küsst meine Füße. «Ich denke, dann sollten wir diese Unterlassungssünde korrigieren.» Seine Augen funkeln in diesem alles enthüllenden Licht unbestimmt blaugrau, in der Farbe des Horizonts, wo Ozean und Himmel sich treffen. Ich kann immer noch nicht glauben, dass er mich lieben soll.

Er lehnt sich gegen meinen Liegestuhl und stützt den Kopf auf meinen Oberschenkel. Ich streiche ihm übers Haar. Wir werden immer vertrauter miteinander. Ganz am Anfang konnte ich nicht schlafen, weil ich nicht wusste, wie ich mich an ihn schmiegen sollte. Ich kann mich nicht mehr erinnern, ob es mit Ed auch jemals so gewesen war, denn inzwischen waren wir schon so lange aneinander gewöhnt. Christians Haar kitzelte mich an der Nase und sein Arm lag zu schwer auf mir, und er atmete völlig falsch, und es gab da interessante Körperteile, die anscheinend überhaupt keinen Schlaf brauchten. Jetzt schlafen wir ohne die geringsten Schwierigkeiten in perfekter «Löffelchen»-Haltung, und ich weiß gar nicht so recht, ob ich das für einen Fortschritt halten soll.

Ich wende mich Christian zu, und er streichelt mein Gesicht. Seine Wangen glühen, seine Wimpern sind feucht und dunkel. Die Sonne hat sein Haar ausgeblichen, und er sieht so aus, als sei er gerade einem Lifestyle-Magazin entstiegen. «Liebst du mich?», fragt er.

Das tue ich. Mir schmilzt das Herz, genau wie meine

Knochen. Und wahrscheinlich auch mein Verstand. «Ja», sage ich, «ich liebe dich.»

«Gut.» Christian springt auf und grinst. «Wer zuerst im Wasser ist!», ruft er und ist schon fast dort.

Ich renne hinter ihm her, und wir hechten ins Wasser. Unsere Freudenschreie durchbrechen die sonnige Stille. Christian taucht hinter mir auf, lachend und spritzend. Er schlingt seine Arme um mich, und seine Lippen, nass und salzig, finden meine, und er zieht mich zu sich hinunter. Langsam, langsam geben wir uns einander hin, sinken tiefer und tiefer in die Wellen. Und in diesem Moment, der mir immer und ewig im Gedächtnis bleiben wird, frage ich mich, ob es möglich ist, vor Glück zu sterben.

— Kapitel 53 —

Ed stand am Fenster des Arbeitszimmers und blickte in den Vorgarten hinaus. Er wohnte in einem ganz normalen Einfamilienhaus, aber dieses Haus stand doch für fast zwanzig Jahre Schuften, und es bedeutete ihm eine ganze Menge, besonders jetzt, da er drauf und dran war, alles hinter sich zu lassen. Er fragte sich, was wohl passieren würde, wenn er in die Staaten ginge. Es wäre nicht übel, wenn er es sich leisten könnte, hier wie in Beverly Hills einen Haushalt aufrechtzuerhalten, aber das würde organisatorisch allerhand Schwierigkeiten verursachen. Würde Ali wieder hierher ziehen, sodass die Kinder einen Ort behielten, an dem sie ihre Ferien verbringen konnten? Aber wenn sie nicht da waren, wäre

Ali doch ganz allein in dem großen Haus, verloren wie eine kleine Erbse in einer großen Schote. Denn eines war ganz sicher: Es kam absolut nicht infrage, dass der schicke Mister Christian Schnösel hier seinen Fuß hineinsetzte, um auf unbestimmte Zeit zu bleiben. Nur über Eds Leiche.

Er hatte den Kindern und erst recht Ali noch keinen Ton von seinem Plan gesagt, sie auf die andere Seite des Erdballs zu schaffen, damit er einen neuen Anlauf nehmen konnte, seine Ambitionen auf das ganz große Filmgeschäft zu verwirklichen – aber er war sicher, dass sie ihn verstehen würden. Es war nur so, dass sie in den letzten Wochen mit so vielen Veränderungen konfrontiert worden waren, die sie bestimmt noch nicht verkraftet hatten, dass er versuchen wollte, den richtigen Zeitpunkt abzuwarten, um das Thema USA mit ihnen zu besprechen. Auch hatte er mit Orla noch nicht darüber gesprochen, wie sie die Wohnsituation regeln sollten. Würden sie anfangs noch getrennt wohnen und später dann zusammenziehen? Oder stellte sie sich vor, dass man wie eine große und glückliche Familie schon vom ersten Tag an unter einem Dach wohnte? Sie hatte die Kinder eigentlich noch gar nicht kennen gelernt. Angenommen, sie kamen nicht miteinander aus? Orla wirkte auf ihn nicht gerade besonders mütterlich, und deswegen wäre es vielleicht besser, wenn er und die Kinder ihr eigenes Reich hätten. Ed nickte. Darüber mussten sie sprechen. Darüber und noch über verdammt viel mehr.

Ihre Beziehung – wenn man es so nennen wollte – stellte sich sehr eigenartig dar, seit sie von «dem Wochenende» in Bath zurückgekehrt waren. Orla ging anscheinend von der stillschweigenden Übereinkunft aus, dass sie jetzt ein Paar waren, über Paar-Sachen sprachen und

Paar-Dinge taten, aber bei der Arbeit einen gewissen Abstand hielten und nur über Arbeits-Sachen sprachen und Arbeits-Dinge taten. Orla sagte häufig «uns» und «wir». Trevor war es aufgefallen. Er hatte zwar nichts erwähnt, aber Ed merkte, dass sein Kollege nicht mehr von «Orla, der Schrecklichen», dem «Scheusal», «Cruella DeVil» und «der eingebildeten alten Kuh» sprach. Daraus schloss Ed, die Belegschaft von Wavelength sei überzeugt, dass zwischen ihnen beiden «was lief».

Ed nippte an seinem Whisky. Er feierte seinen freien Abend, wie Männer es schon seit ewigen Zeiten tun – indem er sich langsam, aber sicher betrank. Er hatte mit dem Gedanken gespielt, Neil einzuladen und ein Gelage daraus zu machen, aber die Einsamkeit war inzwischen ein so seltenes Gut geworden, dass er beschlossen hatte, sie ein wenig auszukosten, bevor er sich an die ungeliebte Pflicht des ernsthaften Nachdenkens machte. Es war ihm auch durch den Kopf gegangen, dass er vielleicht den Wunsch hätte haben sollen, dass Orla ihn besuchen kam, aber er hatte diesen Gedanken vorüberhuschen lassen, ohne ihn näher zu erwägen.

Er ließ sich aufs Sofa sinken und tätschelte mit der selbstzufriedenen Miene des alleinigen Besitzers die Kissen. Elliott übernachtete bei seinem stillen Freund mit den Cowboyklamotten, dessen Namen Ed sich nie merken konnte. Thomas war von der Schule aus bei einer Schwimmveranstaltung und würde erst am nächsten Tag wiederkommen. Tanya hatte ebenfalls die Gelegenheit wahrgenommen, um mit ihrer Freundin Michaela auszugehen, und Ed hatte versucht zu ignorieren, dass die beiden sich mit bloßen Beinen, auf hohen Hacken und in Röcken, die nicht größer waren als Katzenklappen, in den strömenden Regen hinausgewagt hatten. Sie würden nicht vor Morgengrauen nach Hause kommen, und er hoffte nur, dass sie damit keinen zukünftigen Trend einleiteten.

Es läutete an der Tür, und Ed seufzte. Hoffentlich war es nicht die Avon Lady. Es war der reine Horror, den diversen Frauen, die Kataloge brachten oder wieder einsammelten, zu erklären, dass Ali nicht mehr unter dieser Adresse zu erreichen war. Er latschte zur Tür und schaltete die Außenbeleuchtung ein. Nicola Jones stand draußen im Regen und wurde sehr nass.

Sie schniefte einen Regentropfen von ihrer Nase. «Darf ich reinkommen?»

«Aber natürlich.» Ed machte ihr Platz. Sie trat ein und tropfte auf den Flurteppich. Sie war jedoch nicht nur nass, sondern sah auch verstört aus, wie Ed auffiel. «Ist etwas passiert?», fragte er.

«Elliott», sagte sie lakonisch.

Ed bekam weiche Knie. Als hätte er es sich nicht denken können. «Was ist denn nun schon wieder?»

Nicola blickte auf. Ihre Augen waren rot gerändert und sahen ihn bekümmert an. «Er hat mir erzählt, dass Sie sich mit einer anderen Frau treffen.»

«So? Hat er das?» Der Bengel kriegte Stubenarrest, bis er sechsunddreißig wurde. «Kommen Sie lieber mit durch.»

Nicola streifte ihren Mantel ab, hängte ihn über den Geländerpfosten und folgte Ed ins Wohnzimmer.

«Einen Drink?», bot er an, indem er sein Glas schwenkte.

Nicola verschränkte die Arme und presste sie fest an sich. «Ich nehme das, was Sie trinken.»

«Scotch pur.»

«Gut», sagte sie und setzte sich aufs Sofa.

Bemüht, die Augenbrauen nicht in die Höhe schnellen zu lassen, schenkte Ed ihr einen großen Scotch ein. Er reichte ihr das Glas und setzte sich neben sie. «Danke», sagte Nicola mit einem unglücklichen Lächeln.

«Was hat Elliott also genau gesagt?»

«Er hat gesagt, dass sie Orville heißt.»

Ed lachte. «Orla. Sie heißt Orla.»

Nicola nahm einen großen Schluck. «Es ist also wahr?»

«Sie ist eine Kollegin», sagte Ed, der hoffte, dass man ihm nicht ansah, wie sehr er ins Schwitzen geriet.

«Nur eine Kollegin?»

«Wir arbeiten gemeinsam an einem Projekt», erwiderte er und fragte sich, was eigentlich Nicola damit zu tun hatte und warum er ihr nicht rundheraus erzählen konnte, dass er vorhatte, schon sehr bald nach Amerika zu gehen und dort mit Orla zusammenzuleben. «Gibt's da ein Problem?», fragte er.

«Dürfte es eigentlich nicht, ich weiß», sagte sie und stärkte sich wieder an ihrem Whisky. «Wir beide kennen einander ja kaum. Aber ...» Sie zog die angewinkelten Beine aufs Sofa und verkroch sich noch mehr in sich selbst. «Macht es Ihnen etwas aus, wenn ich ehrlich bin?»

«Nein», sagte Ed. «Nein. Absolut nichts.» Oh bitte, bitte sei alles andere als ehrlich zu mir!

«Ich habe ehrlich das Gefühl, dass zwischen uns beiden etwas ganz Besonderes sein könnte, Ed.»

«Besonderes?»

«Ich weiß, dass Sie es auch empfinden.» Sie sah ihn beschwörend an. «Oder zumindest dachte ich das bis jetzt.»

Empfand er etwas? Nun, zumindest war nicht zu bestreiten, dass gewisse Teile seiner Anatomie sich höchst interessiert geregt hatten, seit sie gekommen war. Besonders wohl deswegen, weil sie aussah wie eine verlorene und verstörte Bewerberin um die Krone der Miss «Nasses-T-Shirt».

«Liegt es daran, dass ich Elliotts Lehrerin bin?»

«Was?»

«Empfinden Sie das als eine Barriere zwischen uns?»

«Nein. Nein. Ganz und gar nicht.» Noch während er sprach, wurde ihm klar, dass er sich damit wunderbar hätte herausreden können. «Nun ja, vielleicht.»

«Ich liebe Ihre Kinder heiß und innig», sagte sie ganz ernst. «Und Elliott ist mir besonders ans Herz gewachsen.»

«Ab und zu überkommt mich ein ähnliches Gefühl», stimmte Ed zu.

«Er ist heute Abend bei Toby, nicht wahr?»

«Ja, und Thomas ist bei einem Schwimmfest ...» Das war eine Information, die er vielleicht nicht freiwillig hätte herausrücken sollen.

«Ist Tanya denn auch weg?» Nicolas Stimme war etwas höher geworden. Sie leerte ihr Glas in einem Zug.

«Ja», sagte Ed. «Sie ist mit Michaela Johnson unterwegs und terrorisiert die Jungs in der Gegend.»

«Also sind wir allein?»

«Ja», sagte Ed unsicher. «Ich glaub, ich spring mal schnell nach oben und hole Ihnen ein Handtuch. Sie sehen noch immer schrecklich nass aus.»

Ed schoss aus dem Wohnzimmer und rannte die Treppe hinauf. Er lehnte sich an den offenen Schrank und leerte sein Whiskyglas. Was hatte er sich nur dabei gedacht? Er hätte ihr sagen sollen, dass Tanya jeden Moment zurückkommen könne oder dass er Neil erwartete.

Wie konnte er sich nur mit dem Gedanken tragen, mit Miss Jones ins Bett zu gehen? Kam er sich etwa schon vor wie Julio Iglesias? Na ja, nicht ganz, denn Julio Iglesias hatte geprahlt, zweitausend Frauen ins Bett gekriegt zu haben, und im Vergleich dazu waren zwei in vierzehn Tagen ja wohl nur Peanuts. Aber ein so gutes Ergebnis hatte Ed in den vergangenen zwanzig Jahren nicht verbuchen können.

Rein formal würde er Ali wohl nicht betrügen, denn sie waren doch in jeder Hinsicht als getrennt zu bezeichnen. Und befand er sich denn mit Orla bereits in einer so verbindlichen Beziehung, dass er absolut und hundertprozentig treu zu sein hatte? Wie würde er sich fühlen, wenn sie dasselbe täte? Im Moment nicht unbedingt furchtbar betroffen, wie er sich eingestand. Um auf die Analogie mit dem Schuhgeschäft zurückzukommen: Dies könnte die ideale Gelegenheit sein, zu probieren, ob ein anderes Paar nicht auch passte. Nur um sicherzugehen.

Ed hörte die Treppe knirschen und machte sich im offenen Schrank zu schaffen. Er suchte in den nicht sonderlich ordentlich gestapelten Haufen ein Handtuch, das nicht so aussah, als hätten sich die Kinder schon hundertmal damit abgetrocknet. Er fand eines, drehte sich um und sah Miss Nicola Jones, Elliotts Vorschullehrerin, splitterfasernackt und sexy lächelnd auf dem Treppenabsatz stehen.

«Ich bekam langsam Angst, mir den Tod zu holen», sagte sie neckisch. «Deswegen musste ich aus den nassen Sachen raus.»

Ed schluckte schwer. «Ich verstehe», sagte er.

Nicola glitt auf ihn zu und nahm ihm das Handtuch aus der leicht unsicheren Hand. Sie warf es in den

Schrank zurück, nahm seine Hand und führte ihn zu seinem eigenen Schlafzimmer.

Ed seufzte, hob sie hoch und stieß mit dem Absatz die Tür hinter sich zu.

– Kapitel 54 –

Neil trug seine Boxershorts, aß die Pizzareste von gestern aus dem Karton und sah sich einen Porno an, den Adam vom Pub ihm geliehen hatte und der echt schlimm war. Eine fette deutsche Schnalle spielte mit, zusammen mit einem Kerl, der so aussah, als sei er mal bei den Village People gewesen. Die beiden Akteure steckten zusammen in einem Aufzug, oder vielleicht war es auch nur ein Schrank. Die deutsche Schnalle fing wegen irgendwelcher Sachen, die außerhalb des Bildes abliefen, zu stöhnen an, und der Typ kriegte plötzlich einen sehr seltsamen Gesichtsausdruck und verdrehte die Augen.

Neil stellte die Pizza zur Seite und machte noch eine Dose Bier auf. Vielleicht sollte sein Bruder in Betracht ziehen, es in der Porno-Branche zu versuchen, denn der letzte Spot, den er für Postsparbücher gemacht hatte, war weitaus aufregender gewesen als das hier.

Es läutete. Neil stellte seine Bierdose zur Seite und eilte die Treppe hinunter zur Eingangstür. Er hatte sie bereits weit aufgerissen, bevor sein Gehirn registrierte, dass die wohlgeformte Silhouette, die er hinter der Milchglasscheibe erahnt hatte, seiner wunderhübschen Schwägerin Jemma gehörte. Sie sah makellos aus, wenn auch ein wenig verhuscht. Ihr Haar glänzte in der Sonne wie polierter Bernstein, und sie trug sandfarbene Lederhosen, die Gwyneth Paltrow ausgezeichnet gestanden hätten, sowie einen flauschigen Pullover und eine Lederjacke in der Farbe geschmolzener Mars-Riegel. Jemmas Blicke führten eine flinke Einschätzung seiner Garderobe durch, und ihm wurde sofort klar, dass es zu deren Beschreibung nicht derselben Eloquenz bedurfte. Er trug Boxershorts, ungefähr Jahrgang 1991, Marke Walmart. Von der Liebe seines Lebens erwischt in zehn Jahre alten Lumpen.

«Neil», sagte Jemma zögernd.

«Hi», sagte Neil und widerstand dem Impuls, die Hände über seinen Eiern zu verschränken wie bei einem Strafstoß der Gegner. «Ich hab nicht damit gerechnet, dass jemand kommt.»

Jemma bedachte ihn mit einem eiskalten Blick. «Du hast nicht auf meine Anrufe reagiert.»

«Ich wollte es ja», sagte er, obwohl er eigentlich keine Lust gehabt hatte, mit Jemma zu reden, nachdem sie ihm den Tee ins Gesicht geschüttet hatte. Er hatte sich erniedrigt gefühlt, und es war ihm peinlich. Aber er war auch sauer gewesen. Außerdem hatte er keine Ahnung gehabt, was er am Telefon hätte sagen sollen.

«Es tut mir Leid, das mit der Tasse Tee», sagte sie und fummelte in ihrem Haar. «Dafür möchte ich mich entschuldigen.»

Achselzuckend sagte Neil: «Schon in Ordnung. Du warst nicht die Erste.» Tatsächlich war sie es schon, aber er wollte ihr weder das Gefühl der Befriedigung geben noch etwa das der Originalität. «Und wahrscheinlich wirst du auch nicht die Letzte sein.» Obwohl er es aufrichtig hoffte.

«Du bist nicht sauer auf mich?»

«Nein.» Ja, selbstverständlich, und er wollte unbedingt wissen, wer dieser teutonische Typ mit dem blonden Haar und dem großen Schlitten gewesen war. Und ob sie über ihn gelacht hatten, als sie davongefahren waren. Das hatten sie wahrscheinlich getan. Er selbst hätte es auf jeden Fall gemacht.

«Normalerweise mache ich so was nicht. Ich weiß gar nicht, was in mich gefahren war.» Jemma trat auf dem Gehsteig von einem Fuß auf den anderen. «Ich stehe sehr unter Druck», erklärte sie. «Die Sache mit Ed und Ali nervt mich unheimlich.»

«Geht mir nicht anders», sagte Ed. Er nahm an, dass Jemma vielleicht noch genervter sein würde, wenn er ihr erzählte, dass sein älterer Bruder nicht nur mit seiner Kollegin ins Bett ging, sondern es jetzt auch noch Elliotts Vorschullehrerin besorgte. Ed hatte ihn am Morgen danach im Zustand besorgter Unruhe angerufen und alles gebeichtet. Neil war nicht sicher, ob er Ed wirklich geholfen hatte, mit den Schuldgefühlen klarzukommen. Er hatte sich nämlich nur vor Lachen ausgeschüttet und ihn Edward «Doppelbumser» Kingston genannt.

Jemma blickte die Straße rauf und runter und dann wieder auf Neils Boxershorts. «Darf ich reinkommen?»

«Also ...»

«Wir müssen dringend entscheiden, was wir tun wollen.»

«Im Augenblick passt es nicht so ...» Sie sollte nicht glauben, dass nur sie allein sich auf dieses Spiel verstand.

«Wir müssen einen Plan haben, bevor Ali von den Malediven zurück ist», sagte Jemma. «Deswegen *muss* es jetzt sein.» Nach diesen Worten drängte sie sich an Neil vorbei und stieg dann auch schon die Treppe zu seiner Wohnung hinauf. Ein Dufthauch kitzelte seine Nase. Das Zeug war stark, exotisch und zweifellos auch höllisch teuer. Er hatte schon immer zu den Männern gehören wollen, die ein Parfüm auf Anhieb identifizieren können, aber es gelang ihm einfach nicht. Auch diese Duftnote hätte alles sein können – Opium, Ghost, CK One oder gar Badreiniger mit Zitruszusatz. Seufzend sperrte Neil den Verkehrslärm aus und hastete hinter ihr die Treppe hinauf.

Jemma verlangsamte leicht ihren Sturmschritt, als sie sich der Wohnzimmertür näherte und ihr die Töne eines leidenschaftlichen Orgasmus entgegenschallten. «*Ja, ja, ja!*», schrie die deutsche Schnalle.

Jemma wurde rot. «Hast du Besuch?»

Neil sah sie ausdruckslos an. «Ich? Nein.»

«*O ja, besorg es mir, mein Großer!*»

Jemma drehte sich um und sah Neil fragend an. Der gab mit immer noch ausdrucksloser Miene und einem Achselzucken vor, von nichts zu wissen und ebenso ratlos zu sein wie sie. «Channel Five?», bot er als des Rätsels Lösung an. Seine Schwägerin marschierte vor ihm ins Zimmer. Auf dem Fernsehschirm schien ein Großer es tatsächlich einer Dame zu besorgen, und das in Technicolor.

«Channel Five», bestätigte Neil mit einem Kopfnicken.

Sie standen jetzt beide da und hatten den Kopf leicht geneigt, um besser zuschauen zu können, teils staunend, teils voller Abscheu.

«Na ja.» Jemma setzte sich plötzlich aufs Sofa und stützte sich dabei auf die Videohülle. Auf deren Cover stand in großen blutroten Lettern BIG, BAD AND BOUNCY IN BERLIN, und abgebildet war eben dieselbe fette deutsche Schnalle, die Bumsbombe von Berlin. Jemma nahm die Hülle in die Hand und wiederholte: «Na ja.»

Neil schaltete den Fernseher aus. Er überlegte kurz, ob er ihr nicht erzählen sollte, dass er eine Fremdsprache lernen wollte und das Video ausschließlich Studienzwecken diente, aber dann fiel ihm doch noch ein, dass die Sprache des Pornobumsens ja universal war. Jemma war blass geworden und starrte ihn mit glasigen Augen an. Er folgte ihrem Blick und musste feststellen, dass ein wunderschöner Klecks roter Tomatensoße mit Käse von der Pizza seine Brustbehaarung zierte. Und dass er einen ganz prächtigen Ständer vorweisen konnte.

«Ich kann es erklären», sagte Neil.

«Spar dir das, Neil», entgegnete sie frostig. «Was du in deiner Freizeit machst, geht mich gar nichts an.»

«Lass mich gehen und mir etwas Vernünftiges anziehen», sagte Neil, bemüht, den flehentlichen Unterton in seiner Stimme einzudämmen. Sie schauten beide wie gebannt auf das kleine, aber sehr auffällige Zelt auf der Vorderseite seiner Boxershorts.

«Dann beeil dich», sagte sie brüsk. Und alle seine Wunschträume, in denen sie beide wieder versöhnt und in seliger Eintracht durch Europa reisten und er immer wieder neue Kollektionen ihrer Kleider an exotischen Schauplätzen für eine vierseitige Modestrecke in der *Vogue* fotografierte, zerplatzten wie eine große Seifenblase. Seine Erektion erschlaffte noch im selben Moment. Neil hielt es für das Klügste, jetzt nichts mehr zu sagen, ließ die Schultern hängen und trottete aus dem Zimmer.

«Wir müssen die beiden unter einem Vorwand zusammenbringen», sagte Jemma.

«Die werden niemals bereit sein, sich zu treffen und alles durchzusprechen. Dazu sind sie beide viel zu dickköpfig. Ich begreif das alles nicht. Es kommt einem schon so vor, als würden sie gar nicht wieder zusammenkommen wollen.»

«Vielleicht wollen sie das ja auch nicht», gab Neil zu bedenken.

«Sei doch nicht albern», sagte Jemma. «Die beiden sind füreinander geschaffen, und wir müssen ihnen das bewusst machen.»

«Und wie wollen wir das anstellen?», fragte Neil. Er versuchte, möglichst enthusiastisch zu klingen. Er hatte zwar nicht das Interesse daran verloren, Ed und Ali wieder zu vereinen, zumal auch er glaubte, dass die beiden füreinander geschaffen und nur leider zu dickköpfig waren – aber, nun ja, eigentlich hatte er doch das Interesse an dem hehren Ziel verloren, weil es inzwischen den Anschein hatte, dass dabei für ihn kein Bonus abfiel.

«Wir arrangieren ein Überraschungsessen für die beiden und überlassen sie dann sich selbst.» Jemma nickte zuversichtlich.

«Ich dachte, sie sind überhaupt erst in diese Schwierigkeiten geraten, weil sie zu lange sich selbst überlassen waren; ich meine, jeder für sich?»

Jemma schenkte ihm keine Beachtung. «Ich hab an The Ivy gedacht», sagte sie. «Da wollte Ali immer schon mal hin.»

«Muss man da nicht Ewigkeiten im Voraus reservieren?»

«Dir wird schon was einfallen.» Sie winkte ab. «Ruf dort an.»

«Jetzt?»

«Zeit ist kostbar», sagte Jemma.

Murrend grub Neil neben der Armlehne seines Sessels nach dem Telefon. Er fand es und rief die Auskunft an.

Er bekam die Nummer für The Ivy und setzte sich kerzengerade hin, als dort jemand abnahm.

«Hi», sagte er. «Ich möchte einen Tisch reservieren. So bald wie möglich. Für zwei Personen.»

Während er warten musste, betrachtete er prüfend seine Fingernägel. «Drei Monate!» Völlig entgeistert schaute er Jemma an. «Moment mal bitte.» Neil flüsterte Jemma zu: «In den nächsten drei Monaten haben sie keinen Tisch frei.»

«Das ist doch völlig bescheuert!», flüsterte sie zurück. «Sag was!»

«Was?»

«Weiß ich doch nicht.»

«Können die beiden nicht auch woanders essen?»

«Wo?»

«Keine Ahnung», zischte Neil. «Beim Pizza Express braucht man jedenfalls nicht zu reservieren.»

«Neil!» Jemma warf ihm einen giftigen Blick zu.

«Okay. Okay.» Neil sann kurz nach. «Äh ... hier spricht Lord Neville of Kingston», sagte er wie mit einer heißen Kartoffel im Mund. «Will Daddy mal in die Stadt holen. Würde damit höchst ungern so lange warten.»

Jemma warf sich angewidert auf dem Sofa zurück.

«Was?»

Jemma schlug sich ein Sofakissen mehrmals auf den Kopf.

Neils Gesicht verzog sich zu einem triumphierenden Grinsen. «Zwei Wochen?» Er schenkte Jemma einen Hab-ich's-dir-nicht-gesagt?-Blick. «Verstanden, ich danke Ihnen. Das würde mir durchaus zusagen. Bin entzückt.»

Neil brach die Verbindung ab und ballte die Faust.

«Bin entzückt», höhnte Jemma. «Du hast dich eher

wie ein Bauarbeiter angehört als wie ein beknackter Lord Neville von wo auch immer.»

«Für die beiden ist reserviert», fuhr Neil sie an. «Was willst du noch mehr?»

Jemma biss sich auf die Lippe. Ihr kamen die Tränen. «Ich will, dass die beiden glücklich sind», sagte sie leise.

Neil durchquerte das Zimmer und nahm sie bei der Hand. «Ich doch auch, Jem. Ich doch auch.»

«Neil», sagte Jemma stirnrunzelnd, und alle Aggressivität schien von ihr abgefallen zu sein. «Wie, denkst du, stehen die Chancen, Ed und Ali wieder zusammenzubringen?»

«Im Moment?» Neil machte ein trauriges Gesicht und sagte nachdenklich: «Ungefähr so wie die, dass der Tod durch den Strang wieder eingeführt wird.»

— Kapitel 55 —

Elliott, Thomas und Tanya saßen in Thomas' Zimmer auf dem Fußboden. Die Autorennbahn, die Game Boys und Harry Potter waren allesamt unter die Betten geschoben worden, und die Kinder waren in einen engen Kreis zusammengerückt. Tanya rollte mit flinken Fingern eine Zigarette und leckte dann das Papier an. Die Jungen schauten ihr hingerissen und ehrfürchtig dabei zu.

«Also», sagte sie, «welche der neuen besseren Hälften mögen wir am liebsten? Wenn überhaupt eine.»

«Ich mag sie alle», flötete Elliott.

«Weil du nicht ganz gar im Kopf bist», fauchte seine Schwester.

«Selber», keifte er zurück. Tanya trat nach ihm.

«Wir wollen, dass unsere Eltern wieder zusammen sind, oder?»

«Wieso?», fragte Elliott.

«Weil es sich so gehört, du Sprotte.»

«Die Eltern aller meiner Freunde sind geschieden», warf Thomas ein.

«Ja», seufzte Tanya, «aber das heißt nicht, dass sie wissen, was gut für sie ist. Was meinst du?»

Thomas sagte achselzuckend: «Ich mag Christian. Er ist ziemlich cool.»

«Er ist ein Arschloch», entgegnete Tanya. «Ich kann es nicht aushalten, wie er Mami immer anhimmelt.»

«Ich dachte, das müssen die Liebhaber so machen», sagte Elliott.

Tanya kniff die Augen zusammen. «Nicht in dem Alter! Ist ja ekelhaft.»

«So schlimm kann er aber nicht sein.» Elliott deutete mit einem Kopfnicken auf ihr Zigarettenpapier. «Er hat dir ja immerhin gezeigt, wie du das da rollen sollst.»

«Hat er mir nicht gezeigt», fauchte sie. «Ich hab's ihm einfach abgeguckt», fügte sie etwas leiser hinzu, wobei sie ihre Handarbeit von allen Seiten bewunderte.

«Nicola Jones mag ich auch», fuhr Thomas ungerührt fort.

«Ich glaub, die könnte zu anstrengend sein», sagte Elliott, legte sich auf sein Kissen mit Bauarbeiter-Bob-Muster zurück, das auf dem Fußboden lag, und runzelte besorgt die Stirn. «Und dann hat sie auch so viele Haare. Das dauert bestimmt ewig, bis sie 'ne Frisur fertig hat.»

«Mami hat auch viele Haare», sagte Thomas. «Und mit denen muss sie gar nichts machen.»

«Eben weil sie eine Mami ist, und nicht nur eine Geliebte», sagte Elliott weise.

«Oh», sagte Thomas voller Respekt vor der beeindruckenden Wissensfülle, die sein kleiner Bruder in Bezug auf das weibliche Geschlecht offenbarte.

Ed kam zur Vordertür herein und warf den *Independent* auf den Telefontisch. Das Schlimmste am Heimkommen nach Alis Auszug war, dass er sich in den eigenen vier Wänden nicht mehr zu Hause fühlte. Es war niemand da, der ihn begrüßte und ihn fragte, ob er einen angenehmen Tag gehabt hatte, auch wenn er, ehrlich gesagt, nicht immer Lust gehabt hatte, diese Frage zu beantworten.

Er legte seine Aktenmappe ab, wanderte in die Küche und setzte Wasser auf. Vielleicht könnte er ein Bad nehmen vorm Dinner, wenn man Knusperpfannkuchen mit Cheddar und ein Paket Super Noodles überhaupt als Dinner bezeichnen konnte. Ihm tat der Rücken weh, und Kopfschmerzen hatte er auch, aber das waren Lappalien, verglichen mit dem Kummer, der ihm das Herz schwer machte. Ali hatte von den Malediven eine Postkarte an die Kinder geschickt, die Salz in seine Wunde rieb, und er war nicht sicher, ob er pikiert oder froh darüber sein sollte, dass sein Name auf der Karte nicht erwähnt war. Vielleicht sollte er sich den Tee schenken und stattdessen gleich zu einem stärkeren Drink greifen.

Der könnte eventuell auch helfen, die Schuldgefühle zu mildern, die sich eingestellt hatten, weil er mit seiner Neigung zur Promiskuität, die sich seit kurzem offenbart hatte, nicht ins Reine kam. Er war heute mal kurz auf die Herrentoilette verschwunden und hatte sich ausgiebig untersucht, ob irgendwo Ausschlag festzustellen war. Nicola Jones hatte es nicht gekümmert, dass sie ungeschützt Liebe gemacht hatten, was durchaus etwas beängstigend war, da sie doch allem Anschein nach unbedingt ein Kind wollte. Vielleicht hätte er ihr sagen sollen, dass er unterm Messer gewesen war und das Ganze einer Zeitverschwendung gleichkam, sollte sie je mit dem Gedanken gespielt haben, sich mit ihm fortzupflanzen. Es kam einem so unnötig vor, Kondome zu benutzen, wenn man doch nur mit Platzpatronen schoss, aber wenn er sich durch alle Betten bumsen wollte, wie sein Bruder es lachend genannt hatte, würde er ein bisschen vorsichtiger sein müssen.

Er fragte sich, ob Orla eine Veränderung an ihm wahrgenommen hatte, obwohl er sich größte Mühe gegeben hatte, sich ganz normal zu verhalten. Gewöhnlich entging ihr nichts. Sollte sie etwas bemerkt haben, hatte sie es nicht erwähnt. Ed massierte sich die Schläfen. Er konnte mit all diesen Wenns und Abers, den Warums und Wozus nicht umgehen. Das war zu strapaziös für einen so alten und müden Mann.

Ed warf das Jackett von sich. Kein Fernseher plärrte, und im Haus war es grabesstill, aber er konnte sich beim besten Willen nicht vorstellen, dass sich seine Kinder gegen alle Gewohnheit in ihre Zimmer zurückgezogen hatten, um fleißig Hausaufgaben zu machen. Oder doch? Nein, diese Hoffnung würde sich genauso wenig erfüllen wie die, dass England jemals wieder zu den führenden Cricket-Nationen gehörte. Ed reckte sich, bis es im Nacken knackte, und machte sich dann auf die Suche nach seinen Sprösslingen.

«Orla ist gruselig», sagte Thomas. Er stützte sich auf seine Ellbogen.

«Gruseliger als Scary Spice?», wollte Elliott wissen.

«Scary Spice ist gar nicht mehr gruselig, Blödian. Und außerdem interessiert die keinen mehr.» Tanya ließ den Zigarettenrauch kräuselnd vor ihrem Gesicht aufsteigen und spitzte die Lippen, um einen Rauchring zu blasen, was ihr jedoch nicht gelang.

«Und warum ist Orville gruselig?» Gedankenverloren boxte er dabei Barney, seinem frechen, kleinen lila Dinosaurier, mitten auf die Nase.

«Orla!», berichtigten Tanya und Thomas wie aus einem Munde.

«Orla ist ein weibliches Raubtier», sagte Tanya. Eine Spur widerwilliger Bewunderung schwang in ihrer Stimme mit. «Sie hat vor niemandem und vor nichts Angst. Sie ist wie Sigourney Weaver. Sie ist unabhängig und zielstrebig.» Tanya fixierte Elliott. «Sie ist eine Frau, die ihr Schicksal in die eigene Hand nimmt.»

«Hört sich klasse an», zwitscherte Elliott. «Was ist Schicksal?»

Tanya ließ sich auf den Rücken rollen. «Sie würde uns das Leben zur Hölle machen.»

Elliott schnitt eine Grimasse. «Hört sich nicht so gut an.»

«Christian und Nicola Jones, die könnten wir unter Kontrolle behalten», sagte Tanya versonnen. «Orla würde uns zerquetschen wie Fliegen.»

«Ich glaube, dann will ich nicht, dass sie unsere neue Mami wird», sagte er.

«Den Platz unserer Mutter kann sowieso niemand einnehmen, Elliott», knurrte Tanya ihn an. «Das darfst du nie vergessen.»

«Okay», sagte er achselzuckend. Seine Blicke folgten sehnsüchtig Tanyas Fingern. «Lass uns auch mal ziehen.»

«Nein.»

Elliott schmollte. «Christian hat gesagt, wir müssen alles teilen.»

«Christian hat keinen Schimmer, wovon er redet.»

«Komm schon.»

Tanya schnaubte vor Wut. «Womit hab ich bloß zwei so beknackte Brüder verdient?»

Sie setzte sich auf und rutschte auf Elliott zu. «Wenn du jemals, jemals irgendeinem was davon erzählst, Elliott, bist du des Todes. Verstanden?»

«Ja», sagte Elliott mit funkelnden Augen.

«Was bist du?»

«Des Todes», wiederholte er gehorsam.

«Du auch, Tom.»

«Des Todes», sprach er nach.

Tanya bewegte die Finger. «Halte sie so», sagte sie.

In diesem Augenblick flog die Tür auf, und Ed kam herein. «Hi, Kids», sagte er, blieb dann aber noch im Türrahmen abrupt stehen. Sein Gesicht verdunkelte sich, und seine Augenbrauen trafen sich über der Nasenwurzel. «Was zum ...!», rief er.

— Kapitel 56 —

Ich bin goldbraun und sehe atemberaubend aus. Wenigstens sage ich mir das. Ich fühle mich erholt, schön und geschmeidig – obwohl ich mit dem geschmeidig nicht ganz sicher bin, denn ich habe in den vergangenen beiden Wochen so viel Fisch gegessen, dass ich bald selbst Kiemen haben müsste und ausreichend Kuchen, um Oberschenkel aus reinem Fett zu besitzen. Ich kann es kaum glauben, dass wir bereits aus unseren Ferien zurück sind, denn ich habe das Gefühl, dass wir gerade erst abgeflogen sind. Aber der Berg von Bügelwäsche, durch den ich mich quäle, sagt mir, dass es nichts zu deuteln gibt: Ich bin zurück.

Wenn ich Glück habe, ist Ed auch einigermaßen entspannt, denn ich will ihn fragen, ob die Kinder nicht übers gesamte Wochenende bei Christian und mir bleiben dürfen. Diese Teilung des Sorgerechts ist eine ziemlich komplizierte Kiste. Ich will unsere Abmachungen nicht offiziell festlegen lassen, wenn ich es noch eine Weile verhindern kann. Ich glaube, wir vermeiden es bis jetzt beide, die Konsequenzen dessen anzuerkennen, was wir tun, und wir sollten auch erwachsen genug sein, um unter uns Einigung zu erzielen, ohne irgendwelche Anwälte reich zu machen. Ed sagt, ich kann die Kinder jederzeit sehen, aber schafft es doch, die Besuche immer wieder so zu beschränken, dass es mir wehtut. Über Nacht zu bleiben hebt das Besuchsrecht auf eine andere Ebene, und obwohl ich unbedingt mehr von den Kindern haben möchte, muss ich mir größte Mühe geben, nicht daran zu denken, wie sehr eine solche Situation ihm seine Beziehungen zu dieser Orville-Frau oder Nicola Jones erleichtert, oder mit wem er sonst noch rummacht. Der bloße Gedanke macht mich krank vor Eifersucht. So pervers sind wir Frauen!

Die Kinder können die Betten in Robbies und Rebeccas Zimmer haben. Das lässt sich organisieren, weil Robbie übers Wochenende zu Hause in Kent ist, wo er zweifellos bei seinen Eltern nassauern will, und Rebecca *einen richtigen Mann* kennen gelernt hat, von dem sie eingeladen wurde, *das Wochenende* mit ihm auf *seiner*

Jacht zu verbringen. Das haben wir uns nicht nur einmal anhören müssen, sondern mindestens tausendmal. Wenn man sich große Mühe gibt, kann man es schaffen, das Wort Jacht in so gut wie jedem Satz unterzubringen. Sowohl sie als auch Robbie haben freundlicherweise angeboten, in ihren Zimmern vorher aufzuräumen. Robbie hat versprochen, seine Pornohefte zu verstecken und das Oben-ohne-Foto von Melinda Messenger abzunehmen, was ich für sehr rücksichtsvoll halte.

Christian geht das alles völlig entspannt an. Ja, er hat es sogar angeregt. Ich glaube, der Tag auf dem Rummel hat geholfen, das Eis zu brechen. Seither ist er anscheinend in der Lage, mich als Mutter und als Möchtegern-Sexkätzchen ohne Altersbeschränkung zu sehen.

Langsam bekomme ich einen Büglerinnenarm, und daher mache ich eine Pause und beschließe, Ed anzurufen. Es ist sonst niemand im Haus, und ich fühle mich etwas einsam. Tagsüber ist eigentlich nie jemand da, und heute ist Christian in Covent Garden, um wieder seinen Platz zu übernehmen, den er einem Freund als Urlaubsvertretung überlassen hatte. Ich glaube, dass er es kaum erwarten konnte, obwohl er gemurrt hat, dass er mich verlassen musste. Ich wähle Eds Handynummer, und mir wird bewusst, dass wir uns in jener Übergangsphase befinden, in der wir überhaupt nicht mehr wissen, was der andere so treibt. Wir führen zwei völlig getrennte Leben, und das nicht absichtlich und überlegt, sondern allein deswegen, weil Zeit verstrichen ist. Er antwortet, nachdem es ein paar Mal geläutet hat.

«Ed Kingston.» Obwohl er sich kurz angebunden und geschäftsmäßig meldet, erregt mich seine Stimme. Sie klingt sanft, entspannt und aus irgendeinem Grund am Telefon tiefer als in Wirklichkeit – sexy.

«Ich bin's, Ali», sage ich.

«Oh.» Es folgt eine Verlegenheitspause. «Du bist also zurück.»

«Ja.»

«Schöner Urlaub?» Es klingt stimmlos, als fiele es ihm sehr schwer, überhaupt zu fragen. Aber das darf mich nicht überraschen, denn ich war auch nicht gerade außer mir vor Freude, als er mit Orville zwei Tage in Bath verbrachte.

«Ja», erwidere ich und versuche, einen neutralen Tonfall zu finden. Was soll ich sonst sagen? Ich kann doch wohl kaum von Delphinen plaudern und von Sonnenuntergängen, oder? Und ich denke, die Unterwassernummer lass ich ebenfalls am besten unerwähnt. «Danke.»

Ed schnaubt grimmig.

«Ich wollte mit dir über das kommende Wochenende sprechen», fahre ich energisch fort. «Hast du mit den Kindern schon was vor?»

Ich höre Ed atmen. «Wieso?»

«Ich würde gern das ganze Wochenende mit ihnen verbringen.» Das kommt hervorgesprudelt, als würde ich ihn um einen Gefallen bitten und nicht auf mein gutes Recht pochen. «Wenn du damit einverstanden bist.»

«Ich glaube, das wird nicht möglich sein», sagt er, und da ist ein harscher Unterton in seiner Stimme. Die Lockerheit ist jedenfalls verschwunden.

«Oh?» Ich bin darauf bedacht, mich im Ton zu mäßigen. «Würdest du mir erklären, warum nicht?»

«Nicht am Telefon», sagt Ed.

«Ich könnte zu dir kommen.» Um meine wachsende Verärgerung einzudämmen, denke ich an die Delphine und sehe vor mir, wie sie sich im Schein der untergehenden Sonne tummeln. Das entspannt. «Wo bist du denn gerade?»

«Im Büro», sagt er, und ich frage mich, ob er realisiert hat, wie groß die räumliche Trennung zwischen uns bereits ist. «Komm in den Groucho Club», kommandiert Ed. «In einer Stunde.»

«Gut», sage ich.

«Gut», sagt Ed.

«Ed.» Ich unterdrücke einen Seufzer. Ein kleiner Teil meiner schwer erkämpften Entspanntheit vergeht, und meine Delphine verschwinden unter den Wellen. «Wir müssen in diesen Dingen Vernunft walten lassen.»

«Vernunft, Alicia, ist ein Wort, das du nicht in den Mund nehmen solltest.» Und nach dieser abschließenden Sentenz ist die Leitung tot.

Die Empfangsdame erlaubt mir nach langer Überredung großzügig, im Barbereich des Groucho auf Ed zu warten. Es sind knapp zwei Minuten vergangen, und ich habe gerade erst ein Sofa gefunden und mich gesetzt, als er zur Tür hereingestürmt kommt. Er sieht müde und abgespannt aus. Ich hab mich ein bisschen herausgeputzt. Ich fühle mich an diesen Treffpunkten der Medienleute immer unwohl. Speziell der Ort hier hat einen erstaunlichen Ruf. Ob zu Recht, kann ich nicht sagen, denn ich bin in dieser Welt nur eine Außenseiterin und weiß nicht, wer hier wirklich den Ton angibt und was die Männer bewegen, die hier ein- und ausgehen. Für mich sehen sie allesamt wie übergewichtige Kerle mittleren Alters aus, die zu viel trinken. Es ist kurz vor der abendlichen Stoßzeit, und die Bar ist relativ leer, bis auf ein paar ganz Hartnäckige, die schon an der Theke hocken.

Ed sieht mich und stutzt. Ich hoffe, es liegt daran, dass ich so fabelhaft gebräunt und erholt aussehe, aber wenn es so ist, verliert er kein Wort darüber. Er lässt sich nur auf das Sofa mir gegenüber fallen und seufzt genervt.

«Drink?», sagt er zur Begrüßung.

«Mineralwasser.» Ich möchte, dass er mich als gute Mutter in Erinnerung behält. «Sprudelnd.» Wie mein Witz.

Ed bestellt bei einem Kellner, der bereits lauert, und wir sagen nichts mehr, bis die Getränke serviert sind. Mein Ehemann gönnt sich einen Stress abbauenden Schluck von seinem Scotch. Er sieht mich an, und ich vermag in seinen Augen nichts zu lesen, aber seine Miene lässt keinen Zweifel daran, dass er ungefähr so froh gelaunt ist wie Attila, der Hunnenkönig. «Bringen wir es hinter uns, okay?», sagt er. Ich hab keine Ahnung, wovon er redet.

Ed sieht sich verstohlen in der Bar um, ungefähr so wie ein Knallcharge in einem Bond-Film. Er öffnet seine Aktentasche und kramt in deren tiefsten Tiefen. Zwischen uns steht ein schwarzer Couchtisch, auf dem Gläser klebrige olympische Ringe hinterlassen haben und auf dem auch noch Erdnusskrümel liegen. Mitten auf diesen Tisch platziert Ed jetzt der Reihe nach eine kleine Silberdose, ein billiges Plastikfeuerzeug und Rizla-Zigarettenpapier, Blättchen für Blättchen nacheinander und betont langsam. Er macht eine dramatische Pause, weil er wohl auf ein Zeichen wartet, dass ich etwas erkenne, aber als das nicht kommt, wendet er den Blick von mir, zieht nochmal die Bond-Nummer ab und öffnet den Deckel der Silberdose. Dann streckt er sie mir entgegen und reißt dabei fragend die Augen auf.

In der Dose befinden sich ein zerknülltes Old-Holborn-Tabakpäckchen und ein brauner Brocken, der durchaus Ohrenschmalz hätte sein können.

«Was?», sage ich.

«Spiel nur nicht das Unschuldslamm.»

«Tut mir Leid, Ed.» Ich beiße mir auf die Lippe, um nicht zu lächeln. «Du müsstest mir schon eine Zeichnung machen.»

Mein Ehemann sieht mich finster an. «Also, ich muss dich doch bitten!»

Ich untersuche den braunen Brocken genauer. Es könnte ein Brühwürfel sein, dessen Verfallsdatum lange abgelaufen ist. Ich nehme ihn und rieche daran. Er riecht wie ein Brühwürfel, dessen Verfallsdatum schon lange abgelaufen ist.

«Leg das wieder hin», faucht Ed mich an und sieht sich nervös um.

Ich tue wie geheißen. «Warum?»

Eds Gesicht läuft immer dunkler an, bis es sich in dem schwarzen Ledersofa verliert. «Das ist Stoff», sagt er. «Hasch, Rauschgift, *Shit.*»

Ich betrachte mir das harmlos, wenn auch etwas eklig aussehende Stück braunen Ohrenschmalzes etwas näher. «Scheiße dieser Art ist mir noch nie zu Gesicht gekommen.»

Ed giftet: «Letzte Woche, als du noch mit deinem *Spielgefährten* auf den *Malediven* warst, hab ich *deine* Kinder mit dem Zeug erwischt. Thomas, Tanya *und* Elliott haben es geraucht.»

«Thomas?» Jetzt hätte ich wirklich am liebsten laut gelacht.

«Ja. Thomas.» Eds Miene ist versteinert.

Tanya, das konnte ich noch verstehen – wenn ihre Freunde und Freundinnen es taten, dann würde sie sich selbstverständlich ganz vorn in der Schlange anstellen. Elliott, das verstand ich auch, obwohl er ja erst vier ist. Wenn es was Ungehöriges anzustellen gibt, ist er dabei. Aber Thomas? Thomas wurde höchstens dann in Erwägung ziehen, Dope zu rauchen, wenn auch Harry Potter damit angefangen hätte. Und soweit ich weiß, ist der bebrillte Schlauberger nicht dafür bekannt, dass er sich einen Joint nach dem anderen reinzieht. Ich sitze leicht verwirrt da, bis mein Zorn einsetzt. Was hatte Ed gemacht, dass die Kinder nicht vernünftig beaufsichtigt worden sind und es daher mit Drogen zu tun bekamen? Ich wette, er war unterwegs ... *poussieren* mit einer seiner vielen Flammen.

«Woher weißt du denn eigentlich, was das ist?»

«Ich war schließlich auf dem College», erwidert Ed anmaßend.

«Aha.» Damit wäre ja wohl alles erklärt. «Und wie sind die Kinder an das Zeug gekommen?»

«Also wirklich, Ali.» Ed schnaubt empört.

«Was?» Ich hätte keine Ahnung, wo ich Drogen kaufen könnte, wenn ich es denn wollte, und ich bezweifle stark, dass meine Fünfzehnjährige oder mein Zwölfjähriger und etwa mein Vierjähriger sich in finsteren Kneipen im East End herumgetrieben oder vielleicht Männer mit dunklen Brillen in BMWs angehauen haben. Und woher sollten sie überhaupt das Geld dafür bekommen haben? Thomas und Elliott geben ihr Taschengeld für Süßigkeiten aus, und Tanya subventioniert die Kosmetikindustrie.

Ed lehnt sich auf seinem Sofa zurück und macht ein grimmiges Gesicht. Er müsste sich dringend mal wieder rasieren, und seine Bartstoppeln schimmern hier und da bereits grau, sodass er älter aussieht, als er ist. «Christian hat es ihnen gegeben.»

«Christian?» Ungläubig ringe ich nach Luft. «*Mein* Christian?»

Mein Ehemann knirscht mit den Zähnen. «Gibt es noch einen, der dir nicht gehört?»

Ich schüttele den Kopf. «Das hast du dir ausgedacht.»

«So, hab ich das?» Ed sieht völlig fertig aus.

«Wer hat dir gesagt, dass Christian es ihnen gegeben hat?»

«Thomas», antwortet Ed.

Thomas ist genetisch unfähig zu lügen, und ich merke, wie mir das Blut in den Adern gefriert.

«Er hat es ihnen ‹nur so zum Spaß› gegeben», fügt mein Ehemann hinzu.

Ich möchte etwas sagen, Ed versichern, dass es sich um einen furchtbaren Fehler handeln muss, dass dies weder Hasch noch Stoff noch etwa Shit ist, sondern erdfarbener Knetgummi oder tatsächlich ein angegammelter Brühwürfel oder ein Streich, den man uns spielt. Jedenfalls muss es alles andere als Cannabis sein, was meine Kinder geraucht haben sollen und was ihnen angeblich von meinem Liebhaber verabreicht worden ist. Wie soll Christian das angestellt haben? Er hätte doch eine Anleitung geben müssen, wie man so was raucht, und er ist doch nie mit ihnen allein gewesen bis auf den Sonntagnachmittag, als ich mal eben bei Jemma war … Oh, Scheiße!

Jener Sonntagnachmittag, an dem ich sie bei meiner Rückkehr also alle total bekifft vorgefunden hatte und nicht einfach nur gemütlich eingeschlafen, wie ich dachte. Mir dreht sich der Magen um, und ich habe das Gefühl, mich übergeben und den versifften Couchtisch auch noch mit meiner Markierung versehen zu müssen. Wie hat Christian das nur tun können? Das kann doch niemals sein, oder? Ich vermag kaum zu atmen, so schmerzt es mich. «Ich werde das klären», sage ich gepresst. «Lass mich erst mit Christian sprechen.»

Ed läuft sogar noch dunkler an. «Sollte ich ihm je begegnen, werd ich ihm den verdammten Hals umdrehen, Alicia. Das kannst du ihm von mir ausrichten. Ich hab mich noch nicht entschieden, ob ich zur Polizei gehe. Ich wollte erst hören, was du zu sagen hast. Aber ich sag dir eins, Alicia, wenn es nach mir ginge, müssten du und dieser Dreckskerl von Lover, den du dir da angelacht hast, ab jetzt einen Abstand von mindestens zwanzig Meilen zu meinen Kindern halten. Hast du das kapiert?»

Ich kann nur meinen Kopf schütteln, weil ich gar nichts mehr kapiere. «Ich bin sicher, da muss ein Irrtum ...» Nicht mal ich glaube, dass es sich überzeugend anhört.

Ed steht auf. «So, bist du?», sagt er. Dann klappt er die Silberdose zu und nimmt das Beweismittel an sich. Fall abgeschlossen.

— Kapitel 57 —

Orla saß im Bett, ein Laken um die Hüfte geschlungen, aber die Brüste entblößt. Ed vermied es hinzusehen, weil er wirklich nicht nochmal Liebe machen wollte und fand, dass Zurückhaltung sich durchaus mit Heldenmut messen konnte. Zudem trank er Champagner, was ihm ebenfalls nicht behagte. Nach dem Treffen mit Ali stand ihm der Sinn nach nichts, das auch nur entfernt mit Vergnügen zu tun hatte.

Sie befanden sich in ihrer dunklen, mit Antiquitäten ausgestatteten Mietwohnung, und die Sonne schickte sich gerade an, den Himmel für die Nacht zu verlassen.

«Ich hätte große Lust, zu ihm zu fahren und ihm einen Satz blaue Augen zu verpassen», sagte Ed.

«Das kann ich gut verstehen.» Orla nickte teilnahmsvoll.

«Mit einem Baseballschläger.»

«Es ist nur gesund, den Ärger rauszulassen.» Orla nippte an ihrem Champagner.

«Na ja, in Amerika könnte das ja zutreffen», kommentierte Ed resigniert, «aber hier wird man doch gleich eingebuchtet und wegen schwerer Körperverletzung angeklagt.»

Orla kuschelte sich an ihn. Leicht ließ sich mit ihr nicht kuscheln. Sie bestand aus lauter Ecken und Kanten. Sogar ihre Kurven waren scharf, und ihre sämtlichen Muskeln standen unter einer Spannung, die sich nie löste. Ganz anders als Nicola Jones, die kuscheliger war, als ihr gut tat.

Es war nicht schwierig, Nicola aus dem Weg zu gehen. Er schubste morgens einfach Elliott in ihre Richtung, und während sein Sohn sie mit unablässigem Geplapper aufhielt, eilte er zum Schultor und winkte noch einmal unverbindlich zurück. Nicola war eine Klette, aber eine Klette mit einem kleinen «K». Eine Klette, die sich ohne große Schwierigkeiten oder gar Überanstrengung abschütteln ließ. Sie klammerte, aber klebte nicht. Mit Orla war es etwas anderes. Orla war ein Krake. Ein Krake, der die Kraft besaß, jemanden zu zerquetschen. Sie hatte ihre Tentakel ganz fest um ihn geschlungen, hatte seine Gedanken im Griff, fütterte ihn mit Träumen von Hollywood, verwickelte ihrer beider Leben miteinander, spann die Fäden, bis sie ihre Version einer miteinander verknüpften Zukunft gewoben hatte. Und es fiel ihm so schwer, den Kopf über Wasser zu halten und Luft zu schnappen, dass er nicht die Zeit fand zu überlegen, was er wirklich wollte.

«Es wird alles bald vorbei sein», sagte sie. «Eher, als du denkst.»

«So?» Mit Mühe schaffte es Ed, seine Aufmerksamkeit wieder ihr zu widmen.

«Ich wollte es dir schon gesagt haben.» Orla sah ihn mit abgeschotteten schwarzen Augen an. «Letzte Woche gab es eine Sitzung mit der Direktion. Mein Vertrag mit Wavelength wird höchstwahrscheinlich frühzeitig aufgelöst. Mehr kann ich jetzt nicht für sie tun. Und für dich auch nicht. Mein Bericht ist so gut wie fertig. Es wird Zeit für mich, nach Hause zurückzukehren.» Orla strich sich das Haar aus dem Gesicht. «Du solltest auch schon sehr bald deine Kündigung einreichen. In den nächsten Tagen, würde ich sagen.»

«Wie könnte ich das?» Ed seufzte. «Was mache ich denn mit den Kindern? Ich muss doch noch bis zu den Sommerferien warten. Tanya steht kurz vor der mittleren Reife», sagte er und klang dabei weniger wie ihr Vater als wie ihr Schuldirektor. «Und so richtig hast du sie doch noch gar nicht kennen gelernt. Das müssen wir sehr bald nachholen. Ich möchte, dass sie dich mögen. Und ich bin sicher, dass sie es tun. Schlimmer als *er* kannst du doch auch nicht ...»

«Rührend, welches Vertrauen du zu mir hast, Ed.»

«Und was soll ich während der Ferien mit ihnen machen? Ich möchte nicht, dass sie hierher zurückkommen, ohne dass ich ein Auge auf sie haben kann.»

Orla stellte ihr Champagnerglas ab und bedeckte sich.

«Zurückkommen?» Jede Sanftheit war aus ihrer Stimme gewichen. «Von wo?»

«Noch eine gute Frage», sagte Ed. «Wo wollen wir alle denn eigentlich leben? Das haben wir noch gar nicht besprochen.»

«Wir *alle* …?»

«Die Kinder», sagte Ed zögernd. «Und wir.»

«Du hast vor, deine Kinder mit in die Staaten zu nehmen?» Orlas Lippen waren gespitzt.

«Was hast du denn gedacht, was ich mit ihnen mache?»

«Sie hier lassen», sagte sie unumwunden.

«Hier? Bei Ali – und *ihm*?»

«Warum nicht?»

Ed rang nach Luft. «Nie im Leben!»

Orla wandte sich ihm im Bett zu, aber Ed entging nicht, dass sie auch ein wenig von ihm wegrückte. «Wir werden unheimlich viel damit zu tun haben, dieses neue Projekt auf den Weg zu bringen, Ed. Mir bedeutet es alles. Alles. Ich dachte, dir ginge es ähnlich. Hier bietet sich dir die große Chance, wieder in der richtigen Welt Fuß zu fassen. In einer Welt, in der No-Budget-Werbespots für selbst reinigende Badezimmerarmaturen und Inkontinenzwindeln nicht existieren. Und wer, denkst du, soll sich um die Kinder kümmern?»

Ed machte ein enttäuschtes Gesicht. «Ich dachte, das machen wir gemeinsam.»

«Nie im Leben!»

«Magst du denn keine Kinder?»

«Ich liebe Kinder. Irgendwann möchte ich auch eigene haben. Wenn der richtige Zeitpunkt gekommen ist.»

Er hatte bei Nicola Jones dieses Thema gemieden und bis jetzt auch Orla nicht gestanden, dass er mit Platzpatronen schoss. Und er fand, dass es auch jetzt nicht angebracht war, darüber zu sprechen. «Ich kann sie doch nicht einfach zurücklassen. Nach allem, was sie durchgemacht haben.»

«Und ich kann es mir nicht leisten, plötzlich fremde Kinder am Hals zu haben.»

«Andere Menschen schaffen das auch.» Ed wusste, dass es sich fast schon peinlich anhörte.

«Ich aber nicht.»

«Ich dachte, du ... du ... liebst mich», sagte er und stellte im selben Moment fest, dass dieses Wort zwischen ihnen nie ausgesprochen worden war.

«Das tat ich auch.» Orla zerrte frustriert am Laken und seufzte zornig. «Und das tue ich noch immer», sagte sie. «Ich liebe *dich*. Ich möchte, dass *du* mit in die Staaten kommst.»

«Aber meine Kinder sind Teil von mir.»

«Aber nicht Teil von *mir*», sagte Orla etwas sanfter.

Die Sonne war untergegangen, und Orla schaltete die Nachttischlampe ein, die sie in eine Flut von unangenehm grellem und verräterischem Licht tauchte. Ed reagierte mit einem Stoßseufzer. «Ich weiß nicht, was ich sagen soll.»

«Ich auch nicht, Ed. Diese Entscheidung musst du schon allein mit dir abmachen.»

«Ja.»

«Du musst eben Prioritäten setzen», sagte sie bestimmt.

«Ja.» Als könne man eine solche Problematik mit der Logik eines Geschäftsberichts klären. Er wollte weg aus dieser Wohnung. Er wollte fort von hier und so schnell wie möglich nach Hause zu seinen ungeliebten, unerwünschten Kindern, denen es bestimmt war, nicht zu Amerikanern zu werden, und die jetzt gerade von ihren

Clubs, den Pfadfindern und dem Musikunterricht nach Hause zurückkehrten, befördert von den Eltern anderer Kinder, weil er nicht zur Stelle war, diese seine Aufgabe wahrzunehmen. Er lag nämlich mit einer Frau im Bett, die seine Kinder nicht um sich haben wollte.

«Ich muss zurück zu den Kindern.» Er klang alt und traurig und ausgelaugt.

Orlas Miene war unbewegt. «Ich weiß», sagte sie.

– Kapitel 58 –

Christian ist noch nicht nach Hause gekommen, obwohl die Zeiger der Uhr auf Mitternacht zustreben. Ich kann einfach nichts gegen meine Nervosität tun.

Wir leben doch im goldenen Zeitalter der Kommunikation. Mein Gott, es ist schwerer, den Kontakt zu verlieren, als in Kontakt zu bleiben! Ich habe versucht, sein Handy zu erreichen, aber eine von diesen blöden Roboterstimmen weist mich jedes Mal wieder darauf hin, dass er nicht antwortet. Als ob ich das nicht merke! Was ich wissen will, ist, warum er es nicht tut. Der kann was erleben, wenn er wieder auftaucht!

Ich renne in der Küche auf und ab. Robbie und Rebecca waren so schlau, sich in ihre Zimmer zu verziehen. Wenn Christian nicht als eine Art emotionaler Sekundenkleber anwesend ist, haben wir einander nichts zu sagen. Robbie ist nicht so schlimm, sondern quasselt ungehemmt über Nichtigkeiten, aber Rebecca wartet nur mit bedeutungsvollen Pausen auf, mit Kränkungen, verbalen Seitenhieben und versteckten Anschuldigungen. Himmel, ich komme mir vor, als sei ich mit ihr verheiratet! Ich passe hier einfach nicht her. Ich bin fehl am Platz. So willkommen wie Anzeichen von Zellulitis auf den makellosen Oberschenkeln von Liz Hurley. Und seit ich herausgefunden habe, dass Christian eine Art Drogendealer ist, weiß ich ohnehin nicht mehr, was ich hier eigentlich zu tun habe. Außer darauf zu warten, dass ich ihn umbringen kann.

Ich höre einen Schlüssel im Schloss, und alle meine Härchen sträuben sich, nicht nur die im Nacken, sondern auch an Stellen, die lieber unerwähnt bleiben. So zornig bin ich. Christian öffnet die Tür und schenkt mir sein schönstes entwaffnendes Lächeln. «Du bist aufgeblieben, um auf mich zu warten», sagt er, froh, mich zu sehen.

«Aufgeblieben?», sage ich. «Aufgeblieben! Ja, ich würde sagen aufgeblieben!»

Christian wirkt sehr betroffen, und das ist auch recht so. «Ist etwas passiert?»

«Etwas passiert?», sage ich. «Etwas passiert? Ja, ich würde sagen, es ist etwas passiert!» Ich bedauere sehr, dass die Eloquenz mir anscheinend entfleucht ist.

«Setz dich doch bitte, Ali. Du bist ja schon ganz blau. Sag mir, was geschehen ist.»

«Setz dich doch bitte?», sage ich. «Setz dich doch bitte? Ich setze mich, wenn ich mich setzen will.»

«Schön.» Christian ist augenscheinlich stark verwirrt, und ich fürchte, dass ich mich vielleicht nicht klar verständlich mache.

«Wo, zum Teufel, hast du denn bis jetzt gesteckt?», platze ich lauter heraus, als ich wollte.

«Ich hab doch im Arts Club einen Vortrag über die Freuden eines Straßenkünstlers in Covent Garden gehalten. Waren nette Leute da, und es hat Spaß gemacht.»

Christian nickt selbstzufrieden. «Hab ich dir doch auch erzählt. Erinnerst du dich?»

«Ja», sage ich gereizt. Und jetzt, da er es erwähnt, fällt es mir auch wieder ein.

«Bin danach noch auf ein kleines Bier mit ihnen losgezogen. Hab auch ein paar Aufträge abgestaubt. Geburtstagsgeschenke und so. Nicht gerade weltbewegend, aber es hält mir den Bankdirektor vom Hals.» Es ist nicht zu übersehen, wie froh er darüber ist. «Dann hat einer von denen angeboten, mich nach Hause zu fahren, aber ist ins Reden gekommen, und ich musste warten. Ich hab versucht, dich anzurufen, aber meine Karte war leer.» Dann fügt er zerstreut hinzu: «Ich muss mir gleich morgen eine neue besorgen.»

«Ich habe mich heute mit Ed getroffen.»

Christian runzelt die Stirn. «Lässt er uns die Kinder nicht übers Wochenende? Hast du deswegen diese Laune?»

«Kann sein, dass er mich die Kinder überhaupt nie mehr sehen lässt.» Ich fühle, dass mir die Tränen kommen und mir die Stimme erstickt.

Christian kommt herüber und legt mir die Arme um die Taille. Ich mag sie nicht spüren. Ich will nicht, dass er mich berührt. «Warum? Warum das denn nicht?»

«Weil er sie dabei erwischt hat, wie sie Dope geraucht haben, Christian. Dope, das du ihnen gegeben hast!»

Er ist blass geworden und lässt mich los. «Shit!»

«Genau das richtige Wort.» Meine Augen werden schmal.

Christian setzt sich an den Tisch. «Es war ein Fehler, Ali. Ein Fehler.»

Ich verschränke die Arme. Ich habe die Tränenphase hinter mir und bin nur noch sauer. «Ein großer Fehler.»

«Was soll ich sagen?» Christian rauft sich die Haare. «Als du zu Jemma gefahren bist, fühlte ich mich noch richtig schlecht wegen der Nacht zuvor.» Er sah belämmert aus. «Ich beschloss, mir einen Joint zu drehen, um ein wenig zu relaxen. Tanya hat echt den Durchblick.» Christian sieht zu mir auf, und in seinem Blick funkelt Ironie. «Sie wusste sofort, was ich da machte. Obwohl ich wusste, dass es falsch war, hat sie mich dann überredet, ihr einen Zug zu erlauben.» Er schaut zur Seite. «Oder zwei.»

«Und Elliott auch?»

«Ganz besonders Elliott. Er hat gedroht, mich zu verraten, wenn ich ihn nicht auch mal ziehen ließe. Also hab ich es geschehen lassen. Ich hätte niemals gedacht, dass sie so schnell stoned sein würden. Sie sind echt abgedriftet und eingepennt. Muss ziemlich guter Stoff gewesen sein.»

«Oder eine ziemlich schlechte Idee.»

«Meinst du etwa, dass mir das nicht klar ist?» Christian sah man das schlechte Gewissen an. «Ich wollte zu ihrer Gang gehören. Ich hab mir gewünscht, dass sie mich mögen, Ali. Ich war blöd. Ich habe nicht an die möglichen Konsequenzen gedacht, sondern meinte, damit wäre es gegessen.»

«Und?»

«Als ich nach Hause kam, stellte ich fest, dass ich mein Zeug nicht hatte. Es musste hinten ins Sofa gerutscht sein oder so. Vielleicht hat Elliott es auch stibitzt, als ich schlief.»

«Versuch jetzt nur nicht, von deiner Dummheit abzulenken, indem du meinen Kindern die Schuld in die Schuhe schiebst!»

«Will ich ja gar nicht», sagt er. «Aber ich konnte ja wohl kaum Ed anrufen und ihn bitten, unter den Sofakissen zu suchen, ob ich meinen Stoff vielleicht dort verloren hätte.»

«Hättest du aber ebenso gut tun können.»

«Es war eh nicht mehr übrig als für einen Joint. Oder vielleicht zwei. Ist mir aber gar nicht in den Sinn gekommen, dass sie es vielleicht rauchen könnten.»

«Es war dumm und absolut verantwortungslos.»

«Ja», stimmt er zu. «Aber es ist auch kein Weltuntergang.»

«Könnte es aber werden! Ed droht *uns* nämlich – nicht nur *dir* – mit der Polizei, mit der Jugendbehörde, mit dem Entzug des Sorgerechts.» Ewige Verdammnis.

«Hältst du das nicht für eine übertriebene Reaktion?»

«Übertriebene Reaktion?»

«Ali, Ali.» Christian möchte abwiegeln. «Sie haben mal Dope geraucht und waren auch richtig zugeknallt. Wenn sie jedoch Verstand besitzen, werden sie es nicht wieder tun. Und ich habe mich entschuldigt. Und wenn du nicht fürchtest, dass alles dadurch noch schlimmer wird, werde ich mich bei Ed persönlich entschuldigen.»

«Ich glaube, du weißt gar nicht, wie ernst die Angelegenheit ist», sage ich unwirsch. «Du hast keine Ahnung, was es bedeutet, Kinder zu haben.»

«Nein, das habe ich nicht, Alicia. Da hast du Recht. Ich habe absolut keine Ahnung, wie es ist, Kinder zu haben. Und das liegt daran, dass ich erst dreiundzwanzig bin und mich noch niemals in der Situation befunden habe. Aber zu meiner Verteidigung möchte ich sagen, dass ich mir wirklich alle Mühe gegeben habe, nachzuempfinden, wie es ist, und ich denke, ich darf wohl glauben, dass ich es – zumindest bis jetzt – ganz gut hingekriegt habe.» Christian steht auf. «Und jetzt gehe ich ins Bett.»

— Kapitel 59 —

Ed lehnte sich auf seinem Stuhl zurück und verschränkte die Arme. Er saß bei Außenaufnahmen im Garten eines stattlichen Herrenhauses unweit von London und führte Regie bei einem Werbefilm für Sitzduschen – eine Annehmlichkeit, auf die niemand verzichten sollte, der fett war, über fünfzig und so gut wie bewegungsunfähig.

Menschen, die es als zu anstrengend empfanden, drei Minuten lang aufrecht unter der Dusche zu stehen, wurde ein bequemer Plastiksessel geboten, auf dem man Platz nahm, um sich einzuseifen und hinterher abzuduschen. Wenn jemand tatsächlich gebrechlich war und nicht nur faul, erwies sich die Sitzdusche als wahre Hilfe, aber die tonangebenden Manager der Firma Sit-Down Showers wollten eher den Glamour-Effekt und das Element der Arbeitserleichterung betont sehen als die Tatsache, dass sich ihre Sitzduschen als verdammt nützlich erwiesen, wenn die Beine eines Reinlichkeitsbeflissenen ihm den Dienst versagten.

Um das anschaulich zu machen, hatten sie eine geschmeidige zwanzigjährige Brünette namens Bonnie mit Atombusen und Dauerwelle wie in den 70er Jahren ausgewählt, eine dieser Sitzduschen vorzuführen, wobei natürlich dafür gesorgt werden musste, dass ihr winziger Bikini und ihre Löckchen richtig schön nass wurden. Bonnies Beine versagten ihr definitiv noch nicht den Dienst, aber es wurde sehr schnell überdeutlich, dass ihr Verstand wahrscheinlich schon vor geraumer Weile ausgesetzt hatte. Sie waren bei Aufnahme 472 oder so – Ed hatte die Orientierung verloren und obendrein seinen Lebenswillen –, aber es war ihr immer noch nicht gelungen, mehr zu sagen als «Schlitzlusche», bevor sie in einen Lachkrampf verfiel.

Die ersten paar Male hatte das Team brüllend gelacht, aber das war ein schlimmer Fehler gewesen, weil sie es danach eine halbe Stunde lang auf diesen Lacher angelegt hatte. Als die Zuschauer das Interesse verloren, hatte sie um Mitleid geworben, und jetzt war es so weit, dass es ihr nicht mehr gelingen wollte, selbst wenn sie sich alle Mühe gab, die Nadel aus der Rille zu heben, in der sie sich festgelaufen hatte. Ed fühlte sich versucht, ihr eine Ohrfeige zu versetzen, um sie durch den Schock zu erlösen, wie manchmal im Film mit hysterischen Frauen verfahren wird.

Trevor kam herbeigeschlendert. «Machen wir am besten Mittagspause», schlug er vor. «Vielleicht kriegt sie ja dann die Kurve.»

«Gute Idee.» Sandwiches, Suppe und Tee waren an der Seite des Gartens für die Crew in einem Zelt bereitgestellt, und Trevor schlenderte zu den Jungs, um ihnen zu sagen, dass sie für eine halbe Stunde alles aus der Hand legen konnten. Zweifellos würden sie die Zeit nutzen, um einer nach dem anderen Bonnie anzubaggern.

Orla hatte vom Rand des Geschehens zugeschaut und den Kontakt zu den diversen Großkopfeten von Sit-Down Showers nicht abreißen lassen, die vorgeblich in Erscheinung getreten waren, um zu erleben, wie ihr Werbeetat verbraten wurde, und niemals zugegeben hätten, dass sie nur die Gelegenheit wahrnahmen, Bonnie, die es einige wenige Male zum Pin-up-Girl von Seite drei gebracht hatte, mit Blicken zu verschlingen. Orla gesellte sich jetzt zu ihm. «Lunch?», fragte sie.

«Noch nicht.» Ed schwenkte sein Handy. «Ich hab ein paar wichtige Anrufe zu erledigen.»

«Soll ich dir ein Sandwich bringen?» Freundlicher war Orla noch niemals zu ihm gewesen, und er fragte sich, ob sie spürte, wie sehr sich ihre Beziehung seit dem «Schlafzimmer-Gespräch» abgekühlt hatte.

«Ich komm in einer Minute zu dir», sagte er mit einem aufgesetzten Lächeln. «Es dauert nicht lange.»

Ed tastete nach dem Umschlag in seiner Tasche, und als Orla in sicherer Entfernung war, zog er ihn hervor. Allein der Anblick ließ ihn erschauern. Vor Angst? Vor Freude? Er war nicht sicher. Aber er *war* sicher, dass er die Handschrift auf dem Umschlag kannte. Er war nur nicht absolut sicher, dass es Alis Schrift war. Vielleicht hatte sie versucht, ihre Schrift zu verstellen. Vielleicht hatte sie sogar Jemma veranlasst, für sie zu schreiben. Er öffnete den Umschlag und ließ die Einladungskarte mit Goldrand herausgleiten. Seine Finger zitterten dabei wie die eines aufgeregten Schuljungen. Nur drei Zeilen standen auf der Karte, alle in derselben flüssigen Handschrift:

The Ivy
Sonnabend, 20.30 Uhr
Bitte sei da!

Das konnte nur von Ali sein. Eine solche Aktion war absolut typisch für sie. Oder zumindest dafür, was sie früher zu tun pflegte. Sie hatte sich immer insgeheim Überraschungen für seine Geburtstage oder zu anderen Gelegenheiten ausgedacht – über die Jahre war er auf diese Weise in den Genuss von Flugstunden gekommen, hatte Wildwasser-Rafting gemacht, war bei einer Rallye mitgefahren, im Freiballon aufgestiegen und hatte Wochenenden in Paris, Rom und Mailand verbracht. Er hatte nur beiläufig das Interesse an irgendeiner neuen Erfahrung erwähnen müssen, schon war alles von Ali arrangiert worden. Geburtstage hatten mit Ali stets ungeheuren Spaß gemacht, und immer hatte sie ihm das Gefühl gegeben, sehr geliebt zu werden und jemand ganz Besonderes zu sein. Ein Kloß stieg in seiner Kehle auf. Vielleicht hatte er ihr gegenüber nie erwähnt, dass es so war.

Diese Geste musste sie eine Menge gekostet haben. Nicht nur, was das Finanzielle betraf – durchaus in Betracht zu ziehen bei den Preisen in Läden wie The Ivy –, nein, auch emotional musste es sie gewaltige Überwindung gekostet haben. Sie hatten einander immer versprochen, irgendwann einmal hinzugehen, aber es nie geschafft. Sollte sie mit dieser Einladung den ersten vorsichtigen Schritt zur Aussöhnung vollzogen haben? Irgendwo in ihm regte sich diese Hoffnung. Nach ihrem gestrigen Zusammentreffen hatte er sich hundeelend gefühlt, und da musste diese Einladung schon in der Post gewesen sein. Ed strich mit dem Finger über den gewellten Goldrand. Er hatte sich wie ein Mistkerl benommen, und Ali hatte phantastisch ausgesehen und den Anschein erweckt, als würde sie ihn gar nicht vermissen, was ihn veranlasst hatte, sich noch mistiger aufzuführen. Sie hatte ihn an diesem Morgen angerufen, um ihm Christians Version der Rauschgiftaffäre zu schildern, und er hatte – bis jetzt – nichts weiter unternommen, außer den Kindern für den Rest ihrer Tage Stubenarrest zu erteilen.

Orla kam mit einer Tasse Tee und einem Teller zurück, auf dem Käseschnittchen aus betagtem Weißbrot lagen, die sich an den Kanten bereits nach oben bogen. «Dein Tee wird kalt», sagte sie.

«Danke», erwiderte Ed.

«Ich wollte dir nur zeigen, wie sehr ich dich liebe.» Sie küsste ihn auf die Wange, und Ed ließ den Blick schweifen, um sicherzugehen, dass niemand sie beobachtete. Dem Bedürfnis, den feuchten Lippenabdruck wegzuwischen, den sie hinterlassen hatte, konnte er gerade noch widerstehen.

Orla setzte sich neben ihn. Ed drehte sich zur anderen Seite und versuchte, die Einladung in die Tasche zu stecken, ohne dass Orla es merkte. Doch ihr Blick huschte ganz kurz über die Karte, und er fragte sich, ob sie sie wohl hatte lesen können.

«Was ist denn das?», fragte sie.

Ed schüttelte den Kopf. «Nichts.»

«Und warum machst du dann ein so schuldbewusstes Gesicht?» Sie lachte leise und reichte ihm sein Lunch.

«Ist von Ali», gestand er.

Orla legte die Stirn in Falten. «Schlechte Nachrichten?»

«Glaub ich nicht», sagte Ed schmunzelnd und lüftete eine Ecke des Weißbrots, um nachzusehen, wie wenig Käse darunter lauerte. In Gedanken versunken biss er in das pappige Brot. Die Einladung musste von Ali sein. Wer sonst sollte sie geschrieben haben?

— Kapitel 60 —

Es war ein kalter Tag auf dem Markt von Covent Garden. Die Sonne hatte den Versuch herauszukommen aufgegeben und versteckte sich hinter großen schwarzen Wolken. Das Geschäft lief schleppend, obwohl vom Datum her der Beginn der offiziellen Touristensaison immer näher rückte. Hauptsächlich hielt das Wetter die Leute zurück, aber hinzu kamen natürlich inzwischen auch die grotesk hohen Preise, die London zu einer der teuersten Hauptstädte der Welt gemacht hatten.

Wenn ein Glas schlechter Wein in einer überschätzten Weinstube bereits einen Fünfer kostete, dann musste man doch wohl zugeben, dass ein tolles Originalporträt in Kohle von einem talentierten, aber bisher noch nicht entdeckten Künstler für unerheblich mehr nur als Schnäppchen bezeichnet werden konnte. Christian rutschte auf seinem dreieckigen Segeltuchhocker ein wenig zur Seite und fuhr fort, einfach so zu zeichnen. Keiner der Straßenkünstler war sonderlich beschäftigt. Sogar die besten unter den Zauberkünstlern hatten nur wenig Publikum angelockt. Heute musste man schon Blut schwitzen, um so viel einzunehmen, dass man seinen Platz bezahlen konnte.

Er war ohnehin schon gefrustet und sauer hier erschienen. Ali hatte ihm die ganze Nacht den Rücken zugekehrt. Also hatte er sich ebenfalls umgedreht und ihr den Rücken gezeigt. Es war so, als würde er wieder mit Rebecca gehen. Er hatte eigentlich erwartet, dass ältere Frauen sich anders benahmen. Er wusste zwar nicht, wie das hätte aussehen sollen, aber zumindest hätte er gedacht, dass sie nicht eingeschnappt schmollen würden.

Er wusste nicht, was er tun sollte, um sie versöhnlich zu stimmen. Sie war sehr trübsinnig gewesen – hatte nicht viel gesagt, sondern sich mit einem ihrer Selbsthilfe-Bücher in die Ecke gesetzt, statt sich an Gesprächen zu beteiligen, und war früh zu Bett gegangen. Wenn er zu der Sorte Mann gehört hätte, die Blumen schenken, wäre er bestimmt in den nächsten Blumenladen gegangen und hätte ihr einen Strauß gekauft. Eben so etwas hasste er an Beziehungen, und höchstwahrscheinlich mochte er sich deswegen auch nicht darauf einlassen. Es war alles okay, solange es angenehm dahinplätscherte, aber wenn es Schwerstarbeit bedurfte, um alles zusammenzuhalten, dann fühlte er sich überfordert. Sollte es Mühe kosten, jemanden zu lieben? Christian seufzte stumm. Er sah hinüber zum Covent Garden Café, wo alles angefangen hatte. Vielleicht hatte Robbie Recht gehabt. Hätte er schon damals die Finger davon lassen sollen? Bevor sie sich zu sehr miteinander eingelassen hatten? Bevor ihm bewusst geworden war, auf welche grundsoliden Verantwortlichkeiten sie ihr Leben aufgebaut hatte? Es war nicht so sehr der Altersunterschied zwischen ihnen, es waren eher die Bindungen, die man im Laufe der Jahre einging, das wachsende Pflichtbewusstsein, die Familienbande, die mit zunehmendem Alter anscheinend eher enger als lockerer wurden, und es waren die Konventionen, die ein klar definierter Platz in der Gesellschaft mit sich brachte. Wäre Ali achtunddreißig, ledig und frei, wo läge das Problem?

Ali war in seinen Augen so besonders und so wunderschön, dass er manchmal meinte, sie müssten einander nur bei den Händen fassen und könnten bis hinauf zum Mond fliegen. Und jetzt lebten sie nebeneinander her und rieben sich bereits in der alltäglichen Tretmühle auf. Mussten alle Beziehungen zwischen Liebenden so enden?

«Hallo.» Eine Stimme schreckte ihn aus seinen Gedanken, und er sah in der Hoffnung auf, dass sich endlich ein Kunde sehen ließ. «Ich bin's», sagte das Mädchen.

«Oh, hi.» Er brauchte einen Moment, aber dann erkannte er sie: die Kleine im schwarzen Lycra aus dem

Nightclub. Die er in der Nacht mit nach Hause genommen hatte, als Ali aus heiterem Himmel bei ihm aufgetaucht war.

«Ich bin's, Sharon», sagte sie schüchtern, als sei sie eigentlich sicher, dass er ihren Namen vergessen hatte. Was ja auch stimmte.

«Ich komme ganz zufällig vorbei. War shoppen», sagte sie zur Erklärung. «Neue Schuhe.» Sharon musterte ihre Füße. «Ich hatte ganz vergessen, dass du hier arbeitest.»

Und er fragte sich, ob das wohl stimmte.

Lächelnd zog sie den Mantel enger um sich. «Wie geht's dir?»

«Bestens», sagte Christian. Sie sah anders aus, als er sich erinnerte. Sie trug nämlich nur wenig Make-up, und da es nicht so angemalt war, wirkte ihr Gesicht mit der kleinen Stupsnase auf natürliche Weise sehr hübsch. Die ausgestellten Jeans und die Schaffelljacke waren eher Hippiemode als Vamp-Aufmachung und standen ihr viel besser. Sie kam ihm auch nicht so selbstsicher vor und eher verletzlich. Ganz und gar nicht wie eine Sharon. Außerdem sah sie auch jünger aus. Höchstens neunzehn? Vielleicht aber auch erst achtzehn?

«Bist du noch immer mit dieser älteren Frau zusammen?», fragte sie etwas zu lässig.

Christian ließ einen Moment verstreichen, ordnete seine Zeichenkohle. «Ja.»

«Oh.» Leichte Enttäuschung überschattete ihr Gesicht. «Das ist ja schön.»

«Ja.» Christian schaute angestrengt auf seine Zeichnung. «Das neulich hätte ein bisschen ... peinlich für mich werden können», sagte er. «Danke für dein ... Verständnis.»

Achselzuckend erwiderte sie. «Keine Ursache.»

«Ich weiß das wirklich zu schätzen», sagte Christian.

«Jederzeit.» Sie mussten beide über die Absurdität ihres Angebots lachen.

«Die Gelegenheit kommt wohl nicht so schnell wieder», sagte Christian bedauernd.

«War echt nett, mit dir zu reden.» Sharon nagte an ihrer Lippe. «Ich geh freitags gewöhnlich entweder in die Gallery oder sonst ins Ministry of Sounds. Solltest du Lust haben ...»

«Merk ich mir», sagte er, und sie sah ihn an, als dächte sie: Wer's glaubt, wird selig.

«Bis dann also», sagte sie, drehte sich um und ging davon.

Christian wartete, bis sie drei, vier Schritte entfernt war. «Sharon», rief er hinter ihr her. «Ich wollte gerade einen Cappuccino trinken. Hast du Lust, eben mitzukommen?»

Sie drehte sich grinsend um. «Klar. Liebend gern.»

Christian nahm seinen Skizzenblock und verstaute ihn zusammen mit seiner Zeichenkohle im Rucksack. Er stellte sein Schild BIN IN FÜNF MINUTEN ZURÜCK auf die Staffelei. «Na, dann komm», sagte er, ergriff ihren Arm und dirigierte sie energisch zum Covent Garden Café. «Wenn du Zeit hast», sagte er, «würde ich dich später gern zeichnen. Und zwar gratis.»

«Ich hab nichts vor.» Sie verfiel in Trab, um ihm zu folgen.

«Es ist gut fürs Geschäft, wenn die potenziellen Kunden mir bei der Arbeit zuschauen.» Ein träges Lächeln breitete sich langsam auf Christians Gesicht aus. «Du hast ein sehr schönes Profil», sagte er.

— Kapitel 61 —

«Alicia Kingston!» Doktor James kommt aus seinem Kabuff und ruft meinen Namen. Ich falte mein fünfundzwanzig Jahre altes Exemplar von «Country Life» zusammen, in dem Häuser mit zehn Schlafzimmern in Surrey für 'n Butterbrot angeboten werden – nicht dass ich darin gelesen hätte, ich hab mir nur die Bilder angeguckt – und folge ihm.

Nachdem er die Tür seines Sprechzimmers hinter mir geschlossen hat, gleitet Doktor James über den terrakottafarbenen Teppich, nimmt hinter seinem großen schwarzen Schreibtisch von Ikea Platz und schenkt mir sein professionell teilnahmsvolles Lächeln. «Wie geht es Ihnen?»

«Gut, danke.» Was für eine dämliche Antwort im Sprechzimmer eines Arztes, aber geben wir diese Antwort nicht alle?

«Elliott?»

Ich nicke. «Noch immer in einem Stück.»

«Gut. Gut.» Auf so vertraute Weise plaudere ich nur deswegen mit meinem Arzt, weil ich wegen Elliott und seiner diversen Verletzungen schon eine Art Stammgast bin. Ich staune, dass man ihn nicht schon lange unter die Aufsicht des Jugendamtes gestellt hat. «Also», sagt Doktor James, «was kann ich denn für Sie tun?»

«Genau weiß ich es eigentlich auch nicht», sage ich verlegen. «Ich fühle mich einfach nicht wohl. Ich schlafe schlecht. Ich habe den Appetit verloren. Meine Periode spielt verrückt. Und ich habe ständig Kopfschmerzen.»

«Ganz speziell fehlt Ihnen aber nichts?»

Reicht denn diese kleine Liste noch nicht? «Na ja ...»

Wie soll ich erklären, dass ich ungefähr so viel Energie verspüre wie ein pensioniertes Faultier, obwohl ich doch gerade aus einem wundervollen zweiwöchigen Urlaub zurückgekehrt bin, in dem ich so gut wie nichts getan habe, außer mich im Liegestuhl braten zu lassen.

Doktor James steht auf, macht ein entschlossenes Gesicht und legt sein Stethoskop an. «Dann wollen wir mal einen gründlichen Check machen. Was meinen Sie?»

Er hört mein Herz ab, und mit Freuden darf ich registrieren, dass ich noch eins habe. «Jetzt auf die Waage», befiehlt er.

Den Moment hasse ich. «Gewicht verloren?», fragt Doktor James.

«Ist das wahr?» Es ist wahr. Massenhaft. Hurra! Sogar nach zwei Wochen Völlerei im Urlaub. Also hat es doch gewisse Vorteile, wenn man sich beschissen fühlt.

Er misst meinen Blutdruck. «Ist ein bisschen hoch», murmelt er, «aber nicht im Geringsten Besorgnis erregend. Behalten wir im Auge. Wann haben Sie den letzten Abstrich machen lassen?»

Ich wage zu raten: «Vor zwei Jahren?»

Doktor James macht sich gekonnt über seine Computertastatur her. «Sieben Jahre, um genau zu sein», sagt er mit einem Stirnrunzeln. «Dann wollen wir jetzt mal einen machen.»

Oh, toll. Ich liege bereits auf dem Rücken, habe die Knie gebeugt und die Beine gespreizt, bevor man «irgendwie würdelos» sagen kann. Die Tatsache, dass ich es unerträglich finde, wenn jemand an der speziellen Stelle meines Körpers mit einer Tube KY-Jelly und einem kalten Metallspatel herumfummelt, ist wahrscheinlich einer der Gründe, warum ich schon seit geraumer Weile keinen Abstrich mehr habe machen lassen. Hinzu kommt, dass es anscheinend heute mehr wehtut als je zuvor. Ich erwähne das nicht, denn Doktor James wird mir bestimmt nur antworten, dass ich zu verspannt sei. Wer wäre das bei dieser Prozedur nicht?

«Warten Sie das nächste Mal nicht wieder so lange», sagt Doktor James, als ich mich wieder anziehe. Er füllt ein Rezept aus.

«Es könnte sich um Stress handeln, Alicia.»

«Tatsächlich?» Als wenn ich das nicht wüsste!

Er hält inne und sieht mich über den Rand seiner Brille hinweg an. «Ich hab das von Ihnen und Ed gehört», sagt er.

«Auf einer Stress-Skala von eins bis hundert», fährt er mitfühlend fort, «rangiert eine Scheidung ganz weit oben.»

Scheidung!

«Sie liegt nur ein paar Punkte hinter einem Trauerfall und einer Eheschließung», sagt er völlig ohne Ironie. Dann sieht er auf seine Uhr. Es ist Zeit für den nächsten Patienten. Er reicht mir das Rezept. «Hier bitte, das sollte helfen», sagt er.

«Danke.»

«Schön, dass Sie da waren, Alicia.» Er tippt bereits den Namen seines nächsten Patienten in den Computer.

«Ja.» Ich lächle ganz automatisch, stehe auf und gehe zur Tür. Und ich weiß, dass es weit mehr als einer faden Tablette mit einem tollen langen Namen und einer Million Nebenwirkungen bedarf, um diese verkorkste Situation zu bereinigen.

— Kapitel 62 —

Neil machte Frühjahrsputz. Daran war nichts auszusetzen, da es sich um jene Zeit des Jahres handelte, die man durchaus noch als Frühling bezeichnen durfte – zumal ja dieser Tage zwischen den einzelnen Jahreszeiten kaum mehr deutliche Unterschiede zu erkennen waren. Sie waren samt und sonders regnerisch und grau sowie weder zu heiß noch zu kalt.

Er hatte erwogen, eine Putzhilfe von Molly Maid kommen zu lassen, aber die Erfahrung aus jüngster Zeit hatte ihn gelehrt, wenn es möglicherweise etwas Peinliches zu entdecken gab, dann sollte man es lieber persönlich ans Tageslicht bringen und die Schande nicht einer jungen und attraktiven Raumpflegerin offenbaren. Der Vorfall mit Jemma, der Pizza und dem Pornovideo lag ihm noch schwer im Magen.

Das Bad glänzte bereits, und Neil hatte sogar die Armaturen gewienert, die jetzt so funkelten, dass er sich darin spiegeln konnte. Neil begriff jetzt, warum Frauen nach Hausarbeit süchtig sind. Sie war ungeheuer kathartisch. Auf Händen und Knien hatte er den Küchenfußboden geschrubbt. Dann hatte er sogar den Herd von der Wand gezogen und war entsetzt gewesen, wie viel verrottender oder auch vertrockneter Unrat dahinter zum Vorschein kam, obwohl er das Ding doch kaum benutzte. Jetzt kapierte er, wodurch der Mann inspiriert worden war, der die «Fünf-Minuten-Terrine» erfunden hatte. Und es konnte nur ein Mann gewesen sein.

Das Schlafzimmer hatte auch so manche Überraschung zu bieten, und er konnte jetzt mit Gewissheit sagen, dass gebrauchte Präservative auch nach zwei Jahren noch nicht verrottet sind. Es war durchaus möglich, dass man dem Teppich mit etwas Radikalerem als nur einer gewöhnlichen Ausräucherung zu Leibe rücken musste, und zum ersten Mal überlegte er, ob er nicht lieber umziehen sollte. Was die Arbeit betraf, lief alles gut. Okay, die tägliche Tretmühle war nicht gerade inspirierend, aber es reichte für die Miete und die Rechnungen. Und es blieb auch noch etwas übrig. Vielleicht hatte die Putzaktion ihm bewusst gemacht, dass er auch in anderen Bereichen seines Lebens langsam mal für mehr Klarheit sorgen sollte.

Die Plastikflasche Allzweckreiniger im Arm, traf Neil eine spontane Entscheidung. Er würde sich hundertprozentig neu erfinden. Er würde dynamisch sein, tatkräftig, verlässlich und vielleicht sogar ordentlich. Er würde sein Kreditkonto beim Chinarestaurant Canton Garden auflösen und stattdessen dazu übergehen, Kaninchenfutter zu essen. Er würde aufhören, nur in zehn Jahre alten, verblichenen Jeans rumzulaufen, und stattdessen bei Paul Smith Anzüge kaufen. Bei Paul Smith gab es doch auch Anzüge, oder? Auf jeden Fall elegante Anzüge. Wenn er auf attraktive, wohlhabende und einflussreiche Frauen wirken wollte, dann musste er sich verhalten, als sei er ebenfalls wohlhabend und einflussreich. Er würde aufhören, rotznäsige Schulkinder zu fotografieren, und endlich sexy Modeaufnahmen machen. Er wusste zwar nicht genau, wie das gehen sollte, aber mit seiner neuen dynamischen Einstellung und seinen schicken Anzügen würde sich der große Durchbruch so sicher einstellen, wie die Nacht auf den Tag folgte. Und schließlich würde er Ed dazu überreden, bei ihrem wöchentlichen Treffen auch wirklich Squash zu spielen, statt nur im Pub darüber zu reden.

Als er gerade erwog, eine wohlverdiente Kaffeepause einzulegen, klingelte das Telefon. Jemma war dran.

«Hi», sagte sie.

«Hi.» Er hatte sich Jemma abgeschminkt. Weniger im Herzen als vielmehr im Kopf. Ihre Stimme hatte immer noch eine seltsame Wirkung auf seine Anatomie, aber eine Beziehung, die es mit sich gebracht hatte, dass er eine Tasse Tee ins Gesicht bekommen hatte und sich für seine Pizza- und Porno-Leidenschaft hatte rechtfertigen müssen, war doch wohl keine Beziehung, die sich in die gewünschte Richtung entwickelte, oder?

«Ist alles geregelt wegen morgen Abend?»

«Morgen Abend?» Das Telefontischchen sollte als Nächstes einer Aufräumaktion und einer gründlichen Behandlung mit Allzweckreiniger unterzogen werden. Neil klemmte sich den Hörer zwischen Schulter und Ohr, um in den Bergen von Zetteln zu wühlen. Er musste sich doch sehr tadeln. Da fanden sich Benzinquittungen von 1982! Und wie billig der Sprit damals noch gewesen war. Für weniger als dreißig Mäuse hatte man einen vollen Tank bekommen und noch Wechselgeld für eine Tüte Chips auf dem Heimweg. Das waren noch Zeiten gewesen!

«Morgen Abend.» Jemma klang gestresst. «Ed. Ali. The Ivy!»

«Ach das», sagte Neil.

«Hast du die Einladung auch schön geschrieben?»

«Ja», sagte er, «mit meinem besten Filzschreiber.»

«Hast du auch geschrieben, was ich dir gesagt habe?»

«Ja. Ich hab geschrieben, was du gesagt hast.»

«Sonst nichts?»

«Wie zum Beispiel was?»

«Ich weiß nicht.» Jemmas Stimme wurde zu einem

schrillen Kreischen. Die Frau sollte sich etwas entspannen.

«Nein. Nein, ich hab sonst nichts dazugeschrieben», versicherte er ihr.

«Gut. Gut.» Er hörte geradezu, wie Jemma innerlich an den Nägeln kaute.

«Keine Sorge», sagte Neil lakonisch. «Wird schon schief gehen.» Mein Gott, was lag denn hier alles durcheinander? Mahnungen von der Autoversicherung. Infos von der Rentenversicherung – schon vor Ewigkeiten hatte er eine Zusatzversicherung abschließen wollen.

«Und du hast die Einladung auch richtig frankiert?»

Neil schnappte nach Luft und hörte abrupt auf, in den Briefen zu stöbern. Ein kleiner weißer Umschlag hatte ihn innehalten lassen.

«Was ist los?» Jemma wurde sofort argwöhnisch.

«Nichts.» Entsetzt starrte Neil den Umschlag an.

«Ich meinte, so ein komisches Geräusch gehört zu haben.»

«Hab nur gefurzt», sagte Neil. Er ging davon aus, dass er sowieso nichts mehr zu verlieren hatte.

«Oh.» Er meinte zu hören, wie sie schnüffelte. «Hast du die Reservierung bestätigen lassen?»

«Ja», sagte er.

Jemma seufzte besorgt. «Ich hoffe, alles geht gut», sagte sie. «Du denkst doch auch noch immer, dass wir richtig gehandelt haben, oder?»

«Ja.»

«Bist du sicher?»

«Ja, ja.» Er versuchte seine Atemzüge unter Kontrolle zu bekommen. Ein, aus. Ein, aus. Ein, aus. «Hör zu, Jemma», keuchte er. «Ich muss jetzt Schluss machen. Ich hab was zu erledigen.»

«Oh. Klar.» Jemma klang gekränkt, aber das durfte ihn jetzt nicht kümmern. «Ich bin ja so gespannt, wie sie miteinander zurechtkommen. Ich kann nur hoffen, dass wir sie dadurch wieder zusammenbringen, Neil.»

«Ja», sagte er. «Und tschüss.» Er legte auf, zerrte sich die Schürze vom Körper, schnappte seine Schlüssel und rannte die Treppe hinunter. In seiner Hand hielt er den kleinen weißen Umschlag. Den Umschlag, in dem Alicias Einladung ins The Ivy steckte. Die, die er genauso abgefasst hatte, wie Jemma ihm aufgetragen hatte. Der Umschlag, der richtig frankiert war. Derjenige, den er abzuschicken vergessen hatte. Der aber unbedingt zugestellt werden musste, bevor es zu spät war.

— Kapitel 63 —

Ed befand sich in der Küche und trank sich Mut an. Er wollte Ali zurückgewinnen, und um sich darauf zu konzentrieren, musste er den Kopf frei bekommen von all den Hemmnissen, die seine Gedanken blockierten. Und so ungern er es auch zugeben mochte: Die größten Hemmnisse waren Orla und die liebreizende Nicola Jones.

Es Orla zu sagen fiel ihm verdammt schwer. Sie würde ganz bestimmt nicht verständnisvoll reagieren. Seine Vision, mit Harrison Ford ein Bier zu trinken, ihm dabei in aller Freundschaft auf die Schulter zu klopfen und schließlich vielleicht, ganz vielleicht, noch gemeinsam ein paar Steaks auf den Grill zu werfen, wurde unscharf und verschwommen. Er würde sich eben nicht erfüllen, sein Traum, wie ein neuer Stern über Hollywood aufzugehen.

Sobald er sie abserviert hatte, würde Orla dafür sorgen, dass dergleichen niemals geschah. Dieser Traum würde den Weg all seiner Träume gehen – für Manchester United zu spielen, Spielführer des englischen Cricket-Teams zu sein, einen Nummer-eins-Hit zu landen, seine gesamte Haarpracht zu behalten, bis er sechzig war, Weihnachten ohne Minus auf dem Konto hinter sich zu bringen. Er konnte nur hoffen, dass sein Traum, wieder mit Ali zusammenzukommen, das wert war.

Er rief in Orlas Wohnung an, obwohl er genau wusste, dass sie nicht zu Hause war. Mit zunehmendem Alter war er emotional zum Feigling geworden. Er wusste sehr wohl, dass er dies hier von Angesicht zu Angesicht hätte regeln müssen. Alles andere war ungehörig. Er konnte sich dazu aber nicht überwinden. Orlas Stimme mit dem leichten amerikanischen Akzent klang blechern vom Anrufbeantworter.

«Orla», fing er an. «Ich weiß, dass man das, was ich hier mache, niemals so machen sollte. Es ist unmöglich. Aber ich bin nun mal Engländer. Ich kann nicht anders. Orla ... ich brauche ... ich brauche dein ... ich brauche dein Verständnis dafür, dass ich Schluss machen muss. Das hier ... das hier ... muss ich beenden. Es gibt die Chance, dass Ali und ich vielleicht wieder zusammenkommen können. Eine extrem kleine Chance, aber ich muss sie wahrnehmen. Ich weiß jetzt, dass es das ist, was ich will. Ich muss es tun, auch für die Kinder. Für Ali. Für mich. Auch aus tausend anderen Gründen, die du wahrscheinlich nicht verstehen kannst. Und es tut mir wirklich Leid. Wirklich, wirklich Leid. Ich hatte gedacht, es hätte etwas werden können mit uns, aber ... Also, es tut mir Leid. Wirklich, glaub es mir. Ich hoffe, du findest jemanden, der dich glücklich macht.»

Ed legte auf. Soweit er sich erinnern konnte, hatte er zum letzten Mal mit fünfzehn jemandem den Laufpass gegeben, und leichter schien es mittlerweile nicht geworden zu sein. Er nahm einen großen Schluck von seinem Drink. Seine Hände zitterten. Also schön: jetzt der zweite Streich. Bei Nicola würde es einfacher sein. Da waren keine Schuldgefühle im Spiel, und es gab nicht die Komplikationen, die dadurch entstanden, dass er mit Orla zusammenarbeitete und eine Geschäftsbeziehung aufrecht erhalten musste, zumindest im Augenblick noch. Nicola war eine reine Freude, aber sie war auch gehaltlos, leicht wie ihre Kleider und zart wie ihre hübschen blonden Locken. Er brauchte eine Frau mit Substanz, nicht jemanden, der von einer steifen Brise fortgeweht würde. Er hätte es besser wissen müssen und sich nicht mit ihr einlassen dürfen, besonders deswegen nicht, weil er nicht mit dem Herzen dabei gewesen war. Es war grausam, jemanden nur als Krücke zu benutzen.

Nach einem ermutigenden Schluck Wein wählte Ed Nicolas Nummer. Diesmal ging ihm die erprobte Ansage leichter von den Lippen. «Nicola», hob er an, «ich weiß, dass man das, was ich hier mache, niemals so machen sollte. Aber ich kann nun mal nichts anders. Nicola, ich darf dich nicht wieder sehen. Nicht auf die Weise. Es besteht die Chance, dass Ali und ich wieder zusammenfinden, und ich weiß, dass ebendies mein Wunsch ist. Ich muss es für die Kinder tun, für Ali und auch für mich. Und wegen uns, das tut mir sehr Leid. Wirklich sehr, sehr Leid. Ich hoffe, dass du jemanden findest, der dich sehr glücklich macht.»

Ed legte den Hörer auf und lehnte sich zurück. Er rieb sich die Augen. Die Küchentür öffnete sich knarrend, und Elliott kam herein. Er setzte sich auf den Hocker neben Ed und stocherte mit einem Finger in dem Loch, das früher Barneys Auge gewesen war.

«Kommt Mami jetzt zurück und wohnt wieder bei uns?»

«Du sollst doch nicht lauschen, Elliott. Was hab ich dir gesagt?»

«Ich hab ja gar nicht gelauscht», sagte sein Sohn entrüstet. «Ich bin wie eine kleine Maus auf Zehenspitzen an der Tür vorbeigeschlichen, und dann ist mein Ohr gegen die Tür gefallen. Du hast auch ganz laut geredet.»

«Ich möchte das nicht noch einmal erleben», sagte Ed.

«Mami kommt also wieder?»

Ed seufzte. «Ich weiß nicht, Elliott. Aber ich hoffe es.»

«Sie fehlt mir so, Daddy.»

Ed nahm seinen Sohn in den Arm. «Mir doch auch.»

«Was soll Christian bloß machen, wenn Mami wieder zu uns kommt? Dann hat er ja keinen mehr.»

«Wie schrecklich», sagte Ed.

«Ich weiß», sagte Elliott fröhlich, «aber vielleicht könnte Christian ja dann Orville oder Miss Jones nehmen, wo du mit ihnen fertig bist.»

«Elliott, wir beide müssen uns mal über die Grundlagen der Geschlechterbeziehung unterhalten.»

«Jetzt?»

«Es kann noch warten.» Ed leerte sein Glas. «Jetzt muss ich mich fein machen. Ich gehe nämlich aus.»

«Mit Mami?»

«Ja», sagte Ed in der inständigen Hoffnung, dass er sich nicht irrte. «Eine von Tanyas Freundinnen kommt zum Babysitting.»

«Aber wir haben doch gar kein Baby mehr.»

«Du bist schön artig, okay, Elliott?»

«Ich bin immer artig», sagte er großspurig.

Ed stand auf. «Das ist eine Frage der Sichtweise.» Er warf einen Blick auf seine Armbanduhr. Zeit genug für ein ausgiebiges und entspannendes Bad sowie eine flotte Rasur.

«Daddy?»

«Ja, Elliott?»

«Treffen wir Christian immer noch, wenn Mami wieder hier eingezogen ist?»

«Das glaube ich nicht.»

«Warum denn nicht?»

«Mamis und Daddys funktionieren nicht so», sagte er.

«Oh.» Das Lächeln erlosch auf dem Gesicht seines Sohns. «Ich mag Christian aber ganz doll, weißt du.»

Versetze mir doch noch einen Dolchstoß, Elliott!

«Mit ihm hat man massig Spaß.»

«Mit mir auch», sagte Ed.

«Aber du kannst nicht Skateboard fahren.»

«Dafür bezahle ich deinen Unterricht.»

Elliotts Mundwinkel sanken noch weiter. «Das ist was anderes.»

«Dann werde ich es lernen, Elliott», sagte er. «Pass nur auf.» Und wie ich es lernen werde!

Hinter ihm splitterte Glas, und Ed wirbelte herum. Ein Ziegel war durchs Küchenfenster geflogen und mit einem dumpfen Platschen in der Abwaschschüssel im Ausguss gelandet. Elliott war blass geworden. Ed rannte zu dem Loch, wo sich vorher die Fensterscheibe befunden hatte, und konnte gerade noch sehen, wie eine vertraute Gestalt in der Auffahrt davonrannte. Die Jalousie mit dem Blumenmuster flatterte im Wind, und ihre Troddeln schlugen rhythmisch gegen den Fensterrahmen.

«Alles in Ordnung mit dir?», fragte Ed.

Elliott nickte nur, weil ihm tatsächlich einmal die Worte fehlten.

Ed fischte den Ziegel aus dem Abwaschwasser. Eine Notiz war daran befestigt. Ed löste den Knoten und faltete die tropfnasse Nachricht auseinander. DU MISTKERL war alles, was darauf stand.

«Scheiße», sagte er seufzend.

«Daddy, fluchen gehört sich nicht, wenn Kinder dabei sind», kritisierte Elliott aufgeregt. Er hatte also seine Sprache wieder gefunden.

«Ausnahmen bestätigen die Regel.»

«Wer hat das gemacht, Daddy?»

«Miss Jones», antworte Ed tonlos. Anscheinend hatte die zarte und substanzlose Miss Jones ihre Abwahl nicht gerade erfreut hingenommen.

Elliott verschränkte die Arme und schnaufte heftig. «Jetzt muss ich wohl auf eine andere Schule, oder?»

Ed zerknüllte die Notiz in der Hand und warf den Ziegel wieder ins Wasser. «Könnte durchaus sein», sagte er.

— Kapitel 64 —

Neil parkte etwas weiter unten an der Straße, zum Teil deswegen, weil er nicht so genau wusste, welches das richtige Haus war, und außerdem, weil er nicht wollte, dass Alicia vielleicht zufällig aus dem Fenster sah und ihn dabei beobachtete, wie er die eigentlich mit der Post zu befördernde Einladung zum Abendessen in The Ivy persönlich überbrachte. Er griff sich den Umschlag vom Beifahrersitz und betastete ihn behutsam. Himmel, Jemma würde seine Eier in die Pfanne hauen und zum Frühstück verspeisen, wenn sie je herausfand, dass er vergessen hatte, die dämliche Einladung abzuschicken.

Kurz und übertrieben dramatisch checkte Neil ab, ob die Luft rein war, stieg aus seinem Wagen und überquerte die Straße. Ed hatte ihm vor Ewigkeiten gesagt, wo sich das Haus befand, und er konnte nur hoffen, dass er sich recht erinnerte und dass es nicht dazu kommen würde, dass statt Alicia irgendeine bekloppte neunzigjährige Nachbarin in einem der schicksten Restaurants Londons auftauchte und darauf wartete, dass ihr Märchenprinz sich dazugesellte. Wie hatte es Jemma bloß geschafft, ihn zu diesem Plan zu überreden? Soweit er sich erinnerte, wohl nur deswegen, weil er gehofft hatte, dass sie sich bei einem späteren Zusammentreffen zum Dank diverser Kleidungsstücke entledigen würde. Schuld war nur das Testosteron.

Neil duckte sich ein wenig, obwohl er ahnte, dass er deswegen noch zwielichtiger wirkte, als wenn er aufrecht und selbstsicher zur Eingangstür gegangen wäre und den Brief einfach eingeworfen hätte. Die Titelmelodie von *Mission Impossible* erklang in seinem Kopf, und hinter jeder Gardine, die sich möglicherweise bewegen konnte, sah er die Gefahr lauern, entdeckt werden zu können. Er hätte eigentlich wissen müssen, dass sich sowieso kaum eine Gardine bewegen würde, da niemand in London auch nur im Geringsten daran interessiert war, was jemand anders tat. Aber das hier war zu wichtig, um es jetzt noch zu vermasseln, wo er es bis hierher geschafft hatte – und vorher so dicht dran gewesen war, alles zu vermasseln.

Als er die rechte Vordertür erreicht hatte, duckte er sich noch tiefer, arbeitete sich äußerst langsam zum

Briefkasten vor und schob vorsichtig die Klappe auf. Behutsam wie ein Bombenexperte, der einen Zünder entschärfen will. Als der Briefkasten seine Beute geschluckt hatte, senkte Neil die Klappe, so vorsichtig es ging, und schien dabei deren quietschende Angeln hypnotisieren zu wollen, damit sie verstummten. Der Umschlag war eingeworfen. Der Briefkasten war geschlossen. Und Neil seufzte vor Erleichterung, als im selben Moment sein Handy läutete und er vor Schreck in die Höhe sprang.

«Was?», rief er.

«Ich bin's, Jemma.»

Das Herz klopfte ihm bis zum Hals, und seine Knie wurden weich, als stünde Britney Spears nackt vor ihm. Adrenalin ist ein ebensolches Teufelszeug wie Testosteron. «Oh», sagte er atemlos.

«Neil, du hast doch daran gedacht, diese Einladungen abzuschicken, nicht wahr?»

«Klar.» Neil rang nach Luft. Aber er konnte die Frage eigentlich guten Gewissens beantworten. Seit einer Minute.

«Hast du ein Telefon gehört, Becs?»

Rebecca, die gerade ihre Fingernägel lackierte, hob den Blick. Sie pustete auf den frischen Lack. «Nein.»

«Ich aber.» Robbie stemmte sich aus dem Stuhl, ging zum Vorhang und schob ihn zur Seite. «Da draußen drückt sich so'n Kerl mit Handy vor unserer Tür herum.»

Rebecca reagierte besorgt. «Meinst du, es ist jemand, dem wir Geld schulden?»

Robbie schürzte die Lippen. «Schon möglich.»

«Was macht er denn jetzt?»

«Haut ab», sagte Robbie. «Ich geh mal raus und seh nach, was er gewollt haben mag.»

Als er zurückkam, hatte er einen kleinen Umschlag in der Hand. «Er ist weg», sagte Rob. «Scheint das hier abgegeben zu haben. Ist an Alicia adressiert.»

Rebecca streckte die Hand aus, und er gab ihr den Umschlag.

«Wo ist Ali?»

«Oben», sagte Rebecca. «Sie fühlt sich nicht so wohl.»

«Sie war schon die ganze Woche ein bisschen blass um die Nase», sagte Robbie.

«Christian ist auch oben und macht ihr Wadenwickel. Hühnersuppe hat er ihr gerade auch gebracht.»

«Den Jungen hat es schwer erwischt!» Robbie schwenkte seine Bierflasche und sprang auf.

Als er fort war, untersuchte Rebecca den Umschlag. Wenn ihr Zeit geblieben wäre, hätte sie den Umschlag wahrscheinlich unter Dampf geöffnet. Sah ganz interessant aus. Vielleicht eine Einladung. Sie hielt ihn gegen das Licht und versuchte erfolglos, etwas zu erkennen. Sie riss den Umschlag in kleine Fetzen. «Wiedersehen, Alicia», sagte sie. Und dann stopfte sie die winzigen Schnitzel, die von Alicias Einladung ins The Ivy geblieben waren, zwischen Sitzfläche und Lehne des Sofas.

— Kapitel 65 —

Orla summte leise vor sich hin, als sie im Aufzug hinauf zu ihrer Wohnung zockelte. Sie war schwer beladen mit Tragetaschen, in denen sich lauter Dinge befanden, die sie nicht brauchte. Aber das war ja gerade das Vergnügen an der Einkaufstherapie, und etwas Vergnügen hatte sie definitiv gebraucht. Die ganze Woche war Ed ihr aus dem Weg gegangen. Daran gab es keinen Zweifel. Immer wenn er sie kommen sah, verschwand er entweder Hals über Kopf in einem der Schneideräume oder tat so, als befände er sich im intensiven Gespräch mit Trevor, der dabei reichlich belämmert dreinschaute. Das brachte sie zur Raserei, aber sie wusste nur zu genau, wann und wodurch dieses Verhalten ausgelöst worden war.

Es hatte gleich nach dem Gespräch über die Kinder angefangen. Sie hatte da äußerst unklug reagiert, aber es geschah ja auch nicht jeden Tag, dass einem drei Kinder aufgebürdet werden sollten. Das musste Ed doch einsehen. Sie könnte das jedoch ohne weiteres regeln. Gemeinsam würden sie bestimmt damit fertig werden. Ed war ein zu guter Regisseur. Auch zu gut im Bett. Ein viel zu guter Fang, als dass sie es sich jetzt noch vermasseln durfte. Sie hatte sich bis jetzt noch nie in einer so genannten festen Beziehung befunden – länger als drei Monate hatte sie es mit keinem Begleiter ausgehalten. Aber die Männer, mit denen sie mehrmals ausgegangen war, hatten sich letztendlich immer als egoistische Mamasöhnchen mit homophoben Neigungen erwiesen.

Sie würde in die Staaten zurückkehren, aber keinesfalls ohne Ed. Die Jahre vergingen zu schnell, als dass sie sich weiterhin leisten dürfte, zu wählerisch zu sein, und hier befand sich doch nur ein kleines Wölkchen am ansonsten klaren Himmel – oder drei kleine Wölkchen, um genau zu sein.

Ed hatte nicht den Wunsch geäußert, sie heute Abend zu treffen, aber dann war sie ihm auch zuvorgekommen und hatte gesagt, dass sie nicht frei sei. Damit hatte sie bezweckt, sich nicht so verlassen zu fühlen und ihn andererseits zum Nachdenken zu veranlassen. Sie hatte den Umschlag gesehen, den er bei den Dreharbeiten zum Sitzduschen-Werbefilm bei sich hatte und dessentwegen er rot geworden war wie ein Schuljunge, der etwas ausgefressen hatte. Es hatte nach einer Einladung ausgesehen, und sie hätte nur zu gerne den Text entziffert, bevor er die Möglichkeit hatte, den Umschlag wieder in seiner Tasche verschwinden zu lassen. Es war ihr jedoch nicht gelungen, da die Schrift zu klein war. Stammte die Nachricht von Alicia, wie er gesagt hatte? Oder war es vielleicht etwas völlig anderes gewesen? Kannte sie Ed gut genug, um ihm zu vertrauen? Wahrscheinlich nicht. Wie immer es sein mochte, ihr Gefühl sagte ihr, dass Ed ihr etwas verheimlichen wollte.

Orla schloss auf, quetschte sich mit ihren vielen Tüten hinein und stieß die Tür mit dem Fuß hinter sich zu. Im Flur ließ sie alles auf den Fußboden fallen. Zuerst ein Drink. Die unnötigen Einkäufe später. Das rote Licht ihres Anrufbeantworters blinkte frenetisch, und noch während sie den Mantel abstreifte, drückte Orla auf den Abspielknopf. Sie ging weiter bis in die Küche, öffnete den Kühlschrank und nahm eine eiskalte Flasche Wodka heraus. Die Stimme ihrer Mutter meldete sich.

«Hi, Süße. Hier ist deine Mutter.» Orla griff nach einem kleinen Glas im Küchenschrank. «Bin ich froh, dass du wieder nach Hause kommen willst. Du fehlst mir sehr.» Es folgte furchtbar viel Nichtssagendes, und die Nachricht endete: «Ich ruf dich später wieder an, Süße. Ich hoffe, du bist unterwegs und hast deinen Spaß. Küsschen, Küsschen.»

Orla kippte den Wodka runter und genoss es, wie das eiskalte Getränk in der Kehle brannte.

Beim Klang der zweiten Stimme bekam sie das nächste Glas Wodka nicht weiter als bis an die Lippen.

«Orla ...» Es war Ed, und er klang furchtbar. Wirklich erschreckend. Völlig verwirrt. Das Band zischte und knisterte, sodass sie den ersten Teil nicht verstand. Orla stellte das Gerät lauter. Eds Stimme klang noch immer kläglich. «Ich kann nicht anders. Orla, ich brauche ... ich brauche dein ...» Die Nachricht brach ab, es piepste aufgeregt, und dann surrte das Band wieder auf Anfang. Ihre Mutter hatte anscheinend das ganze Band voll gequasselt.

Und dann hörte sie auch schon wieder deren Stimme losbrabbeln: «Hi, Süße –»

«Verdammt», sagte Orla und bediente die Knöpfe, bis Eds Nachricht wieder begann.

«Orla ... ich brauche ... ich brauche dein ...»

Orla spielte es nochmals ab. «Warum brauchst du mich denn?», schrie sie den Anrufbeantworter an und versuchte krampfhaft, trotz des Knisterns etwas zu verstehen.

«Orla ... ich brauche ... ich brauche dein ... ich brauche dein Verständnis ...»

Und wieder stoppte das Band und spulte sich von der denkbar ungünstigsten Stelle zurück. Verdammt. Verdammt. *Verdammt!* Wozu auch immer er ihr Verständnis brauchte, er klang jedenfalls äußerst verzweifelt. Orla leerte mit Verspätung ihr Wodkaglas und wählte Eds Handynummer. Der Anruf wurde sofort zu seinem Auftragsdienst weitergeleitet. Also legte sie auf und lief im Flur auf und ab.

«Orla ... ich brauche ... ich brauche ... ich brauche dein Verständnis ...», lief die Nachricht ganz von selbst noch einmal ab. Sie schnappte sich den Hörer und knallte ihn auf die Station. «Warum? Warum? *Warum?*», rief sie. «Warum brauchst du mich jetzt?»

Orla knabberte an den Fingernägeln. Diese schlechte Angewohnheit hatte sie mit viel Mühe abgelegt, aber unter extremem Stress verfiel sie instinktiv darauf. Normalerweise tanzte sie nicht nach der Pfeife eines Mannes. Täte sie es jetzt, würde das ihrer Beziehung eine ganz neue Tendenz geben. Vielleicht war ja der Zeitpunkt gekommen, alle Abwehr aufzugeben und sich rückhaltlos in diese Beziehung zu stürzen. Ein letztes Knabbern, und sie hatte sich entschieden. Sie musste ihn finden, wo immer er auch sein mochte. Orla ließ ihre Wodkaflasche stehen und schlüpfte wieder in ihren Mantel. Ed brauchte sie, und es war dringend. Daran konnte kein Zweifel bestehen. Und wenn er sie brauchte, dann würde sie verdammt nochmal zur Stelle sein.

— Kapitel 66 —

Neil bewunderte sein Spiegelbild. «I feel good», sang er, so wie James Brown, und strich dabei die Revers seines nagelneuen Anzugs von Paul Smith glatt. «I knew that I would ...» Er versuchte ein paar Tanzschritte. «I feel fine, like a glass of good wine ...» Er drehte eine Pirouette. «Da, da, da, da!»

Als er sich genügend bewundert hatte, versuchte Neil nochmals, Ed übers Handy zu erreichen. Es war noch immer abgeschaltet, und obwohl Neil ein halbes Dutzend Nachrichten beim Auftragsdienst seines Bruders hinterlassen hatte, war noch keine Reaktion gekommen.

Aber Neil wusste auch, dass seine Nachrichten nicht hundertprozentig verständlich gewesen waren, denn er hatte ja nichts von dem Komplott verraten wollen.

Es ging mit schnellen Schritten auf die magische Stunde zu, die in diesem Fall um acht Uhr dreißig beginnen sollte. Er hoffte, dass Ali inzwischen endlich ihre Einladung bekommen hatte. Er hatte ja dann doch noch sein Möglichstes getan, und es war fast so gewesen, als hätte er sie ihr direkt ins heiße Händchen gedrückt. Und auch damit hätte er wohl das Komplott verraten.

Neil schaute sich prüfend an. Er konnte aber nicht den ganzen Abend hier stehen und sein neues Image bewundern, sondern er musste etwas unternehmen. Etwas Konstruktives. Aber was? Plötzlich ging ihm ein Licht auf, und begeistert von sich selbst, klatschte Neil in die Hände. Er würde ihnen vor The Ivy auflauern. Nur um sicherzugehen, dass sie auch kamen. Wie er jedoch, falls einer von beiden ihn sah, erklären sollte, was er dort zu tun hatte, das bedurfte kreativer Phantasie und eines guten Einfalls. Neil schob die Autoschlüssel in die Tasche seines todschicken neuen Anzugs. Er würde auf der Fahrt seine grauen Zellen auf Touren bringen.

Als Neil die Camden High Street hinunterfuhr, hatte er ein klasse Gefühl im Bauch: dasselbe Gefühl wie am Tage, als Manchester United Bayern München im Europacup-Endspiel 2:1 geschlagen hatte – beide Tore in der Nachspielzeit –, und ein solches Gefühl hat man nicht alle Tage. Er dachte positiv und strahlte das auch aus. Als er an einer Esso-Tankstelle vorüberkam, beschloss er anzuhalten für den Fall, dass sein schlafmütziger Bruder nicht daran gedacht hatte, ein paar Blumen zu kaufen. Aber sein schlafmütziger Bruder wusste ja auch nicht, wen er traf, und daher konnte man ihm durchaus ein gewisses Maß an Schlafmützigkeit nachsehen. Also fuhr Neil in die Tankstelle und betrat den dazugehörigen Supermarkt, wo er unter dem Regal mit den Cornflakes, dem altbackenen Brot und den wenigen zerfledderten Restexemplaren der *Daily Mail* einen wundervollen Strauß roter Rosen fand, der in lila Seidenpapier eingewickelt war. Neil griff sich diesen Strauß und zuckte beim Bezahlen nur unmerklich zusammen. Als er voller Begeisterung zum Auto zurücksprintete, bemerkte er, dass die hübsche blonde Kassiererin ihn hinter ihrem Sicherheitsglas scheu anlächelte. Neil warf ihr eine Kusshand zu. Dieser Anzug würde ihm garantiert Glück bringen, da gab es nichts.

– Kapitel 67 –

The Ivy besaß die Atmosphäre eines altmodischen Herrenclubs: dunkle Mahagonitäfelung und frisch gestärkte weiße Leinentischdecken. Die gedämpften Laute angeregter Unterhaltungen waren zu hören, gelegentlich unterbrochen von verhaltenem Gelächter. Die Kellner bewegten sich geräuschlos, majestätisch und überheblich wie stolze Schwäne. Anwesend waren ausschließlich turtelnde und Händchen haltende Pärchen. Ed lächelte in sich hinein. Diesen Ort wählte man, wenn es galt, eine neue Liebe zu beeindrucken, sich zu verloben oder gar eine zerrüttete Ehe wieder zu kitten. Der Blick in die Runde machte ihm bewusst, dass er allein war, und darum fühlte er sich besonders auffällig. Er warf einen Blick auf seine Uhr: fast halb neun. Er konnte nur hoffen, dass seine «geheimnisvolle» Verabredungspartnerin sich nicht sehr verspäten würde, und zog dabei wehmütig in Betracht, dass Pünktlichkeit noch nie zu Alis Stärken gezählt hatte.

«Einen Drink, Sir?»

«Ja», sagte Ed. «Bitte.» Dann richtete er seine Aufmerksamkeit sofort wieder auf die Speisekarte. Es sollte doch wohl Champagner sein, denn er hoffte bei Gott, dass sie am Ende des Abends etwas zu feiern hätten. Am Ende dieses ganzen Wahnsinns, dieses Chaos, dieses Elends, dieser kurzzeitigen Entgleisung. Sie würden den Neubeginn eines Lebens feiern, wie er es gekannt hatte. Mochte Ali es auch mit sämtlichen Mitgliedern der Boygroup Westlife getrieben und das uneingeschränkt genossen haben – ihm würde es nichts ausmachen, solange sie sich bereit erklärte, zu ihm zurückzukehren, und er nicht ohne sie weiterleben musste.

Ed bestellte eine Flasche vom allerbesten Schampus, ohne Mitleid mit seiner Kreditkarte. Wenn die Innenausstattung des Lokals den Pulsschlag schon nicht beschleunigte, dann taten es die Preise auf der Speisekarte. Hungrig war er nicht. In seinem Magen ging es zu wie in der Trommel eines Wäschetrockners. Und er würde froh sein, wenn der Champagner endlich käme – wie er es aufs Stichwort dann auch tat –, denn er hatte einen Geschmack im Mund wie von getragenen Socken. Der Kellner schenkte ihm ein und sah fragend auf den auffällig leeren Platz Ed gegenüber und die roten Rosen neben ihm.

«Möchten der Herr, dass ich ein weiteres Glas dalasse?»

Ed sah nochmals auf seine Uhr. Vielleicht ging sie ja vor. Es war bereits Viertel vor neun und noch keine Spur von Ali. «Ja. Ja, bitte», sagte er. Warum hätte sie sich die Mühe machen sollen, das hier zu arrangieren, wenn sie vorhatte, gar nicht zu erscheinen?

Der Kellner stellte die Champagnerflasche in den Eiskübel und entfernte sich. Ed benetzte sich die Lippen. Guter Geschmack – auch bei einer Milliarde Pfund pro Schluck. Wenn er gewusst hätte, dass Ali sich verspäten würde, hätte er in der All Bar One auf der anderen Straßenseite Station gemacht und sich ein paar Bier gegönnt. Er stürzte das erste Glas Champagner hinunter und schenkte sich gleich nach. Dann saß er da, drehte Däumchen und gab sich große Mühe, die anderen Gäste nicht anzustarren.

Um neun Uhr erschien der Kellner wieder. «Möchten der Herr vielleicht bestellen?»

Der Champagner war zur Hälfte getrunken, und von der vielen Kohlensäure war sein Bauch aufgebläht wie ein Heißluftballon. Ed ließ den Blick wieder über die turtelnden Pärchen schweifen. Es brach ihm das Herz, und er wollte sich den Anblick nicht länger zumuten. «Nein», sagte er, «ich bleibe nicht zum Essen.» Tapfer lächelte er den Kellner an. «Ich glaube, man hat mich versetzt.»

Der mitleidige Blick des Kellners drückte aus: «Das müssen Sie mir näher erzählen.»

Er wollte hier so schnell wie möglich verschwinden, denn langsam kamen ihm inmitten der verliebten Paare die Tränen. Wie hatte Ali ihm das antun können? Er kritzelte hastig seine Unterschrift auf den Kreditkartenzettel und machte sich auf den Weg. Vielleicht war das hier ja gar nicht von Ali initiiert worden. Vielleicht hatte jemand anders, jemand mit grausamem Humor, ihn absichtlich versetzt, um ihn in Verlegenheit zu bringen und zu erniedrigen. Aber wer? Die ganze Chose trug alle Merkmale einer Überraschungsaktion à la Alicia. Wäre er sonst darauf reingefallen? Denjenigen, der dafür verantwortlich war, hätte er am liebsten kaltgemacht. Wenn er herausfand, wer es gewesen war. Und er würde es herausfinden. Keine Frage.

Ed nahm die halb leere Flasche Champagner aus dem Eiskübel – im Leben hätte er sie nicht zurückgelassen – und die immer schneller welkenden Rosen. Er zwang sich, gemessenen Schritts das Restaurant zu verlassen, und schaute mit grimmiger Miene geradeaus. Keinesfalls wollte er Augenkontakt mit den anderen Ist-das-Leben-nicht-herrlich-Gästen aufnehmen, und dankenswerterweise schienen die auch allesamt darauf bedacht zu sein, sein Ungemach nicht zu bemerken.

Draußen auf der Straße kauerte eine alte Frau, in eine schmutzige Decke mit verblasstem Tartanmuster gehüllt. Ein räudiger Hund hatte sich zu ihren Füßen zusammengerollt.

«Ein bisschen Geld für einen Tee», bettelte sie und streckte ihm eine Hand entgegen, die seit langer Zeit nicht mehr von Seife malträtiert worden war.

«Hier», sagte Ed. Er reichte ihr den Strauß Rosen und nach einem letzten Schluck auch die Champagnerflasche. Dann zog er eine Zwanzig-Pfund-Note aus der Tasche und trennte sich auch davon.

Die alte Frau bekam ihren zahnlosen Mund nicht wieder zu. «Sie sind ein Gentleman», rief sie überwältigt und hielt sich an ihrem zerlumpten Mantel fest. «Ein Gentleman mit Herz.»

«Das bin ich nicht», sagte Ed verbittert. «Ich bin nur ein Trottel. Aber ein Trottel erster Güte.»

Und danach schritt er die West Street hinunter, bemüht, nur nicht schlappzumachen. Die Krone war, dass er sich nicht erinnern konnte, wo, zum Teufel, er seinen Wagen geparkt hatte.

— Kapitel 68 —

Orla stand vor Eds Haus, erhitzt und ärgerlich, aber auch ängstlich und erschöpft, weil sie durch London gerast war, um hierher zu gelangen. Laute Musik dröhnte in die Auffahrt. Nachdem sie den Türklopfer zigmal benutzt, geläutet und auf dem Kiesweg gescharrt hatte, öffnete Elliott tatsächlich die Tür.

«Hallo», sagte er argwöhnisch.

Orla hockte sich hin. Es war immer gut, mit Kindern auf derselben Ebene zu kommunizieren.

«Hast du was verloren?», fragte Elliott und blickte suchend auf den Kies.

«Nein, hab ich nicht.» Orla lächelte gewinnend. «Kennst du mich noch, Elliott?»

«Klar, ich bin doch nicht blöd.»

«Natürlich nicht.» Orla stand wieder auf. «Ich suche Daddy», sagte sie.

«Deinen Daddy oder meinen Daddy?», verlangte Elliott zu wissen.

«Deinen Daddy.» Orla blieb bei ihrem Lächeln. «Ist er zu Hause?»

«Nein.» Elliott studierte seine Füße.

«Weißt du denn, wo er ist?»

«Ja.»

«Und würdest du es mir auch sagen?»

«Ich darf nicht mit fremden Menschen sprechen.»

Orla lachte. «Ich bin aber keine Fremde.»

«Tanya hat gesagt, dass du irgendwie seltsam bist.»

«So?» Orlas Augen verengten sich. «Bitte sag mir, wo dein Daddy ist, Elliott. Das wäre auch für dich von Nutzen.»

Elliott posaunte: «Dafür will ich einen Fünfer.»

«Was?»

«Fünf Pfund», wiederholte Elliott und verschränkte die Arme.

Orla hätte am liebsten Feuer gespien. «Elliott ...», begann sie. «Vergiss es.» Sie fand eine Fünf-Pfund-Note in ihrer Geldbörse und reichte sie ihm widerstrebend.

Elliott stopfte den Geldschein mit einem engelsgleichen Lächeln in seine Hosentasche. «Er ist ins Gebüsch gegangen.»

«Ins Gebüsch?»

«Kennst du das nicht?»

«Nein, ich glaub nicht.»

«Ein schickes Restaurant», informierte er sie. «Sehr schick.»

«Ich verstehe», sagte Orla. «Meinst du etwa The Ivy?»

«Könnte sein», erwiderte er. «Aber ich bin erst vier!»

«Stimmt.» Orla seufzte. «Ich werde es im The Ivy versuchen.» Sie wollte sich auf den Weg zu ihrem Auto machen.

«Du könntest wenigstens danke sagen», kritisierte Elliott.

«Danke.» Ein Lächeln schaffte sie nicht. «Es war sehr nett, dich wieder zu sehen, Elliott», sagte sie. «Und mir ein Vergnügen, mit dir Geschäfte zu machen. Das werd ich auch Daddy sagen. *Deinem* Daddy.»

Elliott lehnte herausfordernd am Türrahmen. «Das würdest du nie wagen.»

«Da warte mal ab», warnte Orla und machte sich auf den Weg zu ihrem Wagen.

«Er ist mit Mami zum Gebüsch gegangen», rief Elliott hinter ihr her. «Mit *meiner* Mami!» Dann schlug er die Eingangstür hinter sich zu.

— Kapitel 69 —

Neil stieß die Eingangstür vom The Ivy auf und wurde von einem vornehmen Mann im schwarzen Anzug begrüßt, den er für den Geschäftsführer des Restaurants hielt. Er war sehr froh, dass er seinen neuen Anzug von Paul Smith trug und nicht seinen Alltagsdress, der aus Poloshirt und Jeans bestand, die nicht immer ganz sauber waren.

Der Mann setzte sein professionelles Begrüßungslächeln auf. «Kann ich Ihnen helfen, Sir?»

«Ist bei Ihnen ein Tisch auf den Namen Kingston reserviert?»

Der Geschäftsführer fuhr mit dem Finger an der Reservierungsliste entlang, die auf seinem Tisch lag.

«Eine Reservierung für halb neun», wollte Neil aushelfen.

Der Mann runzelte die Stirn. «Tut mir Leid, aber da sind Sie ziemlich spät dran …»

«Es war nicht meine», sagte er. «Sondern die Reservierung meines Bruders.» Neil versuchte, dem Mann über die Schulter zu sehen. «Und die seiner Gattin. Ich hab mich nur gefragt, ob die beiden auch gekommen sind.»

Der Geschäftsführer studierte seine Reservierungen. «Einen Moment», sagte er schmallippig und verschwand im Restaurant. Neil versuchte, einen Blick aufs Innere zu erhaschen, aber das war unmöglich. Wie versprochen erschien der Mann nach einem Moment mit einem Kellner an der Seite.

«Mister Kingston ist recht eilig gegangen», sagte der Kellner beflissen. «Vor ungefähr fünf Minuten. Leider ist die Dame, die er anscheinend erwartet hat, nicht erschienen.»

Neil sank das Herz unter die Kniekehlen bis auf die ungeputzten Schuhe. «Wie hat er es aufgenommen?»

Der Kellner sah seinen Chef an, um zu erfahren, ob er über den Gast reden durfte. Der andere Mann reagierte mit einem kaum wahrnehmbaren Nicken. «Er wirkte ziemlich ... enttäuscht», sagte der Kellner.

«So enttäuscht, dass er etwa auf den Gedanken kommen könnte, sich die Pulsadern aufzuschlitzen?», fragte Neil.

Der Kellner bat nochmals mit einem Blick um die Erlaubnis zu antworten. «So enttäuscht, dass er eher jemand anderem die Pulsadern aufschlitzen könnte», sagte der Kellner.

Neil sog die Luft ein. «Besten Dank», erwiderte er aufrichtig.

«Keine Ursache.» Der Kellner entfernte sich taktvoll zu seinem Warteplatz.

«Tut mir Leid», sagte der Geschäftsführer.

Neil schürzte die Lippen. «Mir auch.» Und danach stopfte er seinen Strauß blutroter Rosen in einen ledernen Papierkorb, der sich in Reichweite befand.

Jetzt konnte er nur noch Trübsal blasen. Ed würde ihn mit seinem Cricketschläger zu Brei schlagen, wenn er je herausfand, dass es sein eigener Bruder und Jemma gewesen waren, die dieses Fiasko heraufbeschworen hatten. Vielleicht hätten sie sich niemals in das Leben anderer Menschen einmischen sollen. Wie er um Gottes willen diese Nachricht Jemma überbringen sollte, war ihm schleierhaft. Und dabei trug er doch seinen Glücksanzug!

Er wollte hinausgehen, und als er sich dazu umdrehte, eilte eine umwerfend attraktive Frau an ihm vorbei, sodass die schwere, gut geölte Tür in ihren Angeln hin und her pendelte. Das Haar der Frau war fast schwarz und aufgeplustert, wie eine Federboa, die sie sich oben auf dem Kopf befestigt hatte, und ihr markanter breiter Mund, den sie mit rotem Lippenstift betont hatte, verriet, dass sie unglücklich war. Schmale Falten zerfurchten ihre schöne weiße Stirn. Ihre schwarzen Augen waren undurchdringlich und musterten Neil gehetzt. Sie war groß, wunderschön und spielte absolut nicht in seiner Liga.

«Sorry», sagte sie mit deutlichem New Yorker Akzent. «Ich bin sehr in Eile.»

Neil blieb stehen und hielt ihr etwas ungeschickt die Tür auf.

«Danke», sagte die Frau und ließ die Zunge über die vollen Lippen schnellen.

Neil kam sich vor, als habe er für einen Moment Einlass ins Paradies gefunden, und entschied, dass allein dieser Augenblick es wert war, das Gemecker von Jemma zu ertragen, dem er nicht würde entgehen können. Der Geschäftsführer setzte wieder sein Profilächeln auf, aber Neil entging nicht, dass es ihm bei diesem Gast erheblich leichter zu fallen schien.

«Ich bin auf der Suche nach einem Mister Ed Kingston», sagte sie. Dabei strich sie sich eine widerspenstige Locke aus dem Gesicht.

Der Geschäftsführer sah nervös zu Neil hinüber. Die Frau drehte sich um und folgte seinem Blick.

Neil spürte, dass er rot wurde. «Das war ich auch», sagte er.

Das Stirnrunzeln wurde stärker. «Und Sie sind?»

«Sein Bruder.»

Die Frau zog die Augenbrauen in die Höhe. «Tatsächlich?» Das Stirnrunzeln blieb. «Ich bin Orla.» Sie streckte die Hand aus. «Freut mich, Sie kennen zu lernen.»

— Kapitel 70 —

Ich liege zusammengerollt auf dem Bett und habe die Finger krampfhaft in die Bauchdecke gekrallt. Es kommt mir vor, als würden sich tausend Messer in meine Eingeweide bohren. Ich liege schon seit Stunden hier, will abwechselnd alle Decken von mir werfen, weil ich koche, und sie dann wieder über mich ziehen, weil ich zu einem vor Kälte zitternden Wrack geworden bin.

Christian steht kreidebleich über mir, zupft an seinem T-Shirt und schwitzt vor lauter Nervosität. «Was kann ich für dich tun?», fragt er.

«Ich glaube, du solltest den Notarzt rufen.» Ich kann kaum meine eigene Stimme erkennen. Ich flüstere krächzend wie ein Frosch mit Halsentzündung.

Christians Augen blicken so trübe, dass ich mich frage, ob er mich überhaupt deutlich sieht. «Welchen Notarzt?»

«Oder deinen Hausarzt. Hat der denn keine Notrufnummer?»

«Ich habe gar keinen Hausarzt», sagt er. «Ich bin doch nie krank», fügt er entschuldigend hinzu.

Das macht mir nur den Altersunterschied zwischen uns deutlicher. Christian befindet sich in jener segensreichen Übergangsphase zwischen dem Sieg über sämtliche Kinderkrankheiten und dem Einsetzen altersbedingter Verfallserscheinungen. Er ist in jenem Alter, in dem er glaubt, seinen Körper gnadenlos missbrauchen zu können, ohne dass der ihn je im Stich ließe. Das wird er aber tun. Weil es eben so ist.

Wie zum Beispiel meiner. Ich wälze mich vor Schmerzen. Ich weiß ganz genau, was mir fehlt. Oder glaube es zumindest zu wissen. Doktor James rief mich gestern an, nachdem er die Ergebnisse meines Abstrichs bekommen hatte. Er formulierte seine Befürchtungen und weckte damit meine Ängste. Er riet mir, keine Angst zu haben. Und die bekam ich auch erst, als er mir riet, sie nicht zu bekommen. Es ist dasselbe, wie wenn man jemanden auffordert, nicht zu blinzeln, oder? Kaum denkt man daran, blinzelt man schon und kann nicht mehr aufhören. Ich bin jetzt also Opfer des Angstblinzelreflexes, so viel ist sicher. Und ich habe am nächsten Mittwoch einen Termin bei einem Spezialisten, aber ich bin nicht sicher, dass ich so lange warten kann.

«Könntest du mich ins Krankenhaus fahren?»

«Meinst du wirklich, dass du ins Krankenhaus musst?»

Die Wörter, die ich Christian sagen muss, kommen mir nicht über die Lippen. Sie bleiben mir im Hals stecken, wollen nicht ausgesprochen werden.

«Es könnte doch sein, dass du nur was Verdorbenes gegessen hast», unterstellt er optimistisch.

«Das glaube ich nicht.» Der Raum scheint zu verschwimmen. «Kannst du mein Auto fahren?»

«Äh ... nein», antwortet Christian beschämt. «Ich darf nicht.»

Ich stöhne.

«Betrunken gefahren», sagt er. «Ich krieg den Führerschein erst in einem Jahr wieder.»

«So lange kann ich nicht warten.»

«Ich meinte ja auch nicht ...», hebt er an.

«Was ist mit Robbie? Oder Rebecca?»

«Können beide nicht fahren», sagt Christian belämmert.

Eine weitere Schmerzwelle bricht sich über mir. «Ruf ein Taxi», sage ich und beiße die Zähne zusammen.

Christian nagt an der Unterlippe. «Ich hab aber kein Geld.»

«Ich bezahle», sage ich. «Also tu es einfach. Und zwar sofort.»

Christian rauft sich die Haare, atmet schwer aus und verlässt das Zimmer.

Ich versuche, mich aufrecht hinzusetzen, und schaffe es nicht. Ich falle aufs Bett zurück und gebe mir alle Mühe, mich nicht in Gedanken zu verstricken, die sich ungewollt einstellen. Ich bezahle. Ein wahreres Wort hab ich nie gesprochen. Es gibt eben keinen Gratislunch. Und es gibt eben auch keine Gratiszeichnung. Alles im Leben hat seinen Preis, und jetzt muss ich zahlen.

— Kapitel 70 —

Schließlich ergriff Neil Orlas Hand. «Hi», sagte er.

Die Frau seiner Träume stand vor ihm, und Ed, der elende Glückspilz, hatte sie als Erster aufgerissen. Manche Typen hatten eben immer Glück. Und sein Bruder schien das Glück gepachtet zu haben. Sein verdammter Glücksanzug hingegen erwies sich als katastrophaler Versager!

«Wissen Sie denn, wo er ist?», fragte Orla. Sie entzog ihm die Hand. Ihre Finger waren lang und schlank, wie bei einer Pianistin.

Der Geschäftsführer tat geschäftig.

«Nein», sagte Neil. «Als ich ankam, war er schon weg.»

«Und warum waren Sie bei ihm?»

Heikle Frage. «Äh ...», sagte Neil und stöberte in seinen grauen Zellen nach einer Eingebung.

«Er hatte vor, Alicia zu treffen, stimmt's?»

«Ja», sagte Neil und nickte. Dieser Frau konnte man so leicht nichts vormachen. «Ich wollte mich nur überzeugen, dass alles in Ordnung war.»

Achselzuckend entgegnete Orla: «Sehr brüderlich von Ihnen.»

Sie standen da und sahen einander an. Orlas Miene entspannte sich, und in den schwarzen Augen funkelte es. «Was jetzt?», sagte sie und gestikulierte hilflos mit den Armen.

«Ich weiß auch nicht», antwortete Neil.

Sie deutete ein Lachen an und zwirbelte eine ihrer Locken. «Ich schätze, ich fahre nach Hause zu meiner tiefgekühlten Pizza.»

«Ich auch», sagte Neil.

Orla schlug die Hände zusammen. Eine knappe Bewegung, die ihr Unbehagen ausdrückte. «Na schön.»

Neil hörte ein Räuspern und sah den Geschäftsführer an. Der warf einen schnellen Seitenblick auf die Tür zum Restaurant. Neil begriff sofort.

«Es sei denn ...», sagte er.

Orla neigte das Gesicht zur Seite. «Es sei denn?»

Neil lachte. «Nein. Nein. Nein. Ich weiß gar nicht, was mir da in den Kopf gekommen ist!»

Sie erwiderte das Lachen. «Was?»

Neil klimperte mit den Augendeckeln. «Wir könnten gemeinsam zu Abend essen.»

Orla sah den Geschäftsführer an.

«Ich bin sicher, dass wir einen Tisch für Sie finden könnten», ermunterte der sie.

Orla lachte nochmal. «Wollen wir?»

«Warum nicht?» Neil bewies Großmut.

«Wenn Sie vorausgehen möchten, meine Dame», sagte der Geschäftsführer zu Orla und deutete auf die Tür.

Als Neil an ihm vorüberging, flüsterte er: «Viel Spaß, mein Freund.»

Der Geschäftsführer zog das schöne Bouquet roter Rosen, eingewickelt in lila Seidenpapier, aus dem Papierkorb und reichte sie Neil mit einem Augenzwinkern. «Viel Glück, Sir.»

«Ich glaub, das kann ich brauchen», sagte Neil und zupfte an seiner Krawatte. Aber er hatte ja schließlich seinen Glücksanzug an.

— Kapitel 72 —

Dass es unmöglich ist, an Glück zu sterben, hatte ich erfahren müssen. Es ist jedoch absolut möglich, an Krebs zu sterben.

Ich ziehe meinen Krankenhauskittel um die Knie zusammen, wodurch ich jedem, der hinsehen mag, meinen bloßen Hintern darbiete. Aber da ist niemand, bis auf den Gynäkologen, der wahrscheinlich dergleichen und mehr schon oft genug gesehen hat. Er sitzt da und sieht mich nach seiner ruhig und gefasst ausgesprochenen Nachricht, die wie eine Bombe eingeschlagen hat, einfach nur an. Vermutlich wartet er auf eine Reaktion meinerseits.

Es herrscht Leere dort, wo eigentlich das beruhigende Pochen meines Herzens sein sollte, und ich könnte schwören, dass es zehn Minuten gedauert hat, bis das Herz wieder zu schlagen angefangen hatte. Was ist, wenn ich einen Herzschlag erleide und am Schock sterbe, bevor der Krebs seine Chance hat, mich umzubringen? Ich lache laut über diese Ironie des Schicksals, und der Facharzt senkt den Kopf, um seine Aufzeichnungen zu studieren.

Der Arzt kommt um seinen Schreibtisch herum und hockt sich auf dessen Kante. Er schlägt zuerst die Beine übereinander und dann die Arme. Ich glaube, er legt es darauf an, entspannt zu wirken. Ich habe dieselbe Absicht, und es misslingt uns beiden.

«Sie haben eine sehr gute Chance, wieder vollständig gesund zu werden», sagt er leise. «Eine ausgezeichnete Chance.» Ich möchte ihn am liebsten darauf aufmerksam machen, dass er vor einer Minute noch etwas anderes gesagt hat. Vor einer Minute hatte er gesagt, ich hätte Eierstockkrebs. Vor einer Minute hatte er zudem gesagt, der Krebs sei in einem sehr fortgeschrittenen Stadium.

Er lächelt mich grimmig an und fährt fort: «Sie sind jung. Sie sind fit. Sie sind gesund.» Spricht er mit mir? Ich widerstehe dem Drang, mich umzudrehen und nach einer Person Ausschau zu halten, die *tatsächlich* jung und fit und gesund ist.

«Wir müssen schnell handeln», sagt der Facharzt. Er ist jung und fit. Er sieht aus, als sei er gerade aus Barbados oder Antigua zurückgekommen. Er sieht aus, als würde er schwimmen oder Bodybuilding betreiben. Seine strotzende Gesundheit ist in diesem Hospital voller kranker Menschen fehl am Platze und erst recht in diesem winzigen, ungelüfteten Raum mit einer kranken Person. «Ich brauche Ihre Erlaubnis, sofort zu operieren.» Er trägt eine abscheuliche Krawatte. Wer auch immer ihm angeraten hatte, dass sie zu seinem Hemd passte, musste farbenblind gewesen sein. Ich frage mich, ob er wohl eine Ehefrau hat, die ihn bei seiner Garderobe berät. Vielleicht ist sie ja farbenblind. «Ali?»

Ich hebe den Blick. «Ali, ich möchte alles für eine morgige Operation vorbereiten.»

Ich weiß, dass ich etwas sagen sollte, aber ich bekomme kein Wort heraus. Stattdessen nicke ich nur. Ich will es aus mir herausgeschnitten haben, dieses Ding. Dieses Ding, für das Doktor James ausschließlich Stress verantwortlich macht.

Ich habe den gesamten Abend so gut wie unbeachtet auf der Unfallstation verbracht und darauf gewartet, dass ein Bett frei wurde, damit man mich zur «Beobachtung» aufnehmen konnte. Ich hatte die gruselige Vorstellung, dass sie entweder jemanden vorzeitig nach Hause schicken würden, weil er nicht so krank war wie ich, oder dass sie nur darauf warteten, dass einer starb und ich dann schnell zwischen seine Laken schlüpfen konnte. Um mich hier gut aufgehoben zu fühlen, habe ich in der *Daily Mail* viel zu viel darüber gelesen, dass unser nationales Gesundheitswesen schlechter ist als das in Ländern der Dritten Welt. Jedenfalls, als man mich um drei Uhr morgens unter «Beobachtung» nahm, gelangte man sehr schnell zu der Meinung, ich hätte schon sehr viel früher beobachtet werden müssen. Ungefähr fünf Jahre früher, denke ich.

Der Facharzt konsultiert seine Notizen. «Möchten Sie, dass ich für Sie mit jemandem Kontakt aufnehme?», fragt er. «Möchten Sie die Situation noch mit jemandem besprechen?»

Wozu sollte das gut sein? Mit wem hätte ich meine Situation besprechen sollen? Bestimmt nicht mit Ed. Wieso sollte mein Gesundheitszustand für ihn noch von Interesse sein? Außerdem fällt er schon beim Anblick eines blutigen Pflasters fast in Ohnmacht. Auch nicht mit Christian. Wie sollte er für irgendetwas dergleichen Verständnis aufbringen?

Er ist doch auch nur eins von diesen jungen, fitten und gesunden Exemplaren. Wie sollte er mir in diesem Fall raten können? So wie ich es sehe, bleibt mir außerdem gar keine Wahl. Handeln oder sterben. Buchstäblich.

«Haben Sie Kinder?», frage ich.

Der gesunde junge Facharzt wird verlegen. «Noch nicht.»

«Wenn Sie einmal welche haben», sage ich gequält, «vergessen Sie niemals, welcher Schatz Ihnen zuteil wurde.»

Meine Augen füllen sich mit Tränen, und ich spüre,

wie eine hervorquillt, mir über die Wange rinnt und eine kalte Spur des Selbstmitleids hinterlässt, bevor ich sehe, wie sie in Zeitlupe auf die harten Fliesen fällt. Ihr folgen eine weitere und noch eine und noch eine, bis sie zu einem Tränenstrom geworden sind. Ich spüre, dass mir das Herz brechen will.

– Kapitel 73 –

Es regnete unaufhörlich. Tropfen fielen von Eds Verandadach und trafen Neil mitten auf den Kopf. Trotzdem mochte er sich nicht von der Stelle rühren. Er hatte das Gefühl, dass er es so verdient hatte. Wasserfolter durch Eds Veranda. Wasserfolter und mit dem Baseballschläger zertrümmerte Kniescheiben. Und Letzteres würde ihm wahrscheinlich auch noch blühen.

Ed öffnete die Tür.

«Bruderherz!» Neil stand da und tropfte fröhlich vor sich hin, denn mit Erleichterung stellte er fest, dass sein Bruder nichts bei sich trug, was man als Angriffswaffe hätte klassifizieren können.

«Bruder», erwiderte Ed tonlos. Er trat zur Seite, um Neil hereinkommen zu lassen, und folgte ihm dann in die Küche. Eine Whiskyflasche stand auf dem Frühstückstresen, Eds Augen waren rot gerändert und glasig vom Alkohol. «Drink?», fragte Ed und schenkte sich selbst ein.

«Nein danke, Kumpel», sagte Neil kopfschüttelnd. «Muss noch fahren.»

«Du hast doch nichts dagegen, wenn ich mir noch einen genehmige?»

«Na ja, meinst du nicht, dass du schon genug hast?»

Ed sah auf. «Nein.»

«Ich hab ein paar schlechte Nachrichten, ein paar sehr schlechte Nachrichten, ein paar sehr, sehr schlechte Nachrichten und eine wahrhaft furchtbare Nachricht», platzte Neil heraus.

«Hast du bei Elliott Schauspielunterricht genommen?», sagte Ed über den Rand seines Glases hinweg.

«Ich mein's ernst, Bruder.»

«Na, dann leg mal los», sagte Ed und füllte Whisky nach.

Neil atmete tief durch und wollte sprechen.

«Das hat aber nichts mit The Ivy zu tun, oder?»

Neil war verblüfft. «Woher weißt du das denn?»

Achselzuckend sagte Ed: «Ich hab so was eben im Urin.»

«Jemma und ich haben das arrangiert. Hauptsächlich aber Jemma», fügte er hastig hinzu. Das nur als kleine Rache für die Teedusche.

Ed löste den Blick von der Whiskyflasche. «Das sind die schlechten Nachrichten?»

Neil nickte. «Ich bin hingefahren, um dich zu treffen, aber du warst schon weg.»

«Dir ist also klar, dass Ali gar nicht aufgetaucht ist?»

Neil nickte abermals. «Dafür gibt es einen Grund, Kumpel.»

«Warum überrascht mich das nicht?»

«Einen guten Grund.»

Eds Glas legte auf dem Weg zu seinen Lippen eine kleine Pause ein.

«Sie ist im Krankenhaus, Bruder.»

Besorgnis blitzte in Eds Augen auf, und er war urplötzlich nüchtern. «Ist sie verletzt?»

Neil nagte an der Lippe. «Verletzt nicht», sagte er. «So kann man es nicht sagen. Es ist 'ne harte Sache, Mann.»

«Wie hart?»

«Krebs. Sie operieren schon morgen.»

Ed war auf den Beinen. «Bring mich zu ihr. Sie braucht mich.»

«Das war die sehr schlechte Nachricht», sagte Neil. «Die sehr, sehr schlechte Nachricht ist, dass sie dich nicht sehen will.»

Ed setzte sich wieder. Schwerfällig. Er sah aus wie jemand, der gerade einen Schlag in den Magen bekommen hatte. Er rang nach Luft. «Warum nicht?»

«Ich hab keinen Schimmer.» Neil berührte seinen Arm. «Frauen eben, oder?»

«Frauen», stimmte Ed zu.

«Wer braucht die schon?» Neil versuchte es mit diesem albernen Witz und lag damit furchtbar daneben. Das bewies ihm Eds bekümmerter Blick. Zumindest, wenn es um eine ganz bestimmte Frau ging.

«Also», sagte Ed mit einem tiefen Seufzer, «wenn das die sehr, sehr schlechte Nachricht war, was ist dann die wahrhaft furchtbare Nachricht?»

«Ich bumse deine Freundin», sagte Neil aufrichtig.

«Orla?», sagte Ed, die Mundwinkel nach oben gezogen.

«Ja», antwortete Neil grimmig.

Ed fing zu lachen an, und das verklemmte Kichern wurde zu einem schallenden Gelächter. Neil musste hilflos zusehen, wie sein Bruder lachte und lachte, so heftig lachte, dass er zu weinen anfing und ihm die Tränen ungehemmt über sein trauriges und müdes Gesicht liefen.

— Kapitel 74 —

Anscheinend hatte ich einen Tumor von der Größe einer Grapefruit. Aber der ist jetzt weg. Völlig. Zusammen mit einer gehörigen Portion meines Innenlebens. Aber abgesehen von der Tatsache, dass ich mich fühle, als hätte mir ein Pferd in den Hintern getreten, und dass meine Emotionen umherwirbeln wie einer von diesen Lenkdrachen, geht es mir bestens. Das ist eben dem Wunder zu verdanken, das die moderne Anästhesie bewirkt.

Christian andererseits geht es gar nicht gut. Wie der größte Teil der männlichen Bevölkerung kommt er mit Krankheiten überhaupt nicht zurecht.

Er sitzt neben meinem Bett, sieht gelangweilt aus und hat bereits fast alle Weintrauben aufgegessen, die er mir mitgebracht hat. Besuchszeiten sind der reine Horror. Christian sieht mich bedrückt an.

«Kopf hoch», sage ich. «In ein paar Tagen bin ich wieder draußen.» Ich kann es kaum abwarten.

Das Krankenhausessen ist toll, wenn man sich zu jeder Mahlzeit Bohnen und Fritten wünscht. Und ich liege auf einer der geriatrischen Stationen, auf der sie alte Männer nachts mit offenen Pyjamajacken und -hosen umherwandern lassen. In den Abflüssen ringeln sich Haarsträhnen diverser Sorten, und die Klos schreien nach WC-Reiniger. Wer hier etwa nicht mit einer Krankheit eingeliefert worden ist, darf sicher sein, sich bis zur Entlassung eine eingefangen zu haben.

Ed hat sich nicht sehen lassen, vermutlich deswegen, weil ich allen gesagt hatte, dass ich ihn nicht hier haben wollte. Was zum Teil auch stimmte. Nur mit Mühe und Not stehe ich das hier durch, und ich glaube nicht, dass ich sein Mitleid ertragen hätte, wo ich doch schon genug am Selbstmitleid zu knacken habe. Und es musste unbedingt verhindert werden, dass er mich etwa aus all den falschen Gründen zurückhaben wollte. Das hätte durchaus geschehen können, wenn er mich hier in diesem Zustand gesehen hätte. So gut wie jeder Mann wird doch schwach, wenn er seine Ex am Tropf hängen sieht.

Ich will auch nicht, dass die Kinder mich besuchen kommen. Zwar fehlen sie mir ganz fürchterlich, und jetzt bleiben sie ja auch die einzigen Kinder, die ich je haben werde. Ich möchte sie in die Arme schließen und lieb haben. Aber ich will nicht, dass sie mich in diesem Zustand sehen und sich Sorgen machen. Außerdem will ich nicht, dass sie sich hier den Tod holen. Wie ich schon sagte, diese ganze Geschichte hat mich emotional vollkommen verwirrt. Mit der eigenen Sterblichkeit konfrontiert zu werden ist fast genauso Furcht einflößend wie die Menschenmassen vor den Kassen bei Ikea.

Jemma kommt den Gang entlanggeklappert, und Christian strahlt erleichtert, weil es bedeutet, dass er eher hier wegkommt. Jemma hat einen roten Kopf und außerdem ihre gramzerfurchte Miene aufgesetzt, aber sie ist auch von Kopf bis Fuß in antike Seide gehüllt und sieht aus, als wolle sie zu einer Vernissage und nicht an ein Krankenbett. Sie hat die Schwester verpasst, die Tee austeilt, und darüber wird sie sich mächtig ärgern. Die Tasse Tee kostet nur siebzig Pence, und hier haben die Etatkürzungen noch nicht gegriffen: Man bringt mindestens einen Teebeutel auf hundert Patienten zum Einsatz.

Christian steht auf. Jemma und er nicken einander knapp zu. «Ich geh dann», sagt er, gibt mir einen flüchtigen Kuss auf die Wange und verschwindet ohne ein weiteres Wort.

Jemma setzt sich auf den lindgrünen Plastikstuhl, den er frei gemacht hat, und fängt umgehend zu weinen an. Ich strecke die Hand aus und streiche ihr übers Haar. Wenn sie sich nicht zusammenreißt, bringt sie mich auch zum Heulen. «Ist ja gut, ist ja gut», beruhige ich sie leise und greife nach dem Behälter mit Papiertaschentüchern, der auf meinem metallenen Nachttisch steht. «Mach dir keine Sorgen um mich.» Ich hebe ihr Kinn ein wenig an und setze mein tapferstes, wenn auch etwas weinerliches Lächeln auf. «Mir geht es bald wieder gut.»

Jemma schnieft unglücklich. «Ich mach mir ja keine Sorgen um dich», sagt sie und nimmt eines meiner Taschentücher. «Dir geht es immer gut. Sorgen mache ich mir um mich.»

Ich höre auf, ihr übers Haar zu streichen, und lege mich auf mein Kissen zurück.

«Mal angenommen, ich finde jetzt niemanden, mit dem ich Kinder haben kann?», fährt sie fort. «Krebs liegt manchmal in der Familie. Wir haben doch immer dieselben Frühstücksflocken bekommen. Angenommen, die haben es ausgelöst?»

«Sei doch nicht albern.»

«Du hast gut reden – du hast ja schon drei Kinder. Was ist, wenn ich keine bekommen habe, bevor auch ich total ausgeräumt werden muss? Ich finde niemanden, der sich binden will.»

«Dann hör endlich auf, dich mit verheirateten Männern einzulassen.»

«Leicht gesagt von dir – du bist ja mit einem verheiratet. Na ja, du warst es zumindest.»

Vielen Dank, Jemma.

«Weißt du, wie viele Kinderwagen ich heute gesehen habe, Alicia?»

«Nein.» Aber ich weiß, dass sie es mir gleich sagen wird.

«Neun», sagt Jemma mit Nachdruck. «Neun Kinderwagen.»

«Wie nett.»

«Neun Kinderwagen und sieben süße, knuddelige kleine Wonneproppen.»

«Auch irgendwelche mürrische Teenager?», möchte ich wissen.

«Nein», faucht Jemma. «Keine.» Begehrlich schaut meine Schwester auf die Weintrauben, und ich entferne sie aus ihrer Reichweite. «Wo du jetzt dem Tod ins Auge blickst, Ali, wird mir bewusst, dass auch ich nicht jünger werde.»

«Das ist auch besser so», sage ich.

Jemma heult zum zweiten Mal los, und ein zweites Papiertaschentuch wird benötigt. «Er hat mich verlassen», jammert sie so laut, dass selbst die tauben Greise aufhorchen.

«Pst», sage ich. «Wer?»

«Mein Schweizer Bankier.» Wenn sie plärrt, plärrt sie in den höchsten Tönen. «Ich hatte mir immer schon einen Schweizer Bankier gewünscht.»

«Wieso das?»

«Weil die reich sind und kultiviert, und natürlich auch, weil sie Wohnungen mit Blick auf den Genfer See haben und Skihütten in Zermatt.»

«Verstehe. Und warum hat er dich verlassen?»

«Oh.» Jemmas Unterlippe bebt. «Eric hat gesagt, er könne nicht weiter eine Lüge leben.» Sie schüttelt ihre Mähne. «Seine Ehe war aber schon lange am Ende.»

«Lass mich raten.» Trotz der Nachwirkungen der Narkose kann ich gnadenlos bissig werden. «Als die Unterhaltszahlungen zur Sprache kamen, sind sie schnell übereein gekommen, es nochmal zu versuchen, stimmt's?»

Jemma besitzt den Anstand, leicht verlegen auszusehen. «Na ja ...»

«Wie oft willst du dir das noch antun, Jemma?»

«Wer im Glashaus sitzt ...»

«Ich hab nun einmal alles verbockt.»

«Und wenigstens gibst du es jetzt auch zu», fährt sie mich an. «Euretwegen möchte ich am liebsten vor lauter Frust mit dem Kopf gegen die Wand rennen.» Und ob ich das Gefühl kenne! «Du und Ed, ihr seid beide zu verdammt dickköpfig, um einzulenken. Darum haben Neil und ich ja auch das Essen am Sonnabend für euch arrangiert ...»

«Welches Essen?» Trotz meiner Schmerzen funktionieren alle meine Sinne.

«Oh.» Jemma sieht sich Hilfe suchend um.

«Welches Essen?» Ich hab sie in die Enge getrieben. Fünfzehn Minuten Besuchszeit bleiben noch, bevor sie mir entkommen kann.

«Wir wollen, dass ihr wieder zusammenkommt. Um euretwillen und um der Kinder willen. Ihr habt drei wundervolle Kinder, deren Leben ihr ruiniert, weil ihr beide zu stolz seid, zuzugeben, dass es euch Leid tut. Die Welt ist voller Menschen mit Kindern, und anscheinend weiß keiner von euch mehr, was er an ihnen hat.»

Ein so großer Kloß sitzt mir im Hals, dass ich nichts sagen kann.

«Wir haben arrangiert, dass du und Ed euch im The Ivy treffen solltet.»

«Davon hat mir niemand etwas gesagt», wende ich ein, als ich meine Stimme wieder gefunden habe.

«Neil hat dir doch eine Einladung geschickt.»

«Die hab ich aber nicht bekommen.» Meine grauen Zellen arbeiten doch noch etwas schwerfällig.

«Macht ja auch nichts», verkündet Jemma achselzuckend. «Du hättest sowieso nicht hingehen können, weil du hier drin warst.» Sie betrachtet versonnen die verschlissenen blauen Nylonvorhänge, die nicht ganz schließen, und die Daunendecke mit ihren uralten Flecken.

«Ist Ed denn hingegangen?» Mein Mund ist trocken.

«Ja», sagt sie.

«Und er hat da ganz allein gesessen?»

«Ja.»

«Und er weiß, dass ich hier liege?»

«Ja», sagt Jemma. «Ja, ja, ja auf alle drei Fragen.» Geduld ist eine Tugend, die Jemma nicht besitzt. «Er möchte dich sehen, Ali.»

«Nein», sage ich. «Das könnte ich jetzt nicht ertragen. Ich treffe mich mit ihm, wenn es mir besser geht.»

«Und wer soll sich um dich kümmern?»

«Christian.»

«Er mag so attraktiv sein wie George Clooney, aber ich bin nicht so sicher, ob er sich auch zum Krankenpfleger eignet. Was ist, wenn du Chemotherapie machen musst?»

«Das kriegen wir hin.»

«Zieh zu mir», fleht sie.

«Schlimmeres könnte mir nicht passieren.»

«Dann zieh zu Mutter. Die würde dich liebend gern versorgen.»

«Dann bräuchte sich der Krebs gar nicht mehr zu bemühen, denn Mutter würde mich mit Liebe umbringen», protestiere ich. «Ich möchte einfach nur allein sein.»

Sie steht auf. «Ich hätte Neil nicht so auf die Nerven gehen sollen», sagt sie.

«Ich sage jetzt nicht, dass ich dich gewarnt habe.»

«Er ist ein echt netter Kerl.»

«Er hätte dir geben können, wonach du dich sehnst, Jemma.»

«Vielleicht ist es ja noch nicht zu spät», sagt sie zögernd.

«Er kann leicht verzeihen.»

«Ich hab ihm eine Tasse Tee ins Gesicht geschüttet», sagt sie.

«So leicht kann er vielleicht doch nicht verzeihen», sage ich, und wir lachen beide los.

«Ali.» Jemma wird wieder ernst. «Wenn du die Einladung bekommen hättest und dies nicht geschehen wäre, hättest du dich dann mit Ed getroffen?»

Ich kratze auf meinem blau angelaufenen Handrücken neben der Infusionsnadel, damit ich meine Schwester nicht ansehen muss. «Ich weiß nicht», lüge ich, denn im Herzen weiß ich ganz genau, was ich getan hätte.

— Kapitel 75 —

Neil hatte vor, seinem Studio die neue und verbesserte Neil-Kingston-Generalreinigung zu verpassen. Mit einer großen Flasche Domestos und einem Fünferpack Schwammtücher wollte er den Räumlichkeiten gnadenlos zu Leibe rücken. Er sah sich im Studio um. Es wirkte schmuddelig düster und schien dringend der Hand einer Frau zu bedürfen. Außerdem schrie es bei all dem Schmutz geradezu heraus, dass hier ein nicht sonderlich erfolgreicher Fotograf hauste. Es hatte ihm jedoch gute

Dienste erwiesen, und irgendwie war er traurig, dass er es jetzt im Zuge seines neuen Lebens würde aufgeben müssen. In der Ecke beim Wasserkessel wohnte eine Spinne namens Harriet, die dort seit Jahren unbehelligt gelebt hatte. Nur wenn sie es sich gelegentlich erlaubte, aus einer Milchtüte herauszukrabbeln, geriet sie in Gefahr, erschlagen zu werden.

Es klingelte, und Neil fuhr herum. Jemma stand in der Tür. Sie sah hinreißend aus. Die Sonne strahlte an diesem Tag und versprach einen langen und heißen Sommer. Das Licht verlieh Jemmas Haar den goldenen Schimmer von Honig. Sie strich es sich aus dem Gesicht. «Hi», sagte sie.

«Hi.»

«Bin zufällig vorbeigekommen.» Sie blickte aus dem Fenster auf den Verkehr, der vor dem Studio völlig zum Stillstand gekommen war. «Ich dachte, es sei die richtige Zeit für eine Pizza.»

Wenn es ein Scherz sein sollte, war es nicht witzig. Neil stellte sein Domestos hin. «Heute nicht.»

«Oh.» Jemma kam herein, sah sich um und ließ die Hand über eine Reihe staubiger Fotoalben wandern, in denen sich besonders gruselige Hochzeitsfotos befanden, die er vor ewig langer Zeit gemacht und zum damaligen Zeitpunkt für avantgardistisch gehalten hatte: Frisch Vermählte schieben den Rolls Royce an, Bräute lassen ihre Strumpfbänder blitzen, Zeremonienmeister werfen ihre Zylinderhüte hoch in die Luft – grässliches Zeug, bei dessen Anblick sich einem die Zehennägel krümmen. Diese Fotos waren für den Müll bestimmt. Allesamt.

«Wie geht es Ali?», fragte er.

«Du kennst doch Ali», seufzte sie und spielte gedankenverloren mit ihren Autoschlüsseln. «Die ist zäh und steht das durch. Sie hat ihren Schutzpanzer angelegt, aber der zeigt doch schon ein paar Risse. Ich mache mir Sorgen um sie, Neil. Wir haben richtig Mist gebaut mit ihr und Ed, oder?»

«Wir haben etwas versucht. Und mehr konnten wir nicht tun. Man weiß doch nie. Es hätte ja auch hinhauen können.»

«Yeah.» Sie setzte sich auf die eine leere Ecke seines Schreibtisches. «Manchmal muss man ein Risiko eingehen, auch wenn man nicht einschätzen kann, was passieren wird.»

«Yeah», war Neils lakonische Antwort. «Ich bin bekannt als Neil ‹Das Risiko› Kingston.»

«Ich wollte mich noch entschuldigen für diese Tee-Geschichte», sagte Jemma.

Sie ist wirklich eine attraktive Frau, dachte Neil. Wenn sie bloß nicht immer gleich in die Luft gehen würde.

«Es kommt nicht wieder vor», sagte sie. «Versprochen. Vielleicht könnten wir ja in der nächsten Woche mal abends essen gehen...»

«Ich hab sehr viel zu tun», sagte Neil.

«Es war auch nichts Persönliches», sagte Jemma allzu eilfertig. «Ich wollte eine Auswahl meiner Kleider für eine Anzeigenkampagne fotografiert haben. Hochglanzmagazin. Ich dachte, dass du das vielleicht gern machen würdest. Das war alles. Keine Hintergedanken.»

Er wiederholte in Gedanken das Wort Hochglanzmagazin und kostete es aus. Dann löste er sich davon und wandte sich an Jemma: «Wie ich schon sagte, ich bin wirklich sehr beschäftigt.»

Die Türglocke läutete wieder, und gleich darauf kam Ed herein. Er sah älter, grauer und schlimmer aus, als Neil ihn je gesehen hatte.

«Brüderchen!» Neil umarmte ihn.

«Guten Tag, konspirativer Bruder», sagte Ed und schlug ihm auf die Schulter. Dann wandte er sich Jemma zu. «Und du warst ja wohl seine liebreizende Helfershelferin.»

Ed hatte offenbar nicht geschluckt, dass alles Jemmas Schuld gewesen sei.

«Wir wollten doch nur helfen», sagte Jemma kläglich.

Ed sah sie beide zornig an. «Ich bin nicht sicher, ob ich euch beiden schon verziehen habe.»

«Das Leben ist zu kurz, Ed», sagte Jemma und stand auf, um ihm einen Kuss zu geben. «Es geschah alles nur in bester Absicht.»

«Ja, ja», sagte Ed und nahm sie in die Arme. «Wie geht es Ali?»

«Du solltest sie besuchen.»

«Sie wollte es aber nicht, erinnerst du dich?»

«Alicia weiß nicht, was sie will», mokierte sich Jemma. «Es geht ihr nicht so toll, Ed. Sie tut zwar so, aber ich kenne sie. Also besuch sie heute noch. Morgen wird sie nach Hause entlassen.»

Eds Miene verdunkelte sich. «Was bezeichnet sie denn in diesen Tagen als ihr Zuhause?»

«Christians Wohnung. Sie wollte nicht zu mir ziehen. Und zu Mutter erst recht nicht. Da merkt doch jeder, dass sie zu verwirrt ist, um noch klar zu denken.»

Ed zog die Schultern hoch.

«Fahr zu ihr, Ed. Sag ihr, dass du sie liebst. Bring sie dazu, nach Hause zurückzukehren. In dein Heim. In *ihr* Heim. Sie braucht dich.»

«Hörst du denn nie auf, dich in das Leben anderer einzumischen?», fragte Ed.

«Erst wenn sie selbst aufhören, alles zu vermasseln.»

«Sie hat Recht, Ed», assistierte Neil.

«Wer hat um deine Meinung gebeten?», fragte Ed und trat apathisch nach einem der Umzugskartons, die Neil an der Wand aufgestapelt hatte. «Was soll das hier eigentlich? Willst du dich etwa bei Nacht und Nebel davonmachen?»

Neil atmete tief durch. «Das Studio steht zum Verkauf.» Emma wie Ed sahen ihn verdutzt an. Neil breitete die Hände aus. «Ich verändere mich.»

«Neue Weidegründe?», fragte Ed.

«Könnte man sagen.» Neil schluckte.

«Warum hast du denn nichts gesagt?»

«Weil es alles so schnell gegangen ist.» Neil war heiß geworden. «Da ihr beide nun schon hier seid, sollte ich es euch vielleicht sagen.» Er versuchte zu lachen, aber es wurde nur ein verlegenes Schnaufen. «Ich gehe nach Kalifornien», sagte er. «Nach Los Angeles.»

Neil sah Ed an, und ihre Blicke ließen einander nicht wieder los.

«Mit Orla?», fragte Ed.

Neil nickte. «Mit Orla.»

Jemma stemmte die Hände in die Hüften. «Wer, zum Teufel, ist Orla?»

— Kapitel 76 —

Christian hilft mir aus dem Taxi. «Nimm mein Portemonnaie und bezahl den Fahrer», sage ich. Ich bemühe mich sehr um Zurückhaltung, aber Schmerzen und Selbstmitleid strapazieren meine Geduld doch sehr. Es ist eine Sache, im Krankenbett zu thronen, umgeben von Weintrauben, Papiertaschentüchern und flaschenweise Mineralwasser, aber doch etwas ganz anderes und fast ein Schock, wenn man plötzlich wieder treppauf, treppab laufen und in Taxis einsteigen und wieder aussteigen muss, als sei man ein junges Ding.

Christian scheint nicht recht zu wissen, was er davon halten soll, dass ich nach Hause komme. Er druckst herum und muckt, was ja kein besonders gutes Zeichen ist, oder? Er druckst noch mehr, als er den Taxifahrer entlohnt, und dann druckst und muckt er mich ins Haus. Ins stockdunkle Haus.

«Möchtest du jetzt sofort ins Bett?», fragt er und stützt mich.

«Ja.» Ich bin total erschöpft. Wir wollen die Treppe hinaufsteigen, und ich sage: «Mach doch mal das Licht an.» Zum ersten Mal realisiere ich, dass in dieses Haus kaum je Tageslicht fällt. «Scheiße, ich seh ja gar nichts.»

Christian bleibt stehen, nachdem wir ohnehin kaum vorangekommen sind. «Kann ich nicht», sagt er.

«Was kannst du nicht?»

«Ich kann das Licht nicht anmachen.»

Ich lehne mich ans Geländer. «Wieso nicht?»

«Wir haben keinen Strom.»

«Stromausfall?»

«Nur hier im Haus», sagt Christian.

«Was?»

«Man hat uns den Strom abgestellt, Ali.»

Ich wende mich ihm zu, und er sieht aus, als wäre er am liebsten ganz woanders. Ich weiß sehr genau, wie ihm zumute ist. «Habt ihr die Rechnung nicht bezahlt?»

«Nein.»

«Und wieso nicht?»

«Weil wir kein Geld haben.»

«Wie soll ich mich in einem Haus ohne Strom von der Operation erholen?» Ich habe das schreckliche Gefühl, gleich einen hysterischen Anfall zu bekommen.

«Es wird schon gehen», sagt Christian kleinlaut.

«Es wird nicht gehen», schreie ich ihn an. «Wie soll ich mich anständig waschen, wenn wir kein heißes Wasser haben? Ich kann mir ja noch nicht einmal eine Tasse Tee machen.»

«Wir kochen uns Wasser im Topf auf dem Herd», sagt er. «Gas haben wir ja noch.»

«Für wie lange?» Ich lasse mich auf die nächstgelegene Treppenstufe sinken.

Christian blickt zu Boden.

«Ich werde die Rechnung bezahlen», sage ich und vergesse dabei für einen unbeschwerten Moment, dass ich keinen Job habe und überdies in nächster Zukunft gar nicht arbeiten kann. «Wie viel habt ihr zu zahlen?»

«Weiß ich nicht», murmelt er.

«Wie lange dauert es, den Strom wieder anstellen zu lassen? Ich hab mit so etwas keine Erfahrung.» Ich sehe ihn vorwurfsvoll an.

«So einfach ist es leider nicht.»

«Wieso denn nicht?»

«Es ist ja sozusagen gar nicht unser eigenes Haus.» Er kratzt sich am Kopf.

«Dann ruf den Vermieter an.»

«Wir haben ja sozusagen auch gar keinen Vermieter.»

«Was?» Im Nachhinein gebe ich doch der Vollnarkose an alledem hier die Schuld.

«Wir haben ja sozusagen gar nicht die Erlaubnis, hier zu wohnen.»

Ich schaffe es gerade noch, ein weiteres «Was?» zu unterdrücken.

«Wir sind Hausbesetzer, Ali», sagt er, als sei es die selbstverständlichste Sache der Welt.

«Ich wohne in einem besetzten Haus?» Ich kann mich kaum selbst verstehen, so tonlos spreche ich. «Aber ich hab immer gedacht, es werden nur verwahrloste Sozialwohnungen besetzt, in denen sich die Ratten tummeln und bepisste Matratzen auf dem Boden liegen?» Aber doch bestimmt nicht prächtige viktorianische Terrassenhäuser in schicken Nebenstraßen, die von Porsches zugeparkt sind?

Christian schnaubt verächtlich. «Komm in die wirkliche Welt, Ali.»

Ich befinde mich in der wirklichen Welt, und das weiß ich, weil mir alles viel zu wehtut, als dass es sich um Einbildung handeln könnte. Meine Stimme ist immer noch zittrig. «Ist das denn nicht illegal?»

Nervös fährt Christian sich mit den Fingern durchs Haar. «Manche Leute sehen das so.»

«Hauptsächlich wohl die, die zu den Gesetzeshütern zählen», merke ich sarkastisch an.

«Nun ...»

Ich bin jemand, der alle Asyl Suchenden für arbeitsscheue Nassauer hält. Ich bin jemand, der im Straßenverkehr noch nie geblitzt worden ist. Ich bin jemand, der noch nie ein Strafmandat wegen Falschparkens bekommen hat, und das kommt in einer Stadt wie London einem Wunder gleich. Ich bin jemand, dem es nicht mal im Traum einfallen würde, auch nur einen Papierschnitzel auf die Straße fallen zu lassen. Ich, Frau Saubermann persönlich, bin jetzt also eine Hausbesetzerin.

Christian versucht ein ungläubiges Lachen. «Und hast

du dir mal überlegt, wie wir es uns wohl leisten könnten, in einem so eleganten Haus zu wohnen?»

Ich schaue zu Christian auf, und er kommt mir vor wie jemand, den ich in meinem Leben noch nie gesehen habe. Meine Stimme hat sich fast ganz verabschiedet. «Ich dachte, du hättest vielleicht reiche Eltern.»

«Hab ich ja auch», sagt er. «Aber die können mich nicht ausstehen.»

Und in diesem Moment kann ich seinen Eltern deswegen keinen Vorwurf machen.

— Kapitel 77 —

Ed beobachtete, wie die Ice Cool Chew-Chew Mints in ein riesiges blaues Plastikbecken sprangen, das mit Eiswasser gefüllt war – natürlich um zu demonstrieren, wie erfrischend diese Kaubonbons mit Pfefferminzgeschmack waren. Sie hatten bereits sieben Takes gedreht, und die Mints waren jetzt auch noch sauer.

Trotzdem musste Ed schmunzeln. Was ihm gefiel, denn in letzter Zeit hatte er nicht viel zu schmunzeln gehabt. Der letzte Take war eigentlich perfekt gewesen, aber als Ed zugesehen hatte, wie die eiskalten menschlichen Kaubonbons aus dem Swimmingpool gefischt worden waren, fand er die Idee ganz amüsant, sie das Erfrischungsbad nur so zum Spaß noch einmal wiederholen zu lassen.

«Alles noch einmal auf Anfang», rief er und nickte dabei Trevor mit einem kaum verhohlenen Grinsen zu.

Orla ließ sich neben ihm auf den Stuhl gleiten. «Daran

war gar nichts auszusetzen, Ed Kingston. Das hast du jetzt aus reiner Schikane befohlen.»

«Die Hälfte von ihnen ist heute Morgen zu spät gekommen», sagte er. «Und dafür müssen sie jetzt bezahlen.»

«Mit Zins und Zinseszinsen», sagte Orla und sah zu, wie die Mints sich zu einer Schlange formierten und einer nach dem anderen bibbernd absolut unnötigerweise ins Wasser sprangen. Ed rekelte sich auf seinem Regiestuhl und verschränkte die Arme über der Brust.

«Alles okay zwischen uns?», fragte sie.

«Ja», sagte Ed, der immer noch die Mints im Auge hatte. «Es macht dir nichts aus, dass ich mich in deinen kleinen Bruder verliebt habe?»

Ed schüttelte den Kopf. «Nein. Ganz und gar nichts.»

«Und auch nichts, dass ich ihn um die halbe Welt verschleppe?»

«Nein.»

«Liegt das daran, dass du nie wirklich in mich verliebt warst?»

Ed sah sie an. «Würde es dir etwas ausmachen, wenn das die Wahrheit wäre?»

«Ja», sagte sie traurig. «Ein wenig.»

Trevor kippte noch mehr Eis ins Wasser und sorgte dafür, dass die schwimmenden Styroporpinguine alle den Kopf in die Höhe reckten. Die Mints hüpften im vergeblichen Bemühen, endlich warm zu werden.

Orla sah ihn intensiv von der Seite an. «Neil hat viel von dir.»

«Hat er nicht», sagte Ed. «Neil ist lieb und nett. Bei ihm bist du besser dran.»

«Er wird in Hollywood gut zurechtkommen.» Orla reckte sich und schob ihr Haar zurecht. «Ich werde dafür sorgen, dass er jede Menge Arbeit hat.»

«Gut», sagte Ed. «Sehr gut.»

«Aber auf dich wartet auch noch immer ein Job», sagte sie. «Wenn du ihn willst.»

Ed schüttelte vehement den Kopf. «Nein, ich werde hier gebraucht. Harrison Ford muss warten. Vielleicht sogar bis in alle Ewigkeit.»

Orla berührte seinen Arm. «Wie geht es Alicia?»

«Ich weiß nicht», sagte Ed, dem jetzt bewusst wurde, dass er keine Lust mehr hatte, alles nur vom Hörensagen zu erfahren. «Aber ich werde es herausfinden.»

«Sie ist eine Frau, die sich sehr glücklich schätzen kann, Ed. In vielerlei Hinsicht.»

«Stimmt», sagte er. Bestimmt schlug sie sich vor lauter Glück auf die Schenkel und dankte Gott für die wundervolle Chemotherapie. Aber er wusste, was Orla meinte. Sie konnte sich glücklich schätzen, dass sie überleben würde. Glücklich schätzen, dass sie mit drei wundervollen Kindern gesegnet war. Und er konnte sich ebenfalls glücklich schätzen. Dafür, dass er Alicia hatte lieben dürfen. Dafür, dass ihm immer noch die Möglichkeit blieb, es ihr zu sagen. Er hatte eben lange gebraucht, um herauszufinden und schätzen zu können, wie viel Glück er gehabt hatte. Vielleicht zu lange.

Widerstrebend reihten sich die Mints auf dem Sprungbrett auf. Ed musste wieder schmunzeln.

Die Mints stürzten ins eiskalte Wasser, vertrieben die Styroporpinguine und die dümpelnden Plastikeisbären in alle Richtungen.

«Ich habe dich wirklich geliebt, Ed», sagte Orla leise.

Doch er lachte zu laut, um ihre Worte zu verstehen. Wenn er sie jedoch gehört hatte, musste er sich entschieden haben, sie zu ignorieren.

— Kapitel 78 —

Christian sitzt neben mir auf dem Bett und bietet mir eine Tasse im Kochtopf angerichteten Tee und eine Schüssel mit Frosties an. Er streicht mir das Haar sanft aus dem Gesicht und flüstert: «Wie fühlst du dich?»

«Beschissen», sage ich brüsk.

«Hast du nicht gut geschlafen?»

«Nein.» Ich widerstehe der Versuchung, darauf hinzuweisen, dass er selbst, *au contraire*, wie der sprichwörtliche Stein geschlafen hat. Wie kommt es nur, dass Männer auch in den schwersten Krisen niemals Schlafstörungen haben? Und ich habe mir weiß Gott die allergrößte Mühe gegeben, seinen Schlaf zu stören. Ich habe ihn getreten, ihn gekniffen, ihn geboxt und ihm meine große Zehe gegen den Knöchel gerammt. Vergeblich.

Ich nehme die Frosties an, eher unwillig, denn ich mag keine Frosties, weil sie so süß sind, dass es einem das Gesicht zusammenzieht und die Füllungen aus den Zähnen fallen, aber ich bin mörderisch hungrig – was ich für ein gutes Zeichen halte. Man kann doch unmöglich noch immer Krebs *und* gleichzeitig einen gesunden Appetit haben, oder?

«Versuch noch etwas zu schlafen», sagt er und küsst mich auf die Stirn. «Bis später dann.»

«Später?»

«Ich gehe arbeiten.»

«Arbeiten!?» Ich lasse von den Frosties und jeder Zurschaustellung von Gebrechlichkeit ab. «Arbeiten? Von dir wird erwartet, dass du mich umsorgst, Christian. Ich bin gerade aus dem Krankenhaus entlassen worden. Ich habe eine schwere Operation hinter mir. Ich würde es begrüßen, wenn man mich mit einem Kran sanft aus dem Bett hieven würde.»

«Ich muss aber arbeiten, Ali. Sonst verliere ich noch meinen Platz im Garden. Selbst Hunger leidende Künstler müssen sich heutzutage den harten Regeln des Kommerzes unterwerfen.»

Jetzt erfasst mich Panik. Er hat absolut kein Gefühl für meine Bedürfnisse. Am liebsten würde ich ihn anschreien: *Ich hab mir nicht einfach nur einen Fingernagel abgebrochen, verstehst du? Ich bin mit mehr Stichen zusammengeflickt worden als eine verdammte Patchworkdecke!* «Wie soll ich denn allein zurechtkommen?», jammere ich.

«Becs ist den ganzen Tag hier. Sie arbeitet zu Hause und wird sich um dich kümmern.»

«Das ist, als würdest du mich in die liebevolle Obhut von Schneewittchens Stiefmutter geben!»

«Es wird schon gehen.»

«Sag das nicht immer! Es wird nicht gehen. Ich brauche dich, Christian. Und wenn du mich liebst, dann gehst du jetzt nicht so einfach weg.»

«Ich liebe dich, Ali.» Ich spüre, dass ein gewaltiges Aber folgen wird, und mir wird eiskalt.

«Aber?

«Aber ...» Christian zupft verlegen an der Bettdecke mit dem Tarnmuster. «Ich hab große Schwierigkeiten, mit dieser Situation umzugehen.»

«Ach ja?»

«Ich weiß. Ich weiß. Du musst mich für sehr egoistisch halten.»

«Es gibt keine Beziehungen ohne Höhen und Tiefen, Christian. Erst in Situationen wie dieser erweist sich, wie stark die Bindung ist.»

«Mit Bindungen hab ich mich schon immer schwer getan», sagt er und lässt den Blick durchs Zimmer schweifen. Durch das Zimmer in dem Haus, das jemand anderem gehört. Jemandem, der noch nicht einmal ahnt, dass sich in diesem Moment Fremde in seinem Haus aufhalten und dieses Gespräch führen. «Und mir war auch nicht klar, wie viele Bindungen und Verpflichtungen du hattest, als wir uns miteinander eingelassen haben.»

«Das muss dir doch klar gewesen sein.»

«Natürlich *wusste* ich davon, aber ich hatte keine Vorstellung, wie es sein würde, im Alltag damit umgehen zu müssen. Ich hab gern, dass alles glatt läuft, Ali. Ohne Stress.»

«Aber im richtigen Leben geht eben nicht immer alles glatt.»

«Dann bin ich vielleicht noch nicht reif für das richtige Leben.» Ich sehe, dass er sich eine Menge Gedanken gemacht hat, und das beängstigt mich, weil Christian normalerweise nicht über die nächste Mahlzeit hinausdenkt. «Vielleicht möchte ich mich ja noch ein paar Jahre lang mit Robbie und Rebecca austoben. Vielleicht bin ich danach so weit, dass ich mich fest binden kann.» Er sieht mich an und zögert, bevor er die nächsten Worte ausspricht. «Vielleicht will ich ja dann heiraten und eigene Kinder haben.»

Das Messer, das Christian führt, schneidet tiefer als das Skalpell des Chirurgen. «Ist das dein Problem?»

«Zum Teil», räumt er ein.

«Aber du kannst Kinder gar nicht ausstehen», erkläre ich gefasst. «Sie waren dir doch nur im Weg.»

«Du hast mir gezeigt, wie Familienleben sein kann, Ali. Ich habe das während meiner Kindheit nie erlebt. Ich wurde von einem Internat zum anderen verfrachtet und sah meine Eltern nur, wenn ich zwischen Einladungen zum Lunch und Wochenenden auf der Jagd eingeschoben werden konnte. So etwas wollte ich niemals einem anderen Menschen antun.»

«Aber meinen Kindern kannst du so einfach den Rücken kehren?»

«Ich habe nichts davon gesagt, dass ich euch den Rücken kehren will.»

«Wie anders sollte es denn weitergehen, Christian? Von jetzt an gibt es für uns keinen gemeinsamen Weg mehr.»

«Ich glaube, wir haben uns zu überstürzt auf all das eingelassen, bevor wir überhaupt die Chance hatten, es vernünftig zu durchdenken», sagt er. Ich habe noch nie so wahre Worte aus seinem Mund gehört. «Aber jetzt ist nicht der richtige Zeitpunkt, darüber zu sprechen, Ali. Ich muss gehen. Reden wir später.»

«Bei Kerzenschein?»

«Ich denke schon.»

«Wie romantisch!»

«Ich versuche, früh nach Hause zu kommen», verspricht er, aber es klingt recht hohl.

Er beugt sich vor und küsst mich. «Ich liebe dich wirklich, Alicia, Ali Kingston.»

Und mir wird bewusst: Was Christian für Liebe hält und was ich unter Liebe verstehe, sind zwei völlig verschiedene Dinge. Er steht auf, wirft sich seinen Nike-Rucksack über die Schulter, wirft mir zum Abschied noch eine Kusshand zu und geht.

Meine Frosties sind Matsch und treiben auf der Milch wie tote braune Fliegen. Mein Tee aus dem Kochtopf gleicht einem verseuchten Tümpel. Ich glaube, dass ich wahrscheinlich lange apathisch gegen die Wand gestarrt habe, aber sicher bin ich mir nicht. Ich höre Rebecca auf der Treppe poltern, und gleich darauf stößt sie die Tür auf.

«Fertig?», fragt sie und blickt auf das nicht angerührte Frühstück.

«Ich bin nicht hungrig», sage ich und ringe mir ein Lächeln ab.

«Geht es Ihnen gut?»

Ich lache leise. «Mir ging's schon mal besser.»

Kaum verhohlene Schadenfreude blitzt in ihren Augen. «Sie haben doch wohl nicht erwartet, dass Christian hier bleiben und sich um Sie kümmern würde, oder?»

Ich lasse mich in mein Kissen zurückfallen. «Gehofft hatte ich es schon.»

«Christian kann nicht mit Dingen umgehen, die ihm das Leben schwierig machen.»

Ja, das wird auch mir langsam bewusst, und ich glaube, da ist er nicht der Einzige. Ich sehe Rebecca abschätzend an.

«Rebecca. Ist vor ein paar Wochen ein Brief für mich gekommen? Der vielleicht ziemlich wichtig ausgesehen hat?»

Sie setzt die aufmüpfige Teenagermiene auf, und mir wird bewusst, dass sie nur wenig älter ist als Tanya. Aggressiv und herausfordernd reckt sie das Kinn in meine Richtung. «Ja.»

«Und was ist mit ihm passiert?»

«Sie finden ihn zerrissen in der Sofaritze», sagt sie.

«Wieso?», frage ich.

«Ich möchte, dass Sie wieder weggehen.» Ihre Augen füllen sich mit Tränen. «Sie verderben alles. Bevor Sie gekommen sind, war alles bestens.»

«Ich dachte, es sei schon aus gewesen zwischen euch?»

Rebeccas Lippen werden zu einem Strich. «Wir wären bestimmt wieder zusammengekommen. Es war nur eine Frage der Zeit. So ist es doch immer. Und dann sind Sie aufgetaucht. Sie finden, er ist wunderbar, aber Sie haben keinen Schimmer, wie er wirklich ist», fährt sie fort, die kleinen Hände zu Fäusten geballt. «Er schläft immer noch mit dieser anderen Tussi», keift sie und kommt in Rage. «Und mit jeder anderen, die ihn nimmt.»

Resignation überkommt mich. «Und mit dir», füge ich hinzu.

Rebecca wird so rot, dass es nur ein Schuldeingeständnis sein kann. «Wenn Sie das wissen», sagt sie, «warum lieben Sie ihn dann immer noch?»

Diese Frage habe ich mir bereits tausendmal gestellt. «Aus denselben Gründen wie du», sage ich leise zu ihr.

«Dann sind wir beide bescheuert», sagt sie und nimmt den Teller mit den Frosties sowie den inzwischen eiskalten Tee. «Aber mehr werden wir wahrscheinlich nie gemeinsam haben.»

Mein jugendlicher Liebhaber, von dem alle gesagt hatten, dass er völlig falsch sei für mich, hat bewiesen, dass sie alle Recht hatten. Mein Ehemann rennt durch die Gegend und versucht, Casanova wie einen Mönch aussehen zu lassen. Rebecca hat sich selbst der besten Chance beraubt, mich aus dem Haus zu schaffen. Mich, die Besetzerin bei den Hausbesetzern spielt. Meine Schwester hat sowohl Neil als auch den Schweizer Bankier verloren und bläst Trübsal. Christian, die kinderfreie Zone, hat die Freude an Kindern entdeckt und dazu die Gefahr, dass auch seine biologische Uhr tickt. Ich selbst, die ich keine Kinder mehr bekommen kann, entdecke, wie wichtig es für mich ist, Mutter zu sein. Hab ich noch irgendwas übersehen? Wahrscheinlich. Ich wette, Madonna kennt solche Tage nicht.

– Kapitel 79 –

Ed lehnte am schmutzigen Geländer gegenüber von Christians Haus. Er wünschte, er hätte einen Filzhut auf und vielleicht sogar einen Trench an und auch noch eine Zigarette zwischen den Lippen, die er leicht angenervt mit einem Zippo anzünden könnte. Aber so war es nicht. Statt also ebenso mysteriös wie glamourös hier auf der Lauer zu liegen, hing er einfach im Schatten seines Mitsubishi Shogun herum wie ein Ganove, der Schmiere steht.

Die Sache zwischen Orla und Neil machte ihm reichlich zu schaffen. Sein Bruder war leicht für Hirngespinste zu begeistern, und er befürchtete, dass es sich hier um eines handelte. Sein ganzes Leben so spontan umzukrempeln und sich Hals über Kopf in eine Beziehung zu stürzen könnte sich als gefährlich erweisen. Und was Orlas Motive betraf, war er ebenfalls skeptisch. Sie war nämlich zu karrieregeil und dynamisch, um es auf Dauer mit einem Schluffi wie Neil auszuhalten. Und wenn sie seiner müde wurde, was garantiert irgendwann passieren musste? Aber wieso wollte er sich denn anmaßen, die Träume eines anderen Menschen wie Seifenblasen platzen zu lassen?

In Christians Haus schien sich so gut wie gar nichts zu regen, und er fragte sich, ob Ali wohl allein war oder in Gesellschaft. Aber wie auch immer, er hatte sich bis hierher vorgekämpft und würde es zu Ende bringen. Und weil es sich nicht geziemte, würde er wohl auch davon Abstand nehmen, Christian sämtliche Zähne auszuschlagen. Es sei denn, er würde echt provoziert.

Er hatte schon eine halbe Stunde dort gestanden – um genügend Mut zu sammeln, seiner eigenen Frau gegenüberzutreten, verdammt nochmal! Wenn er hier noch länger herumstand, würde er aller Wahrscheinlichkeit wegen vorsätzlichen Herumlungerns eingebuchtet werden. Also überquerte er die Straße, lärmte mit dem Türklopfer und versuchte seine Beine davon zu überzeugen, dass sie keine Lust mehr hatten, weiterhin so zu zittern.

Eine junge Frau, die verheult aussah, öffnete die Tür. «Ist Alicia Kingston zu Hause?», fragte er.

Das Mädchen nickte und trat zur Seite.

Ein schönes Haus. Nicht sonderlich gemütlich, aber doch vornehmer, als er erwartet hatte.

«Ganz oben», sagte das Mädchen.

«Ist sie allein?»

Ein leichtes Lächeln. «Ja.»

Ed stieg die Treppe hinauf. Er hätte Blumen mitbringen sollen. Oder Pralinen. Oder Weintrauben. Oder überhaupt etwas. Aber er hatte nichts mitgebracht, und jetzt war es zu spät. Oben auf dem Treppenabsatz gab es vier Türen, und nur eine stand einen Spalt weit offen. Also schob er sie ganz auf, klopfte vorsichtig und trat ein.

Ali lag auf dem Bett und schlief. Sie hatte die Decke bis zu ihren Füßen hinuntergeschoben, und auf dem weißen Baumwollnachthemd, das sie trug, waren Blutflecken zu sehen. Sie lag auf der Seite, ein Kissen zwischen den Knien, wie sie es während aller drei Schwangerschaften getan hatte. Ihr Gesicht war so weiß wie ihr Nachthemd, und das Meer ihrer goldenen Locken ergoss sich übers

Kissen. Die dunklen Wimpern verstärkten die schwarzen Schatten unter ihren Augen.

Eds Kehle schnürte sich zusammen, und Tränen brannten in seinen Augen. Wie hatte es nur so weit kommen können? Du lieber Gott, was machte sie allein im Schlafzimmer eines Fremden, das aussah wie die Bude eines Zehnjährigen? Am liebsten hätte er sich neben sie gelegt, sie in die Arme genommen und nie wieder losgelassen.

Jeans hingen am Kleiderschrank. Modische Jeans für Jünglinge mit schmalen Hüften. Jeans, die ihm vor zwanzig Jahren nicht gepasst hätten und natürlich auch jetzt, da er den Leibesumfang eines Mannes mittleren Alters angenommen hatte, nicht passten. Eine Packung Gummis von den «Extra Gefühlsechten» lachte ihm höhnisch vom Nachttisch entgegen. Ed biss sich grimmig auf die Lippen. Er sollte gar nicht hier sein. Ali hätte niemals gewollt, dass er hierher käme. Sie hatte doch klargestellt, dass zwischen ihnen alles aus war. Er sollte jetzt gehen und sich später entschuldigen.

Er betrachtete nochmals seine schlafende Ehefrau. Ali schlug die Augen auf. «Hi», sagte sie, als hätte sie erwartet, dass er vor ihr stand.

Eds Stimme versagte den Dienst. Sie war irgendwo in seinem Brustkorb stecken geblieben. Er räusperte sich. «Hi.»

Ali klopfte auf ihr Bett, und er setzte sich, sodass er sie ansehen konnte. Sie war abgemagert. Ihre Arme waren nur noch dünne Besenstiele, und ihre Schlüsselbeine schienen sich durch die Haut hinauspressen zu wollen. Sie wollte sich auf dem Ellbogen in die Höhe stemmen, gab aber auf und sank zurück in ihr Kissen. «Komm, lass mich dir helfen», sagte er, bugsierte sie in die aufrechte Position und schob das Kissen hinter ihren Rücken.

«Wie geht es dir?», fragte er.

Ali biss sich auf die Lippen, und Tränen traten ihr in die Augen.

«Mein Gott», sagte Ed und nahm sie in die Arme. Sie ließ sich an ihn fallen, schluchzte an seiner Brust. Es war ein von Schmerz erfülltes, haltloses Schluchzen, und er fühlte, wie ihre Tränen durch sein Hemd sickerten. «Ich liebe dich, Ali», flüsterte er in ihr Haar. Alicia weinte noch heftiger.

Er schob sie etwas von sich fort und sah ihr ins traurige Gesicht. «Komm zu mir zurück», sagte er.

Ali nickte. «Ja.»

«Ich liebe dich, Ali Kingston.» Ed strich ihr übers Haar, um es zu bändigen. «Und das habe ich immer getan.»

«Ich liebe dich auch», flüsterte sie und klammerte sich an seinen Hals.

Ed hielt sie fest und genoss die Erleichterung, die ihn überkam. «Fahren wir nach Hause.»

Ali wischte sich die Tränen mit dem Handrücken ab und lächelte matt. «Ich hol meine Sachen», sagte sie.

— Kapitel 80 —

Christian eilte von der U-Bahn nach Hause. Er hatte eine Ewigkeit gebraucht, um bis hierher zu kommen. Der U-Bahnhof Covent Garden war zu dieser Jahreszeit wahrscheinlich der verkehrsreichste der Welt. Ewig lange hatte er zwischen Massen japanischer, amerikanischer und französischer Touristen anstehen müssen, um in einen der Aufzüge zu steigen und schließlich eingequetscht zwischen einer Million verschwitzter Achselhöhlen nach Holborn zu gelangen, wo er in die Central Line umsteigen musste.

Er hatte versucht, eher wegzukommen, aber endlich einmal hatten die Leute Schlange gestanden, um sich von ihm porträtieren zu lassen. Typisch. An dem einen Tag, an dem er früher gehen wollte, lief das Geschäft so gut wie seit Monaten nicht mehr. Gott sei Dank hatte endlich der Touristenandrang eingesetzt, aber Ali würde wütend sein, und sie würde, was noch schlimmer war, meinen, dass sie ihm egal sei. Christian tastete nach dem Geld in seiner Tasche. Vielleicht könnte er mit dessen Hilfe ein wenig zur Besänftigung beitragen. Und echte Besänftigung war jetzt angesagt, nachdem er sich am Morgen wie ein egoistischer Mistkerl aufgeführt hatte. Im Moment wuchs ihm die Situation über den Kopf, aber er hatte den ganzen Tag darüber nachgedacht und wollte Ali jetzt wissen lassen, dass alles gut würde. Sie würden bestimmt einen Weg finden, die vielen Probleme zu bewältigen.

Und er würde sich zusammenreißen. Jetzt. Auf der Stelle. Sie hatte zu viel aufgegeben, um mit ihm zusammen zu sein. Es kam nicht infrage, dass er sie im Stich ließ, da sie ihn doch gerade jetzt brauchte. Zu viel Gutes war ihm schon durch die Finger geronnen, und er durfte nicht riskieren, dass es ihm mit Ali ebenso erging. Er musste auf den richtigen Weg zurückfinden und sich endlich aufführen wie ein verantwortungsbewusster Bürger des Planeten Erde.

Als Erstes hatte er Sharon angerufen und ihr gesagt, dass es zwischen ihnen aus sei. Sehr schade, denn sie war besonders süß. Sie hatte bitterlich geweint, und er war sich wie ein richtiges Schwein vorgekommen. Es schwammen natürlich immer noch massenweise Fische im Meer, aber er musste sich daran gewöhnen, von jetzt an alle vorbeischwimmen zu lassen, ohne die Angel auszuwerfen.

Und das mit den Kindern war auch kein Weltuntergang. Es würde wahrscheinlich noch Jahre dauern, bis er eigene haben wollte, und in der Zwischenzeit begnügte er sich gern mit Elliott und Thomas und Tanya, mit denen er bestimmt mehr als genug beschäftigt sein würde. Und wenn die Zeit dann gekommen war, gab es ganz sicher einen Weg. Wer wusste schon, welche Fortschritte die Technik bis dahin gemacht haben würde.

Schnellen Schritts ging Christian Notting Hill Gate entlang. Nach der Kälte in der U-Bahn war es angenehm, die Wärme der Sonne auf dem Rücken zu spüren. An der Ecke war ein Zeitschriftenladen, in den er schnell hineinhuschte. Er wollte Ali ein paar Magazine und Konfekt kaufen, damit sie in der Genesungszeit etwas zu lesen und auch was zu naschen hatte. Es war ein Albtraum, sie bei Becs lassen zu müssen, aber sie brauchten das Geld, und er würde heute Abend eingehender mit ihr darüber sprechen und ihr seinen Standpunkt erklären.

Er ließ den Blick über die Regale schweifen. Sie war wohl ein wenig zu alt für *Cosmo*, in das Becs ständig die Nase steckte, und ein bisschen zu jung für *Women's Weekly*. Was sollte er nur kaufen? Er verstand doch nicht das Geringste von Frauenzeitschriften. Er hatte bisher alles gemieden, auf dessen Titelseite die Wörter *Schwangerschaft* oder *Wechseljahre* zu lesen waren. Keine leichte Aufgabe, und jetzt am besten auch noch einen weiten Bogen um Artikel über Fußballenentzündung und das Stillen von Säuglingen machen. Waren Frauen wirklich an diesen Dingen interessiert? Nachdem er die Reihen nervös auf und ab gegangen war, ohne sich entscheiden zu können, griff Christian schließlich zu *Good Housekeeping*, dessen Themenauswahl am unverfänglichsten zu sein schien: «Was gehört zu einem perfekten Sommerpicknick?», «In Rosa eingelegt – Zehn Methoden, Ihre Zwiebeln mit Rotwein haltbar zu machen» und schließlich: «Lauert eine tödliche Krankheit in Ihrem Teppich?» Er war sicher, dass ihr Teppich eine tödliche Krankheit beherbergte, aber darüber hinaus schien nichts in der Zeitschrift zu sein, das zu Streitereien Anlass geben konnte. Er nahm hastig ein Exemplar aus dem Regal.

Was Konfekt betraf, entschied sich Christian sehr schnell für Quality Street, womit man ja kaum etwas falsch machen konnte. Überdies mochte er diese Pralinen in der unverwechselbaren Blechdose am allerliebsten, und wenn Ali nicht danach war, würde er sie eben selbst essen.

Inzwischen brannte er darauf, nach Hause zu kommen, aber Mister Akash brannte nicht darauf, ihn zu bedienen. Christian schloss sich der immer länger werdenden Schlange von Kunden an, die anscheinend nichts lieber wollten, als daheim die Ereignisse ihres Arbeitstages durchzukauen, und jetzt bedauerten, dass sich der einzige schwatzhafte Zeitschriftenhändler Londons ausgerechnet an ihrer Straßenecke angesiedelt hatte.

Schließlich stand Christian tatsächlich vor der Kasse. «Du siehst ja echt spitze aus, Kumpel», sagte Mister Akash.

«Geht mir ja auch spitze», sagte Christian lächelnd, verstaute die Konfektdose und das *Good Housekeeping* in seinem Rucksack und eilte forschen Schrittes nach Hause, um Ali nach allen Regeln der Kunst zu hegen und zu pflegen.

— Kapitel 81 —

Ich muss ganz ehrlich sagen, dass die nächsten paar Minuten undeutlich an mir vorbeirauschen. Eben liege ich noch im Bett und wünsche mir sehnlich, dass die Bettdecke über mir zusammenschlägt und mich verschlingt wie in den B-Filmen aus den fünfziger Jahren, und im nächsten Moment steht Ed vor mir wie ein Ritter in glänzender Rüstung, den es in unsere Zeit verschlagen hat. Und es mag durchaus eine Sinnestäuschung sein, aber er ist in Sonnenlicht gebadet wie dieser Wie-heißt-er-noch-gleich? In dem Film *Highlander*?

In Windeseile hat er wie ein Besessener meine sämtlichen Kleidungsstücke in einer Tragetasche verstaut. Dann hilft er mir, mich aus dem Bett zu kämpfen, und ein Kampf ist es tatsächlich. Nicht einmal die vielleicht alberne Vorfreude, die in mir aufkommt, vermag meinen wackligen Füßen Flügel zu verleihen. Stattdessen beginnt meine Flucht mit einem kläglichen Humpeln durchs Schlafzimmer, wobei ich ab und zu vor Schmerzen zusammenzucke. Ed reicht mir meinen Morgenmantel. «Zieh dir den einfach über», fordert er mich auf. «Ich will so schnell wie möglich weg von hier.»

Er sieht richtig männlich aus, wie ein Gebieter, und er schreitet durchs Zimmer, um alles einzusammeln, was auch nur entfernt spitzenartig aussieht und deswegen mir gehören könnte.

Ich versuche nicht länger, etwas zum Anziehen zu finden, sondern gebe mich mit dem Morgenmantel zufrieden.

«Fertig?», fragt er.

Ich nicke, und obwohl er bereits die voll gestopfte

Reisetasche trägt, die schwer genug sein dürfte, hebt er mich einfach hoch und trägt mich zur Tür. Ich schlinge ihm die Arme um den Hals und verspüre nicht die geringste Angst, dass er mich fallen lassen könnte. Er ist stark und entschlossen. Noch nie habe ich mich sicherer gefühlt. Als wir zur Tür kommen, sehe ich mich um nach den schönen antiken Möbeln und dem Deckengemälde. Ich kann nicht die geringste Spur von mir entdecken. Absolut nichts. Es sieht aus, als sei ich nie hier gewesen.

Ed trägt mich die Treppe hinunter, vorbei an einer Rebecca, die ein schmutziges Geschirrtuch in der Hand hat und den Mund nicht wieder zukriegt. «Wiedersehen», sage ich über Eds Schulter hinweg.

Wir stürmen aus dem Haus in den Sonnenschein, der so gleißend ist, dass mir die Augen schmerzen. Mir kommt es vor, als seien wir aus einem Gefängnis ausgebrochen. Nur wir beide. Zusammen haben wir den Tunnel gegraben, und jetzt sind wir draußen. Draußen auf der anderen Seite der hohen Mauer. Wir haben es geschafft. Wir sind frei. Es geht zurück nach Hause.

— Kapitel 82 —

Christian ging immer schneller, widerstand dem dringenden Bedürfnis, ganz ohne die ermunternde Wirkung einiger Gläser Bier in aller Öffentlichkeit laut zu singen, schlängelte sich schwungvoll um den Zaun herum, lief die Auffahrt hinauf und durch die Vordertür, die bereits offen stand. Im Flur ließ er seinen Rucksack einfach fallen, und der spuckte zur Strafe Konfekt und Zeitschrift auf den Fußboden.

«Hallo, Liebes, ich bin zu Hause», rief er, schnappte sich die Versöhnungsgeschenke und wollte die Treppe hinaufeilen.

«Christian.» Rebecca kam aus der Küche. Sie hatte rot geränderte Augen, ihr Gesicht war bleich, und sie fingerte nervös an den Glücksarmbändern an ihrem Handgelenk.

Er verharrte augenblicklich. «Was?»

«Sie ist weg.»

Er sah sie verständnislos an.

«Ali ist weg», wiederholte sie.

«Das kann doch gar nicht sein. Ihr geht es nicht gut.»

«Ihr Mann ist gekommen.» Rebecca schlang die Arme um ihren Oberkörper und wich seinem Blick aus. «Er hat sie mit nach Hause genommen.»

Christian raste die Treppe hinauf und stürzte ins Schlafzimmer. Es war leer. Wie Rebecca gesagt hatte. Ihre sämtlichen Toilettenartikel waren von der Kommode verschwunden. Die Klamotten, die sie immer über den Lloyd-Loom-Stuhl geworfen hatte – ebenfalls verschwunden.

Das Bett war gemacht. Keine zerknüllten Laken, keine Spuren auf der Bettdecke. Christian legte sich hin und starrte an die Decke. Die Decke, durch die der gemalte Soldatenstiefel trat. Sie war fort. Er war so vor den Kopf geschlagen, dass er nichts anderes denken konnte. Ali war fort. Weg. Das Exemplar von *Good Housekeeping* rutschte ihm aus der Hand und klatschte auf den Boden. Sie würde nie erfahren, was man zu einem perfekten Sommerpicknick braucht oder wie sie ihre Zwiebeln ausschließlich durch die Kraft von Rotwein konservieren könnte. Die Dose Quality Street an die Brust gedrückt, schloss Christian Winter die Augen ganz fest und weinte, weil er das einzig Gute in seinem Leben verloren hatte.

– Kapitel 83 –

Ich liege in einem Liegestuhl im Garten und genieße den längsten und heißesten Sommer seit 1976. Ich bin von Kopf bis Fuß mit Sonnencreme des stärksten Schutzfaktors gesalbt, denn Krebs ist für mich etwas höchst Reales, und da ich ihn an einer Stelle losgeworden bin, möchte ich nicht, dass er wegen meiner eigenen Dummheit an anderer Stelle wieder auftaucht. Und Dummheit ist – wie Krebs – etwas, über das ich inzwischen weitaus besser Bescheid weiß als früher.

Die Chemotherapie hat mir das prächtige Haupthaar geraubt, aber es wächst langsam nach, und ich nehme keine Zuflucht mehr zu Perücken im Stil von Shirley Bassey oder Kopftüchern, wie sie die Amish-Frauen tragen. Ich vermute, mein Haar wird noch lockiger als früher und sein Ingwer-Keks-Farbton noch intensiver als eigentlich menschenmöglich. Ich werde wahrscheinlich aussehen wie einer von diesen rostfarbenen Topfschrubbern aus Drahtwolle. Aber mir gefällt's!

Und nicht nur mein Haar habe ich auf neue Weise zu schätzen gelernt. Auch das Gras ist grüner, der Himmel ist blauer, die Vögel zwitschern lauter – und wenn jemand das für sentimentalen Kitsch hält, kann ich nur sagen, dass mir das egal ist, weil es nämlich stimmt und ich hoffe, dass man mir glaubt. Ich wünsche nämlich niemandem, es auf dieselbe Weise herausfinden zu müssen wie ich.

Ich sehe meine Familie und spüre einen solchen Überschwang an Liebe für sie, dass ich Freudentränen vergießen könnte. Elliott sitzt im Sandkasten und gibt sich alle Mühe, den Nachbarshund Harry davon zu überzeugen, dass Sand eine Delikatesse ist. Ich gebe vor, nichts davon mitzubekommen. Tanya liegt im Gras und ist an ihren CD-Spieler angeschlossen. Ihre bloßen Füße einschließlich der orange lackierten Zehennägel kickt sie im Takt der Musik in die Luft. Sie wächst schnell und hat sich in einen Muster-Teenager verwandelt. Sie weiß, wo der Wasserkessel steht und wozu ein Staubtuch gut ist. Und sie ist sogar dazu übergegangen, einmal die Woche ihr Zimmer aufzuräumen. Ich bin hoch erfreut über diese Entwicklung und frage mich, wie lange es wohl dauern wird, bis ich sie wieder anschreie und sie mir an den Kopf wirft, dass ich die schlechteste Mutter der Welt sei, weil nämlich ihre sämtlichen Freundinnen all das dürfen, was ihr nicht erlaubt ist. Nicht allzu lange, fürchte ich. Und es soll mir auch recht sein, weil ich dann weiß, dass wir endlich wieder den Normalzustand erreicht haben. Thomas, dem der kurzfristige Flirt mit dem Drogenrausch anscheinend nicht geschadet hat, liest den jüngsten Harry Potter. *Harry Potter und die Million Pfund auf der Bank* – oder so ähnlich. Vielleicht sollte ich auch ein Buch schreiben. Oder vielleicht auch nicht.

Ich habe einen Brief von Kath Brown bekommen, in dem sie mir wieder meinen alten Job anbietet, und ich denke, dass ich sie beim Wort nehme, wenn ich wieder ganz gesund bin und genügend Haare auf dem Kopf habe, um ihre Kunden nicht zu verschrecken. Freut mich aber, dass sie so klug ist, zu Kreuze zu kriechen. Ich jedenfalls wusste immer, dass ich unentbehrlich bin.

Auch von Christian kam eine Karte. Auf der Vorderseite kotzte eine gezeichnete Katze, und innen stand in großen theatralischen Lettern SORRY. Und ich schätze, damit wäre wohl alles gesagt. Außerdem war eine Quittung von einem Pfandleiher im East End beigelegt. Von einem Pfandleiher, der meinen Verlobungsring, meinen Ehering und alle meine Freundschaftsringe verwahrte. Und so weiß ich jetzt endlich, wovon Christian unsere romantische Traumreise auf die Malediven bezahlt hatte. Ich zeigte Ed die Quittungen, der daraufhin ohne ein einziges Wort ins Auto stieg, zu der Adresse fuhr, die auf der Quittung stand, und meine Ringe zu einem horrenden Preis auslöste. Zu Hause steckte er sie mir dann wieder auf die Finger, wo sie hoffentlich immer bleiben werden.

Ich holte die Zeichnung von mir hinter dem Schrank hervor und zerriss sie für den Fall, dass ich je auf die Idee kommen sollte, ich hätte tatsächlich einmal so ausgesehen und mich daher nach jener Zeit zurückzusehnen. Ich frage mich, ob ich eines Tages einmal an dem Haus in Notting Hill vorbeigehen werde, um nachzuschauen, ob sie noch alle da sind und sich im Dunkeln zu erkennen versuchen oder ob Christian vielleicht weitergezogen ist, um wieder in das Leben einer Frau einzudringen. Aber ich gebe ihm nicht die Schuld an dem, was geschehen ist, ganz und gar nicht. Das nehme ich allein auf meine Kappe. Es gehören immer zwei dazu, aber ich hätte doch besser wissen müssen, welche Gefahren es birgt, wenn man zu eng mit einem Fremden tanzt. Besonders wenn dieser Fremde ein wunderschönes und herzzerreißend verantwortungsloses Bürschchen ist.

Ich sehe eine rosige Zukunft für uns alle – Ed, Elliott, Thomas und Tanya. Sie sind mein Leben, und ich kann es nicht fassen, dass ich vergessen konnte, was sie mir bedeuten. Das wird mir nicht noch einmal passieren.

Ed kommt durch den Wintergarten aus dem Haus. Auf einem Tablett bringt er kalte Getränke. Er hat sich einen Monat Urlaub genommen, damit er sich um mich kümmern kann, und das hat uns einander so nahe gebracht wie nie. Und noch etwas, das ich niemals wieder für selbstverständlich erachten werde, ist der Luxus, Zeit zu haben. Wir werden dafür sorgen, dass es uns niemals daran mangelt.

Bei Wavelength hat man beschlossen, eine Tochtergesellschaft ins Leben zu rufen, die Filme nach Drehbüchern junger neuer Autoren produzieren soll, und Ed wurde berufen, diese Firma zu leiten. Obwohl ich glaube, dass ihm die Videoproduktion von Industriefilmen fehlen wird, ist das eine neue Herausforderung, auf die er sich freut.

Ed setzt das Tablett ab und reicht mir ein Glas Limonade. Mit zunehmendem Alter wird er immer attraktiver, oder vielleicht sehe ich das auch nur so wie bei den Vögeln und dem blauen Himmel und dem grünen Gras. Vielleicht sehe ich ihn mit anderen Augen. Ich küsse sein Haar, das von der Sonne erwärmt ist. Er lächelt mich an. «Ich hab mir gedacht, wir machen eine zweite Hochzeitsreise», sagt er. «Sobald es dir besser geht.»

Ich streichle seine Wange. Die Haut fühlt sich gut an. «Das würde mir gefallen.»

«Kann ich mitkommen?», fragt Elliott, der durch den Garten angerannt kommt, als hätte er noch nie ein Glas Limonade gesehen.

«Zweite Flitterwochen sind dazu gedacht, dass Mütter und Väter einmal Zeit miteinander verbringen, ohne dass naseweise Kinder dabei sind.»

Elliott macht ein angewidertes Gesicht. «Denkt bloß daran», ermahnt er uns streng, «wenn ihr diese Schmachterei macht, dass dabei nicht ein Babybruder rauskommt, der so ist wie ich.»

«Ich glaube nicht, dass du davor Angst haben musst, Elliott», sage ich.

Ed und ich sehen einander an und lachen gleichzeitig los.

— Kapitel 84 —

Orla kam aus ihrem Allerheiligsten und führte Harrison Ford ins Hauptbüro. Sie schüttelte ihm die Hand. «Ich bin höchst erfreut, dass Sie an Bord sind», sagte sie mit Nachdruck.

Neil war überrascht, wie sehr der Schauspieler tatsächlich Indiana Jones ähnelte. Obwohl er nicht ganz so verschmutzt aussah. Und auch nicht so verschwitzt. Zudem trug er ein weißes Leinenjackett und keine schmuddelige Lederjacke.

«Freut mich sehr», sagte er gedehnt.

«Wir haben die Dreharbeiten nach Prag verlegt. Ich schätze, wir werden daher gut einen Monat in Europa sein», sagte Orla.

«Wunderbar.» Harrison ist ganz cool. Aber ein Mann, der Schlangen und deutsche Soldaten mit bloßen Händen niedergekämpft hat, wird sich wohl kaum von einer Reise nach Übersee aus der Fasson bringen lassen.

Orla durchschritt den Raum, augenfällig angetan davon, dass sie hier das Sagen hatte. Neil lächelte wohlwollend. «Das hier ist mein Partner», sagte sie und legte ihm die Hand auf die Schulter. «Neil Kingston.»

«Hi.» Neil streckte die Hand aus. «Angenehm.»

«Gleichfalls», antwortete Harrison und zerquetschte ihm fast die Hand.

«Mein Bruder hat vor Jahren mit Ihnen gearbeitet», sagte Neil. «Bei den *Jägern des verlorenen Schatzes*. War für Spezialeffekte zuständig.»

Harrison sah ihn fragend an.

Neil sagte achselzuckend: «Sie werden sich wahrscheinlich nicht an ihn erinnern.»

«Doch nicht etwa Ed?», fragte Harrison, und sein Megastarlächeln wurde immer breiter.

Neil lachte. «Doch.»

«Ed Kingston?» Harrison riss die Augen auf. «Sie sind Ed Kingstons Bruder?»

Neil lachte nochmal, aber etwas nervöser. «Ja.»

«Ein toller Typ! Es war großartig, mit ihm zu arbeiten. Wir waren wie Brüder.»

«Wirklich?» Neil fand, dass seine Stimme fast krank klang.

«Wie geht es ihm denn?»

Neil zuckte die Achseln. Nie mehr würde er Ed nerven, weil er Harrison-Ford-Geschichten erzählte, und überdies würde er sich so schnell wie möglich dafür entschuldigen, dass er es je getan hatte. «Es geht ihm gut.»

«Rufen Sie ihn an», sagte Harrison enthusiastisch. «Rufen wir ihn an.»

«Jetzt?»

«Warum denn nicht», sagte Harrison. «Wie spät ist es denn jetzt in England?»

Neil sah auf seine Armbanduhr. «Ungefähr Teezeit.»

«Teezeit?», lachte Harrison laut. «Ihr Typen macht mich fertig. Teezeit! Rufen wir ihn an. Unterbrechen wir seine Teezeit.»

Mit einem Blick suchte Neil Orlas Erlaubnis.

«Ruf ihn an», sagte sie.

Harrison klatschte begeistert in die Hände. «Mann, wie gerne ich mal wieder mit Ed quatschen würde.»

Dabei hätte Neil gern Mäuschen gespielt.

Harrison wandte sich an Orla. «Kennen Sie Ed auch?»

«Also ...», sagte Orla.

«Dieser Ed ist ein klasse Typ. Können wir ihn nicht auch bei unseren Dreharbeiten einsetzen?»

Orla sah Neil an. «Also ...»

Neil griff zum Telefon.

Ed hörte im Garten das Telefon läuten. Er stellte sein Glas ab und küsste Ali auf die Wange. «Bin gleich wieder da.»

Er ging in die Küche, wo es angenehm kühl war, und nahm den Hörer ab. «Ed Kingston.»

«Hi, Brüderchen», sagte Neil. «Ich bin's.»

«Neil.» Ed hockte sich auf die nächstgelegene Sitzgelegenheit. «Wie läuft's denn?»

«Bestens, sehr gut.»

«Und Orla?»

«Bestens, sehr gut», sagte Neil ungeduldig. «Ed, hör mal. Du würdest niemals darauf kommen, wer hier mit dir sprechen möchte.»

«Wer denn?», fragte Ed und sah auf den Kalender. Vielleicht könnten sie gegen Ende des Jahres Neil besuchen, wenn Ali sich einen so langen Flug zumuten wollte. Die Idee war nicht schlecht.

«Hier», sagte Neil, «ich geb ihn dir.»

«Hi, Ed», sagte eine tiefe Stimme. «Harrison Ford hier. Wie geht's denn?»

Ed schmunzelte. All seine Träume von Harrison Ford und davon, Hollywood im Sturm zu nehmen, hatten sich inzwischen verflüchtigt, und trotzdem war er mehr als zufrieden. Von jetzt an zählten nur noch er und Ali. Das war alles. «Ja. Sehr witzig, Neil. Ha ha, echt witzig.» Und lachend legte Ed auf.

Er ging selbstvergessen schmunzelnd zurück in den Garten und setzte sich zu Ali. Sie sah von Tag zu Tag besser aus, stärker und glücklicher. Er hoffte, dass sie die schlimmen Zeiten hinter sich gelassen hatten und dass ihnen nur noch rosige Zeiten bevorstanden.

Sie legte ihr Buch beiseite und sah über den Rand der Sonnenbrille zu ihm auf. «Wer war denn das?», fragte sie.

Ed drückte fest ihre Hand. «Niemand», sagte er. «Absolut niemand.»